Histoire de la Littérature Française
sous la direction de Daniel Couty

XVIIe SIECLE

Bergen

par

Jean GOLDZINK

École Normale Supérieure
de Saint-Cloud

Bor[illegible]

Illustration couverture :
autographe de Jean-Jacques Rousseau.
Lettre adressée à M. le Syndic Favre
pour abdiquer son droit de
bourgeoisie, 12 mai 1763.
Archives de Genève.

ISBN : 2-04-016704-8

Sommaire

CADRE HISTORIQUE 5

Littérature et société 5
L'Europe et le monde 5
Mieux vivre 5
France, Angleterre, Allemagne 6
L'absolutisme français 6
L'Ancien Régime 7
Les choses et les idées 11
Du Roi-Soleil aux régicides 11
La Régence (1715-1723) 11
Le règne de Louis XV (1723-1774) 13
Le règne de Louis XVI (1774-1789) 15
Bibliographie 16

CADRE IDÉOLOGIQUE 17

La force des choses 17

Le sceptre et la plume 17
Lire au XVIIIe siècle 21
Foyers des Lumières 23
Du Philosophe au « sacre de l'écrivain » 27
Bibliographie 32

CADRE INTELLECTUEL 33

Qu'est-ce que les Lumières ? 33

La mesure du monde 34
Histoires d'ailleurs : l'univers élargi 34
Newton : l'univers unifié 36
Histoires naturelles : l'univers engendré 38
Raisonner la raison 39
Encore un Anglais... 39
Système, métaphysique, expérience 40
Ici-bas, le bonheur 42
Le ciel par terre 42
Antinomies du bonheur 44
Un chantier des lumières : l'Encyclopédie 46
Quelques dates... 46
... et quelques chiffres 47
Ordre et désordre 49

Lumières mouvantes 50
Dieu, ou Comment s'en débarrasser ? 51
La société, ou Comment lier les hommes ? 54
Illuministes et anti-Lumières 62
Les Lumières quand même 64
Le cœur et la raison 65
Bibliographie 69

CADRE LITTÉRAIRE 71

La force des formes 71

La fureur de jouer 72
Le siècle vu de profil 72
Lieux et formes 74
Le drame, une modernité avortée ? 76
L'année 1757 79
Ces livres qu'on ne lit qu'une fois, et parfois d'une main... 80
Découpes 81
Narcisse au miroir 87
Le jeu des Je 90
Tiroirs 93
Philosophes sans culotte 93
Pays de nulle part ou de plus tard ? 94
« Quand verra-t-on naître des poètes ? » (Diderot) 96
Révolution sans littérature, littérature sans révolution ? .. 100
Fin d'un régime 100
Innovations 101
La fête 101
Appel d'air 102
Le mal du siècle 103
Bibliographie 105

FIGURES 106

Saint-Simon 106
Montesquieu 110
Marivaux 118
Prévost 131
Voltaire 138
Rousseau 150
Diderot 165
Beaumarchais 179
Choderlos de Laclos . 189
Sade 196
Bibliographie 200

ANNEXES 205

Chronologie 206

Index 221

CADRE HISTORIQUE

Littérature et société

L'Europe et le monde

Le XVIIIe siècle confirme et accélère le décollage récent de l'Europe par rapport au reste du monde. Supériorité technique, scientifique, économique et militaire, qui se traduit par des voyages, des échanges commerciaux, des conquêtes coloniales, la traite des Noirs et l'essai d'évangélisation des peuples. Cette expansion domine la pensée des Lumières. Il y a une tentation évidente d'identifier la culture occidentale à la raison, à la civilisation. Mais la découverte du monde oblige aussi à penser les différences : faut-il les rapporter à la race, au hasard (Voltaire), au climat et aux systèmes politiques (Montesquieu), faut-il penser l'Histoire en termes d'inégalité sociale (Rousseau), etc. ? Cette expansion ne s'opère-t-elle pas aux dépens du bonheur des colonisés, à rebours de ce qu'exigerait celui des Européens ? C'est surtout la religion chrétienne qui pâtit de ce comparatisme grandeur nature. La philosophie va vouloir penser désormais à l'échelle de l'humanité, pardessus les clivages religieux, renvoyés au statut des mœurs et des particularismes.

Mieux vivre

Au moins jusqu'aux années 1770, le XVIIIe siècle semble bénéficier d'une conjoncture économique globalement favorable. La mortalité recule, les grandes crises alimentaires du XVIIe siècle et de la fin du règne de Louis XIV s'effacent peu à peu des mémoires, l'argent se fait plus abondant, etc. On constate (n'épiloguons pas sur les causalités et les temporalités) une sorte d'euphorie intellectuelle, le sentiment (inégalement partagé, diversement coloré, mais général) que l'homme peut et doit maîtriser davantage son destin, chercher le bonheur, réformer les « abus », dissiper les « préjugés », favoriser le progrès (des sciences, des techniques, du commerce, etc.). L'*Encyclopédie* comptabilise ce désir, qui débouche sur des options politiques et religieuses évidemment divergentes. Ni la tradition ni la Révélation n'assurent plus le consentement. La démonstration scientifique est devenue le critère de la vérité convaincante.

France, Angleterre, Allemagne

L'Angleterre a précédé la France sur le chemin des Lumières et constitue la grande puissance rivale : maritime, commerciale, libérale et coloniale. Mais la prépondérance culturelle française s'impose à l'Europe, le français devient la langue des élites aristocratiques. À partir des années 1780, sans que les Français s'en aperçoivent, l'Allemagne capitalise le remarquable essor de ses universités et va prendre la tête de la culture européenne.

Il y a, au XVIIIe siècle, un paradoxe français, qui juxtapose le prestige de ses philosophes et la médiocrité de ses rois. L'absence de despote éclairé français permet à Frédéric II de Prusse, à Catherine II de Russie, de se donner à peu de frais un prestige libéral et civilisateur. La monarchie française n'est jamais parvenue, n'a pas même songé, à se donner un visage moderne et séducteur. On ne saurait dire pourtant qu'elle persécute les intellectuels. Elle se contente d'exiger, par un système complexe et changeant de pressions, modération et autodiscipline. On retrouve la même indécision dans la mise en œuvre des réformes qui l'eussent peut-être sauvée.

L'absolutisme français

La monarchie française est à la fois absolue (pas de constitution écrite, pas de puissance législative élue, concentration de tous les pouvoirs dans les mains du roi) et largement muselée par les traditions, les privilèges, innombrables et âprement défendus. Largement bridée aussi par la puissance énorme (financière et morale) du clergé, par l'aristocratie (qui détient les plus hauts postes de l'État et l'essentiel des ressources monétaires, issues de la possession des terres), et également par la banque. La monarchie française est tributaire, financièrement, des fermiers généraux qui lui avancent l'argent des impôts, et de la banque (internationale) qui lui en prête. Elle s'effondrera quand la grande banque européenne lui retirera sa confiance. Cette fragilité financière croissante n'est pas un problème purement technique. Elle est liée aux choix de politique étrangère (guerres continentales et coloniales), et aussi à la structure sociale : comment faire payer à l'aristocratie et au clergé leur « juste » part des impôts ? Louis XV meurt quand il tente enfin, exaspéré, de résoudre à la fois le problème de la contribution financière de l'aristocratie et celui de sa résistance politique (parlements). Louis XVI repart à zéro et échoue à son tour.

L'Ancien Régime

Il est difficile de comprendre la littérature d'avant 1789 sans quelque idée de l'Ancien Régime. Il repose d'abord sur l'énorme prépondérance du secteur agricole, qui subsiste pour l'essentiel en autoconsommation, fragilisée par une faible productivité. D'où la réticence du pouvoir à autoriser la libre circulation des grains, par crainte des hausses de prix spéculatives et des émeutes alimentaires (exemple des contradictions où se débat le régime, et qui divisent aussi les Philosophes). Les masses paysannes vivent largement immergées dans leur civilisation traditionnelle (technique et mentale), beaucoup plus étroitement encadrées que dans le passé par un clergé infiniment mieux instruit et formé. L'écart mental s'est sans doute accentué, au XVIIIe siècle, entre les villes et les campagnes, les couches dominantes (aristocratie, bourgeoisie, clergé) et la masse de la paysannerie (elle-même fort différenciée et hiérarchisée). La Révolution paiera cher le combat frontal contre l'Église, après avoir bénéficié de la Grande Peur paysanne. Quand Voltaire voit le danger, mais non l'utilité, d'envoyer les gueux à l'école, c'est évidemment d'abord aux millions de paysans (masses « sauvages » !) qu'il songe. Une littérature de colportage leur est destinée.

Il faut insister sur l'importance numérique des gens de

service (valets, servantes, cuisiniers, etc.) dans les châteaux et les villes. Signe spectaculaire de sa « réforme » de 1751 : l'ancien valet J.-J. Rousseau renonce à son valet ! Diderot veut les exclure ou presque du drame bourgeois, mais ils peuplent comédies et romans (Marivaux, *le Paysan parvenu ; l'Ile des esclaves ;* Diderot, *Jacques le Fataliste ;* Beaumarchais, *le Mariage de Figaro,* etc.).

Attention cependant ! La figure du valet devenu financier (*le Paysan parvenu,* de Marivaux, *Turcaret,* de Lesage) n'est qu'un mythe sans aucune réalité.

Paysans, valets, artisans et commerçants, hommes de loi et médecins, banquiers et gros négociants, etc., sont censés appartenir à un même ordre : le tiers état, à côté de la noblesse et du clergé. Autant dire qu'il s'agit d'une vue de l'esprit, sans signification sérieuse, même si la distinction de la roture et de la qualité compte dans les mœurs et les mentalités. Mais la roture ne s'éprouve comme meurtrissure, ou manque à combler, que sur fond de talent, de mérite, et/ou de richesse. La distance est infinie entre la masse des paysans et l'élite roturière, instruite dans les mêmes collèges que l'aristocratie (Voltaire a eu comme condisciples les frères d'Argenson, futurs ministres de la Guerre et des Affaires étrangères, d'où son retour en grâce à la cour), et côtoyant la noblesse dans les salons, les académies ou les loges maçonniques. Il est certain que les couches dominantes du tiers état cherchent en général à imiter le mode de vie nobiliaire (propriété terrienne, vie oisive) et à s'y intégrer. La noblesse n'est pas en France une caste fermée, mais les processus d'anoblissement s'étendent généralement sur plusieurs générations, et supposent une stratégie familiale de longue haleine.

Le problème des rapports du mérite (personnel) et de la naissance travaille, de manière directe ou transposée, et chaque fois selon des dispositifs idéologiques spécifiques, la littérature du XVIIIe siècle (Rousseau, *Julie ou la Nouvelle Héloïse* ; Marivaux, *la Vie de Marianne, le Jeu de l'amour et du hasard, le Prince travesti* ; Voltaire, *Candide* ; Diderot, *Jacques le Fataliste* ; Beaumarchais, *le Mariage de Figaro,* etc.).

Rien ne serait plus naïf et plus faux que de se représenter la noblesse du XVIIIe siècle (mieux vaudrait d'ailleurs dire *les* noblesses : aucune couche ou classe dominante ne forme un bloc homogène) selon des clichés encore trop répandus : ignorante, appauvrie, envieuse et stérile, compensant dans le libertinage sa prééminence politique et sociale perdue. Une chose est en effet de constater la persistance, depuis le XVIe siècle, à l'adresse du roi, d'un discours nobiliaire gémissant (discours « corporatif » — les grandes plaintes de la noblesse de France — réclamant pensions, exemptions fiscales, places réservées, etc., juste prix du sang versé sans compter pour le roi et la patrie !) ; de constater la circulation parallèle d'un discours autoglorificateur (sauvons la noblesse, pour sauver les valeurs désintéressées de l'honneur et du courage, ou pour sauvegarder les libertés contre le despotisme monarchique) et d'un discours accusateur dénonçant soit le refus de la mésalliance (conflit de la nature et de la convention sociale, du cœur et du préjugé), soit le libertinage aristocratique (l'aristocrate libertin incarne alors l'anti-nature, la négation cynique des valeurs sociales et morales, l'égoïsme pervers). Autre chose est d'y lire le reflet direct de la réalité.

La noblesse bénéficie de la hausse des prix agricoles et de la conjoncture économique. Il y a déjà longtemps qu'elle envoie ses fils dans les collèges, qu'elle accapare les places lucratives de l'Église, de l'appareil judiciaire (parlements), de la haute administration, et évidemment de l'armée ; qu'elle spécule sur la dette chronique de l'État, en lui prêtant de l'argent ; qu'elle s'enrichit des fournitures à l'armée ; qu'elle fume ses terres en vendant ses filles, ou en les plaçant dans des couvents pour maintenir le patrimoine, ou en épousant de riches héritières roturières. La Révolution va la priver de ses privilèges et de quelques têtes, mais n'entaille pas vraiment sa puissance matérielle.

Elle ne dédaigne pas le lustre académique, parisien ou provincial. Elle entre massivement dans les loges maçonniques. Rousseau note lui-même que l'aristocratie fit fête à *la Nouvelle Héloïse.* De grands aristocrates (snobisme ? fronde antimonarchique ? sympathie sincère ?) protégèrent Rousseau. Une part de l'intelligentsia appartient à la noblesse, y compris dans sa fraction la plus créatrice : Fénelon, Montesquieu, Saint-Simon, Vauvenargues, Buffon, Laclos, Sade, Condorcet, Chateaubriand, etc.

Dans ce tableau sommaire des forces sociales de l'Ancien Régime, on ne saurait évidemment oublier le clergé, premier ordre du royaume. L'ironie de l'Histoire veut que l'Église subisse le plus rude assaut qu'elle ait jamais connu au moment même où la réforme post-tridentine (concile de Trente) lui fournit ses meilleurs cadres. Voltaire peut croire, en ses dernières années, que l'Internationale des philosophes est en passe d'écraser l'*Infâme* (l'Église) ou de la purger de ses superstitions. Pure illusion. La Révolution joue largement son destin sur la question religieuse (constitution civile du clergé). Mais on sait aussi qu'une fraction du clergé a eu un rôle décisif dans le déclenchement du processus révolutionnaire, en joignant ses voix à celle du tiers état, lors des états généraux convoqués par Louis XVI.

L'Église conserve, au XVIIIe siècle, son monopole de l'enseignement. Elle continue à fournir, malgré l'accroissement des intellectuels laïcs, une fraction non négligeable, mais déclinante, de l'intelligentsia, notamment dans le secteur de l'érudition. L'abbé reste une figure typique de la société d'Ancien Régime, au croisement de la sociabilité religieuse, mondaine et intellectuelle.

Force est cependant de constater l'absence d'une figure à mettre en balance avec Bossuet et Fénelon, ou Malebranche.

Moine défroqué, l'« abbé » Prévost écrit des romans... L'abbé Condillac, au contraire, poursuit la tradition des clercs philosophes, mais c'est pour développer le sensualisme issu de Locke, pilier des Lumières. Quant à Dom Déchamps, au demeurant ignoré, ses recherches philosophiques sont tout à fait hétérodoxes !

Reste que la religion, le christianisme, l'institution ecclésiastique et l'histoire de l'Église posent un problème crucial à la réflexion des Lumières, avant d'entraîner la Révolution dans une crise majeure. Que faire de Dieu, de la religion, des clercs... et du peuple ? Le siècle croise ses réponses et ses interrogations, que la Révolution ne résout pas. Robespierre organise le culte de l'Être suprême, et coupe la tête des athées trop remuants, le Directoire dresse un culte républicain, et Napoléon signe un concordat avec le pape pour mieux imposer le culte de l'empereur.

Les choses et les idées

La monarchie française n'a jamais considéré le développement des Lumières comme un problème majeur, ni sans doute comme un problème global. Ni Louis XV ni Louis XVI n'ont aimé les Philosophes (et la philosophie), mais aucune politique cohérente, de soutien ou d'hostilité, n'a été conçue et poursuivie. La censure a agi au coup par coup, selon des motivations politiques, idéologiques et économiques, selon les circonstances, et selon ses moyens. Trois problèmes ont en fait accaparé le régime : la guerre, les finances, les parlements. Lorsque la crise financière, grossie par les guerres et la résistance des privilégiés (dont les parlements) obligea la monarchie à convoquer, sous la pression des parlementaires, les états généraux, ce ne fut ni la faute à Rousseau, ni la faute à Voltaire. Mais lorsqu'il fallut remodeler la France, ce furent bien des têtes éclairées par les Lumières qui se mirent au travail, avant de jouer à la guillotine — distraction à laquelle personne, dans ce siècle joueur, n'avait songé.

Du Roi-Soleil aux régicides

La France a traversé, au XVIIIe siècle, les quinze dernières années du règne de Louis XIV (1700-1715), la Régence (1715-1723), le règne de Louis XV (1723-1774), le règne de Louis XVI (1774-1789), la Révolution (1789-1799). On peut y distinguer deux césures marquées, d'ampleur bien entendu inégale, et même incomparable : la Régence et la Révolution.

La Régence (1715-1723)

Louis XIV meurt le 1er septembre 1715, après un règne personnel de 54 ans. Mort guettée et souhaitée, tant la fin du règne avait paru sombre et lugubre (guerres difficiles, crise économique, terrible hiver de 1709, censure intellectuelle...). Son arrière-petit-fils n'a que 5 ans. Pour casser le testament secret de Louis XIV qui limitait les pouvoirs du Régent au profit d'un des bâtards du roi (le duc du

Maine, haï de Saint-Simon), le duc d'Orléans dut restituer au parlement de Paris le droit de remontrances, perdu depuis la Fronde. Malgré tous les efforts (parfois brutaux) de la monarchie, le parlement n'allait plus quitter la scène politique jusqu'en 1789.

Personnage remarquablement intelligent, méconnu et calomnié, le Régent ménagea les diverses oppositions à Louis XIV : haute noblesse ambitieuse (dont le duc de Saint-Simon) qui voulait participer organiquement aux affaires ; milieux jansénistes pourchassés par le pape (bulle *Unigenitus,* 1713), les Jésuites et le roi ; parlementaires avides de revenir en scène. D'où l'organisation du régime dit de la *polysynodie* (1715-1718) : huit Conseils remplacèrent les ministres louis-quatorziens honnis, et permirent de multiplier les places. Mais quatre Conseils furent supprimés dès 1718, les autres en 1723, démonstration faite (et sans doute souhaitée) de leur lourdeur inefficace. Le système louis-quatorzien se remit en place jusqu'en 1789. Preuve que la noblesse n'avait ni les moyens ni vraiment le désir de partager ouvertement et institutionnellement le pouvoir avec le roi. Elle préférait ses largesses.

Louis XIV léguait une situation financière catastrophique. Plutôt que la banqueroute totale prônée par Saint-Simon, on pratiqua, comme par le passé, des banqueroutes partielles et déguisées, et de grands procès tapageurs contre des financiers. Il manquait une banque comme la Banque d'Angleterre ou d'Amsterdam. John Law (1671-1729) proposa (1716) de faire usage du papier-monnaie. Il devint contrôleur général des Finances en 1720, mais son système s'effondrait la même année.

Innovation politique, innovation économique : deux pôles majeurs de la réflexion philosophique au XVIIIe siècle (on peut lire, par exemple, de Voltaire, *l'Homme aux quarante écus*). Mais la Régence fut aussi une libération des mœurs, à la fois spontanée et encouragée (le Régent s'installe à Paris, rappelle les Comédiens-italiens, inaugure les bals masqués de l'Opéra, et ne cache pas son libertinage). Le retour de la cour à Versailles, en 1722, laisse sa prééminence à la capitale, et fait un clin d'œil au retour du roi à Paris, en octobre 1789.

La Régence est devenue symbole de libertinage, de fête

dissolue, d'impiété frivole. Vue évidemment superficielle, qui n'embrasse que quelques milieux urbains. Mais qui marque profondément l'image du XVIIIe siècle. Faut-il s'en plaindre ? Que le siècle des Lumières soit aussi (même mythiquement) le siècle du plaisir ne le disqualifie nullement. Le temps de la vertu revient toujours assez vite. Régence, Directoire : deux réactions, deux « libérations », suivies toutes deux par une sévère reprise en main. Michelet avait son idée en insistant si fort sur la Régence, et Chateaubriand n'hésite pas, dans *René,* à en faire le signe de la coupure révolutionnaire.

Le règne de Louis XV (1723-1774)

On sait que ce roi a assez mauvaise réputation. Peu importe. Il délègue d'abord le pouvoir à son précepteur, le cardinal de Fleury (1726-1743), homme d'ordre et de paix. Le cardinal tente, comme tout le monde, d'assainir les finances royales, sans trouver de solution miraculeuse. Mais la réforme de 1726 fixe pour longtemps la valeur du franc (jusqu'en 1914 !). Il s'en prend aux Jansénistes, qui possèdent depuis 1728 un journal clandestin (300 prêtres jansénistes sont interdits) ; au parlement de Paris, jansénisant et gallican, qui s'oppose à l'archevêque de Paris : 139 conseillers sont exilés à Pontoise. L'agitation gagne les milieux populaires, autour de la tombe d'un diacre janséniste, Pâris : ce sont les fameuses convulsions du cimetière Saint-Médard, qui ont tant marqué les esprits, et notamment Voltaire. Le cardinal fait fermer le cimetière aux miracles (1732) et, en 1731, le « Club de l'entresol », académie privée de type anglais où l'on discutait trop librement de théorie politique.

Et il tient à l'œil les protestants, qui auraient pu croire un peu trop à la tolérance. On a même cru repérer une proscription des romans et journaux (vers 1737-1739) accusés de corrompre les esprits... Homme d'ordre et de paix, qui inspire sans doute la figure du Ministre, dans *la Vie de Marianne,* de Marivaux.

En 1743, Louis XV, tel Louis XIV, décide de gouverner sans premier ministre, et peut-être sans véritable vocation. Mais avec l'aide (1745-1764) de la brillante Mme de

Pompadour, née Poisson, protectrice des Philosophes et émissaire des milieux financiers. Le milieu gouvernemental se partageait au demeurant entre partisans des Philosophes (Machault d'Arnouville) et amis du parti dévot (le comte d'Argenson, à ne pas confondre avec son frère le marquis). Machault d'Arnouville, contrôleur général des Finances de 1745 à 1754, tenta une des grandes réformes du siècle : faire payer davantage les privilégiés (clergé, noblesse), grâce au vingtième (le 20e du revenu) applicable à tous. La protestation fut vive, immédiate : assemblée du clergé, parlements, aumôniers de la famille royale inquiets pour le salut des âmes. En mars 1751, le roi cède. Le privilège avait bloqué le réformisme monarchique. Louis XV choisit aussi le compromis dans le conflit spectaculaire (1752-1757) qui opposait au parlement le clergé, acharné à interdire les sacrements à tout individu suspect de jansénisme : affaire des billets de confession (passeport spirituel signé par un prêtre non janséniste). C'est dans ce climat tendu qu'eut lieu, le 5 janvier 1757, l'attentat de Damiens (un coup de canif) qui permit au parti dévot d'interdire l'*Encyclopédie,* source de tout ce mal.

La période suivante est dominée par le duc de Choiseul (1719-1785), qui gouverne de 1758 à 1770, et se consacre surtout à rétablir la situation militaire et diplomatique. La guerre de Succession d'Autriche (1741-1748) avait peu rapporté à la France, mais beaucoup à son allié prussien (Silésie) : c'était « faire la guerre pour le roi de Prusse ». La guerre de Sept Ans (1756-1763) met la France dans le camp russo-autrichien, contre la Prusse et l'Angleterre. Elle se solde par un désastre humiliant : armées françaises écrasées (Rossbach, 1757), empire colonial quasiment liquidé (traité de Paris, 1763 : un événement considérable).

Choisi par Mme de Pompadour, estimé des Philosophes, désireux de plaire à l'opinion publique, soucieux de se concilier les parlements, Choiseul sacrifie... les Jésuites, dont l'ordre est aboli en novembre 1763. Alliance conjoncturelle de la philosophie et du gallicanisme parlementaire, car les parlements ne sont nullement favorables aux Philosophes, pas plus qu'aux protestants (affaires Calas, La Barre, condamnations de Rousseau, d'Helvétius, etc.).

De 1770 à 1774, Louis XV tente de régler enfin la

question du parlement et celle des finances. Maupeou (1714-1792) n'y va pas de main morte : l'édit du 23 janvier 1771 abolit la vénalité des charges, rend la justice gratuite, morcèle le ressort du parlement de Paris. Voltaire... et le parti dévot soutinrent cette réforme radicale, qui entendait mettre fin aux grèves de la justice et aux tentatives de contrôle parlementaire sur la monarchie. Tout aussi brutalement, l'abbé Terray (banqueroutes partielles, emprunts forcés, etc.) réduisit le déficit budgétaire. La mort inattendue de Louis XV remit tout sur le tapis.

Le règne de Louis XVI (1774-1789)

« Dans les circonstances où se trouve la monarchie française, il faudrait au jeune roi de la force et du génie » (Frédéric II). L'impossible n'eut évidemment pas lieu. On rappela les parlements, trop populaires. Mais Turgot (1727-1781), contrôleur des Finances, proposa une nouvelle réforme des impôts et une nouvelle politique économique : subvention territoriale payée par tous les propriétaires ; abolition de la dîme et de presque tous les droits féodaux ; abolition des corporations, des corvées, des entraves à la circulation des denrées. Programme conforme aux grandes idées physiocratiques et qui engageait la monarchie dans le sens d'un despotisme éclairé. Car il préconisait également des assemblées municipales et provinciales élues par les propriétaires, chargées d'étudier les problèmes et de formuler des « vœux ».

Le programme fut abandonné dès 1776, car il heurtait trop d'intérêts coalisés. Le parlement de Paris protestait solennellement contre une « égalité de devoirs » propre à produire « le renversement de la société » (mars 1776). La disgrâce de Turgot (1776) fut suivie (1781) de celle de Necker (1732-1804).

Le renversement, à partir de 1770-1780, de la tendance économique favorable, accentua le blocage politique et financier de la monarchie. La guerre d'Indépendance américaine (1776-1783) aggrava le gouffre de la dette.

Il fallut en venir à la convocation des états généraux, réclamés par... le parlement de Paris, qui s'y était opposé depuis près de deux siècles (1614), pour tenter de résoudre la crise. La Révolution était lancée. Elle devait aboutir, le 18-Brumaire an VIII (1799), dans les bras d'un général républicain, ami des arts, des armes et des lois, soutenu (malentendu très provisoire) par les *Idéologues,* héritiers directs de la pensée des Lumières.

BIBLIOGRAPHIE

Braudel F., Labrousse E., *Histoire économique et sociale de la France,* t.2 et 3, P.U.F., 1970, 1976.

Denis M. et Blayau N., *le XVIIIe Siècle,* Colin, coll. U, 1970.

Goubert P., Roche D., *les Français et l'Ancien Régime,* Colin, 1984.

Mandrou R., *la France aux XVIIe et XVIIIe siècles,* P.U.F., coll. Nouvelle Clio, 1974.

Soboul A., *la Civilisation et la Révolution française,* 3 vol., Arthaud, 1970, 1982, 1983.

CADRE IDÉOLOGIQUE

LA FORCE DES CHOSES

Le sceptre et la plume

Sous l'Ancien Régime la production des livres est soumise au contrôle de l'État. L'Église n'a plus depuis Louis XIII qu'un droit de réprobation. Seuls les livres de théologie et de piété restent sous le régime de la double autorisation — ecclésiastique, étatique. La machine de surveillance de l'imprimé est définitivement passée — notamment avec Louis XIV, qui l'organise rigoureusement — dans les mains de l'État, malgré les velléités réitérées, après 1715, de l'Église et des parlements (ces derniers réclament un droit d'approbation préalable). À quelques exceptions près, spectaculaires et célèbres (*De l'esprit,* d'Helvétius, 1758, l'*Encyclopédie,* etc.), le pouvoir royal tient à préserver ses prérogatives et ne cède guère à ces pressions bruyantes.

La conséquence de ce contrôle étatique, c'est que différentes sortes de livres circulent en France :

— *Les livres autorisés.* Le privilège est censé garantir à l'éditeur un monopole d'édition, jamais respecté.

— *Les livres tolérés* (approbation tacite). Leur nombre augmente considérablement après 1750. On y trouve essentiellement les nouveautés et les livres publiés à l'étranger.

— *Les livres contrefaits,* c'est-à-dire reproduits malgré le privilège. Vendus moins chers, ils rapportent gros parce qu'ils ne respectent pas les normes officielles de fabrication. Contrefaçons opérées en France et hors de France. Il y a plus de livres imités que de livres interdits.

— *Les livres interdits,* et donc clandestins. Il s'agit de textes refusés par les censeurs, ou qui n'ont pas sollicité l'autorisation officielle. Sur les 1 500 titres en français édités en 1764 (en France et à l'étranger), 40 % ont une permission officielle, 60 % une permission tacite ou pas de permission du tout. Bien entendu, le livre clandestin, auréolé du prestige de l'interdit, est lui aussi contrefait s'il se vend.

La censure n'est qu'une des faces de la politique culturelle du pouvoir monarchique (pensions, sinécures, réseau d'académies, etc.). Son objectif n'est pas seulement de réprimer : il s'agit autant de favoriser la prospérité de l'édition française, confrontée à une redoutable concurrence étrangère (suisse et hollandaise), que d'éviter la circulation des idées trop dangereuses. Il n'est donc pas question d'interdire tout ce qui déplaît, au risque d'étouffer la librairie française.

Il faut concilier la surveillance des idées et les impératifs économiques et nationaux : compromis délicat, instable, qui dépend des circonstances et des hommes. Les responsables officiels (les directeurs de la librairie) savent bien qu'à trop interdire on court fatalement le risque de ne pas être obéi, et de faire le jeu des libraires étrangers. C'est pourquoi la Direction de la librairie, au XVIIIe siècle, est aux antipodes du fanatisme idéologique ; elle a tout au contraire pour doctrine un solide pragmatisme (d'où l'étonnante formule de la permission tacite). Chauvelin, directeur de 1729 à 1732, résume de façon claire la philosophie de la censure au XVIIIe siècle : « Rien n'est plus contraire au commerce de la librairie que trop de rigueur... »

« Le pouvoir royal s'orientait donc dès les années 1735-1745 vers une politique de tolérance un peu honteuse et largement hypocrite ». (H.-J. Martin, dans : *Histoire de l'édition française*).

Il n'y a pas d'opposition frontale entre les Lumières et le pouvoir royal, et on se tromperait lourdement à imaginer les censeurs comme des ennemis bornés, acharnés, des idées nouvelles. Ils sont au contraire recrutés dans le même milieu que les auteurs : 40 % d'entre eux ont été membres des grandes académies ; ils ont souvent dirigé des journaux (en 1757, sur 10 rédacteurs du *Journal des savants,* 9 sont censeurs !). Il s'agit d'hommes d'expérience liés au pouvoir et aux institutions culturelles de l'Ancien Régime, favorables donc à une politique de compromis, et qui excellent souvent dans l'art du double langage — conformisme officiel côté cour, libertinage philosophique côté jardin. Mais il en va de même pour la quasi-totalité des écrivains connus : Voltaire, emprisonné pendant près d'un an, alterne livres clandestins et ouvrages autorisés, se retrouve historiographe du roi et gentilhomme de la Chambre, sans cesser d'être surveillé par la police. Tout le monde pratique le double jeu : les libraires, les auteurs, et l'État lui-même, qui gère comme il peut, et somme toute pas si mal, sauf sans doute dans la crise des dernières années, une masse croissante d'écrits et d'idées, dont une bonne part, il le sait bien, lui échappe par tous les circuits, remarquablement organisés, de la circulation clandestine.

Toute société a ses tabous. Quels sont ceux du pouvoir d'Ancien Régime tels que la censure nous aide à les comprendre ? Contrairement à ce qu'on pourrait croire naïvement, la majorité des écrits clandestins ne relève pas du parti philosophique, mais, jusqu'au dernier tiers du siècle, de la contestation religieuse (jansénistes, protestants, catholiques hétérodoxes sur telle ou telle question). De 1678 à 1701, 62 % des ouvrages saisis à Paris sont des livres de controverse religieuse, 18 % des livres de littérature (considérés comme attentatoires aux mœurs), 12 % des libellés et écrits politiques, 6 % des ouvrages d'histoire à portée politique. Ce qu'on traque, avant la mise en cause du pouvoir et des mœurs, c'est donc la transgression religieuse. L'État monarchique s'estime tenu de défendre l'unité et l'intégrité de la foi catholique, fondement théorique de la monarchie de droit divin.

Cependant le profil des livres interdits change nettement — comme bien des choses — après 1750. Les livres religieux et philosophiques n'en représentent même plus le tiers : le reste prend pour cible la personne royale et les mœurs, à travers la multiplication des pamphlets et écrits clandestins, mi-politiques, mi-pornographiques. Mais, à la différence du régime rigoureux de Louis XIV (la société a changé), les livres clandestins et prétendument pourchassés sont diffusés partout. En fait, à la fin de l'Ancien Régime, la censure ne peut plus grand-chose contre l'opinion (le taux des arrestations semble chuter brutalement entre 1780 et 1789). Supprimée par la Révolution, la censure sera rétablie par Napoléon, avec une efficacité et une brutalité autrement redoutables.

Dieu, le roi, les mœurs : tels sont donc les trois tabous fondamentaux que poursuit la censure, dont la relative tolérance, imposée par la force des choses, suppose, propose une autocensure — le rêve et l'objectif de tout système de contrôle idéologique.

Il ne faudrait pourtant pas idéaliser les choses : il y a eu répression et incitation ferme à l'autocensure (Diderot) et donc à l'exil (Voltaire, Rousseau). Entre 1659 et 1789, 942 personnes ont été embastillées pour fait de librairie (17 % des prisonniers de la Bastille). Les deux tiers sont des gens du livre (fabricants, ouvriers, distributeurs). Plus de 300 auteurs sont passés par la célèbre forteresse (plus d'un an en moyenne avant 1750, plus de six mois encore avant 1789) : écrivains à gages, gazetiers, satiristes, pornographes, spécialistes du scandale, etc. Dans cet ensemble hétéroclite figurent nombre d'ecclésiastiques, suspects généralement de jansénisme (leur hebdomadaire, *les Nouvelles ecclésiastiques,* a réussi à paraître de 1728 à 1803).

La production livresque a augmenté, entre 1701 et 1770, dans la proportion de 1 à 3 (1 000 titres vers 1720, 3 500 vers 1770 ; 56 censeurs en 1704, 170 en 1770). Signe tangible d'une activité intellectuelle en expansion : c'est un des sens du mot Lumières, un des espoirs majeurs du siècle, une des raisons de l'infatigable et boulimique désir d'écrire, de comprendre, d'expliquer, qui anime tant d'écrivains des Lumières, à commencer par le « roi » Voltaire.

On peut relever les points suivants :

— recul du latin, dès la fin du XVIIe siècle qui marque l'extinction de la grande tradition humaniste et érudite. En 1764 : 4,5 % de livres en latin (thèses) et en langues étrangères. La force des choses impose le triomphe des Modernes ;

— recul progressif, accéléré en fin de siècle, des livres religieux. Les Lumières consacrent un immense processus de laïcisation, qui déborde la seule question du livre ;

— progrès des livres d'histoire, de sciences et arts (techniques). Contrairement à une opinion répandue, le XVIIIe siècle se passionnait pour l'histoire. Dans la deuxième moitié du XVIIIe siècle se propage le goût du « dictionnaire raisonné des arts et des sciences » (avec planches).

À partir de 1730-1750, le livre se laïcise nettement. L'histoire (qui inclut alors des ouvrages très fréquentés comme les récits de voyage) apparaît comme un vecteur essentiel des idées nouvelles. Les sciences et les techniques ont tendance à remplacer la théologie. Mais le marché du livre religieux n'a pas disparu : de 1778 à 1789, un large public provincial et populaire absorbe 1 363 700 rééditions de livres religieux traditionnels ! Il y a distorsion relative entre la culture des couches dominantes, tournées vers la novation, et la lecture populaire, nourrie de spiritualité ancienne, mais aussi de littérature de colportage (Bibliothèque bleue) figée dans ses stéréotypes immuables.

La production imprimée de la première moitié du siècle conserve donc un aspect largement traditionnel, à forte tonalité religieuse : tel est un des enseignements de la statistique des titres et des contenus. Les changements ne s'affirment pour l'essentiel qu'après 1750. « Ce n'est que tardivement et minoritairement que le livre prohibé répand en nombre les pamphlets, libelles et satires mi-politiques, mi-pornographiques » (H.-J. Martin, ouv. cit.).

Lire au XVIIIe siècle

Livre, article, poème supposent des lecteurs. Évidence élémentaire, qui pose en réalité des problèmes difficiles si l'on se propose par exemple d'évaluer en quoi les stratégies d'écriture impliquent une certaine idée du public à séduire. À quelles couches de la société un écrivain des Lumières est-il susceptible de s'adresser lorsqu'il se trouve en position de faire circuler cet objet éminemment social et historique, soumis lui aussi aux lois de la production, de la circulation, de la publicité — le livre ?

On sait que l'école, fille en Occident de la religion, et plus précisément de la compétition entre protestants et catholiques, s'est inégalement distribuée selon les régions, les milieux, les sexes. Vers 1680-1700, les quatre cinquièmes des Français sont illettrés, les femmes plus que les hommes, les ruraux plus que les citadins (à Paris, dès Louis XIV, on compte 75 % d'alphabétisés), les pauvres plus que les autres, la France du Sud et de l'Ouest plus que celle du Nord-Est, etc. Le XVIIIe siècle atténue les écarts sans les faire disparaître. De 1690 à 1790, l'analphabétisme masculin passe de 71 % à 52 %. La moitié des hommes, paysans compris, ont acquis des rudiments de lecture, voire d'écriture. Reste que les deux tiers environ de la population, à la veille de la Révolution, ne savent pas encore lire. Les autres ont appris dans une école sous contrôle catholique. Mais incontestablement les possibilités d'instruction se sont élargies, le désir de scolarisation s'est développé et laïcisé en se professionnalisant (les soldats, les domestiques, les artisans et encore plus les cadres subalternes de l'appareil administratif ont de plus en plus besoin de la lecture et même de l'écriture). L'idée d'éducation, d'une éducation par et pour l'État, d'une éducation du genre humain sous les auspices d'une raison éclairée, voilà sans doute un des motifs essentiels de l'idéologie des Lumières, qui investit beaucoup de ses espoirs et de ses efforts dans le thème pédagogique.

On ne s'étonnera pas trop que les Philosophes, issus des élites et écrivant pour elles, n'échappent pas plus que l'État monarchique à une contradiction majeure : instruction pour tous, ou partage inégal conforme à la nécessaire hiérarchie de toute société humaine ? N'y a-t-il pas danger, en effet, à vouloir trop répandre les Lumières ? On voit bien les enjeux. D'une part l'idée d'égalité, de mobilité sociale par promotion des « talents », du « mérite » ; l'espoir de dissiper la « superstition » religieuse et le « fanatisme ». D'autre part, la crainte de fabriquer des sujets insatisfaits et critiques : « Un paysan qui sait lire et écrire est plus malaisé à opprimer qu'un autre », écrit Diderot. « Il me paraît essentiel qu'il y ait des gueux ignorants », avoue franchement Voltaire, qui sait que les gueux ne le liront pas.

Autre lieu de conflit : qui doit assumer la responsabilité de l'instruction, l'État, l'Église, les familles ? L'appel à l'intervention de l'État éclairé — fût-il despotique, français, prussien ou russe —, si caractéristique des Lumières, n'exprime pas seulement l'hostilité envers l'Église catholique, présumée maîtresse, par l'école et le culte, des consciences populaires, et notamment féminines ; il traduit aussi la fascination de l'État, que la Philosophie cherche à laïciser et à séduire pour le mettre au service des Lumières.

Quoi qu'il en soit, le public véritable des Philosophes,

et les écrivains eux-mêmes (sauf exceptions rarissimes — l'autodidacte Rousseau, quelques écrivains d'origine populaire récemment exhumés —) sont passés par les collèges. Un garçon sur cinquante environ peut y accéder. Tous les futurs auteurs ont donc pratiqué le latin, usé et abusé des exercices rhétoriques, touché aux sciences en fin d'études, admiré les vertus antiques (*cf.* « l'antiquolâtrie » révolutionnaire) mais aussi les grands classiques du XVIIe siècle, érigés en modèles insurpassables.

Quant à l'Université, elle remplit en France, au XVIIIe siècle, une finalité professionnelle (droit, médecine, théologie) et ne joue pas un rôle moteur sur le plan intellectuel — contrairement à l'Allemagne.

On comprend donc qu'à l'horizon des écrivains des Lumières, il n'y ait pas de public populaire, mais une assez mince élite, en voie d'élargissement, formée dans les collèges (pour les garçons), affinée et polie par la fréquentation de la « bonne société ».

On peut évaluer ce public : 500 000 lecteurs potentiels, dont 50 000 lecteurs actifs qui décident du succès des œuvres. Cela ne signifie pas que les couches populaires restent totalement hors du mouvement des idées — hypothèse que les événements révolutionnaires démentent suffisamment. Surtout dans les villes, et surtout dans la seconde partie, voire le dernier tiers du siècle, elles peuvent lire la propagande philosophique simplifiée expédiée par les librairies étrangères : extraits, mélanges, libelles politico-pornographiques dirigés contre les moines, l'Église, la famille royale. Cette sous-littérature a très certainement contribué plus efficacement à la déchristianisation et à la formation d'une mentalité critique que la grande littérature, conçue pour d'autres lecteurs, souvent difficile et trop chère.

Foyers des Lumières

Entre le livre et son lecteur solitaire, entre les pouvoirs constitués et les auteurs, il n'y a pas le vide d'une opinion amorphe, que les Philosophes, par la seule magie de leur style, détacheraient irrésistiblement de la tradition et de l'orthodoxie. La diffusion des Lumières et le prestige inédit des grands écrivains supposent des relais et la cristallisation progressive d'une puissance sociale largement nouvelle, qu'on se dispute : l'opinion publique.

Cette cristallisation s'opère sous des formes et dans des lieux divers.

La presse, qui a vu le jour au XVIIe siècle, bondit au XVIIIe siècle d'environ 200 titres à près de 900. Par le relais des domestiques, des cafés, des salles de lecture, les retombées finissent aussi — surtout vers la fin du siècle — par atteindre certaines couches du peuple des villes.

La presse prend en charge tous les secteurs de la vie intellectuelle et sociale : agriculture, commerce, sciences, musique, etc. De grands auteurs n'hésitent pas — notamment entre 1720 et 1740 — à se lancer dans le journalisme : Marivaux, Prévost, d'Argens. « Le journal conquiert ainsi une dignité qui n'avait appartenu qu'au livre ; le journaliste devient créateur de formes. Mais cette prolifération [...] inquiète les pouvoirs publics qui procèdent, de 1737 à 1740, à une contre-offensive réglée : romans et journaux sont frappés simultanément de proscription... » (J. Sgard, dans : *Histoire de l'édition française*).

Nouvelle étape après 1750 ; se développent un besoin général d'informations, la curiosité pour les sciences et les techniques, le goût des débats d'idées autres que théologiques : d'où le *Journal économique* (1751-1772), les *Observations sur la physique* (1752-1823), le *Journal de médecine* (1754-1792), *l'Année littéraire* (1754-1790) (*l'âne littéraire,* disait injustement Voltaire de cet organe ennemi), etc.

Les tirages atteignent désormais plusieurs milliers d'exemplaires. À partir de 1730, tous les grands libraires éditent des périodiques. Entre 1770 et 1789, le mouvement s'étend encore, les périodiques se spécialisent davantage. Le *Journal de Paris* — premier quotidien français — est lancé en 1777. En 1778, Panckoucke constitue le premier empire de presse du XVIIIe siècle, fondé sur les périodiques et les dictionnaires.

La presse est donc un excellent indicateur de l'animation de la vie intellectuelle, de l'élargissement des curiosités, de l'extension du public.

Elle influence certainement les habitudes de lecture et d'écriture, et retentit sur le mode de lancement des livres : la souscription, qui imite l'abonnement (*Encyclopédie* de Diderot et d'Alembert ; *Histoire des voyages* de Prévost, à partir de 1746, 80 vol.) ; la collection spécialisée (*Cabinet des fées,* 1785-1789, 41 vol., *Bibliothèque universelle des romans,* 1775-1789, 220 vol., qui résume par extraits près de mille romans, etc.).

Depuis la fin du XVIIe siècle, la mode du café se répand. C'est dans un café du Palais-Royal que Diderot rencontre l'inoubliable Neveu de Rameau. Le café est un des lieux où se diffusent les Lumières. Plus élégant que le cabaret, plus adapté à une clientèle aisée qui y trouve journaux, partenaires de jeux et de discussion, il permet d'exclure le peuple sans tomber dans les contraintes du salon.

Les grands salons philosophiques et politiques du XVIIIe siècle sont restés célèbres. Comme au XVIIe siècle ils sont animés par des femmes. C'est aux salons, prototypes d'une société dénaturée, que songe Rousseau lorsqu'il dénonce (*Émile,* V) la féminisation des hommes modernes, le renversement de la hiérarchie naturelle des sexes, ou lorsqu'il analyse, dans les *Confessions,* son incapacité native de s'adapter au système de la conversation mondaine. Critique qui ne doit pas masquer une évolution : « La longue prépondérance des salons aristocratiques le cède à la multiplication des cercles plus ouverts, plus mêlés, moins cérémonieux, passionnés par le débat philosophique et politique (Doublet, Geoffrin, Necker) et s'adonnant au culte des valeurs privées, de la sensibilité et du génie (Lespinasse, l'entourage holbachien) » (E. Walter, dans : *Histoire de l'édition française,* t. 2).

Leur fonction reste toujours de brasser l'élite intellectuelle et mondaine (la naissance, la fortune, le talent), de parisianiser provinciaux et étrangers, d'introniser les jeunes talents, de servir de banc d'essai aux modes et aux idées... Dans le salon, expression la plus brillante de la société mondaine d'Ancien Régime, s'est forgé un art de dire et de commercer imité dans toute l'Europe aristocratique, qui a certainement marqué beaucoup d'auteurs des Lumières. Il est sans doute difficile d'écrire au XVIIIe siècle sans songer aux réactions possibles de ce public caustique, curieux, délicat mais facilement blasé.

Cafés, salons : lieux de sociabilité, d'échanges intellectuels et sociaux, mais hiérarchisés. Il en est bien d'autres, sans lesquels on ne comprendrait pas le triomphe des Lumières après 1750, et le sacre parisien de Voltaire en 1778 : académies, loges maçonniques, sociétés littéraires, clubs... La grande différence avec le XVIIe siècle, c'est que ces sociétés, plus nombreuses, plus étoffées, ne sont plus privées, mais publiques, officialisées, et qu'elles participent à la constitution d'un pouvoir culturel de plus en plus autonome (par rapport à l'Église, et même à l'État).

Les trente-deux académies provinciales ont été remarquablement étudiées par D. Roche *(le Siècle des Lumières en province)*. Elles regroupent l'élite sociale et intellectuelle ; animent la vie culturelle des cités ; lancent des concours qui rencontrent de plus en plus d'écho (*cf.* les deux *Discours* de Rousseau) ; s'occupent de l'enseignement, développent le goût des Discours, Éloges, Mémoires, impulsent l'histoire érudite locale ; constituent des bibliothèques et des collections scientifiques ; entretiennent un réseau de correspondances national et même européen ; et propagent au cours du siècle un idéal de Lumières modérées et réformatrices, ne mettant en cause ni la monarchie ni la religion, tout orienté vers l'utilité publique et le conservatisme social.

Par nature trop restreintes et trop élitistes, elles ne pouvaient satisfaire les exigences grandissantes d'échange et d'association. En témoigne le succès prodigieux des loges maçonniques : de 1727 à 1790, environ 1 000 loges civiles, 300 militaires, 50 000 initiés (contre 6 000 membres des académies provinciales). Toutes les villes de plus de 5 000 habitants sont dotées d'une loge.

Il s'agit d'un mouvement urbain, dont la progression (à partir de l'Angleterre) souligne l'importance des ports, de la circulation des marchandises et des idées par le double relais des marins et des militaires (l'éloge du marchand, sorte de héros des Lumières, dans les *Lettres philosophiques* et le drame bourgeois, trouverait ici un commentaire incisif, à condition de ne pas surévaluer la place du négociant dans l'économie et la société du XVIIIe siècle). À travers les loges se réalise le rêve des Lumières : non pas l'égalité de tous, mais l'égalité d'une élite élargie, raisonnable, modérée, soigneusement distinguée de la populace. Nullement l'incrédulité religieuse et l'audace politique : une religion raisonnable, un désir de réformes. Cet idéal d'égalité, de fraternité, de tolérance, ne convenait naturellement ni à l'État, ni à l'Église : mais les réunions, d'abord interdites, sont ensuite officialisées.

Du Philosophe au « sacre de l'écrivain »

Chacun le sait : à l'honnête homme, qui succède lui-même à l'humaniste, fait suite, au XVIIIe siècle, le Philosophe qui, auréolé de raison et consacré par l'opinion éclairée, discute d'égal à égal avec les rois et dispute à l'Église le pouvoir spirituel. Mais qu'est-ce qu'un Philosophe ? Et plus prosaïquement, qu'est-ce qu'un auteur ? Ces questions n'appellent malheureusement pas des réponses simples, parce que le statut des « gens de lettres » est ambigu, divers, et l'objet de débats internes aux Lumières.

En 1784, le périodique *la France littéraire* recensait 1737 auteurs vivants ou morts récemment. Les spécialistes actuels dénombrent environ 3 500 auteurs jusqu'à la Révolution, dont 2 500 pour 1750-1789 (2 200 de 1643 à 1665 selon A. Viala). La masse des imprimés et des lecteurs a crû plus vite que le nombre des écrivains (illustration d'un problème général : le chômage intellectuel à la veille de la Révolution). En 1750, la police établissait, pour ses opérations propres, les fiches de 500 auteurs : ceux donc qui comptaient selon elle (ce chiffre rejoint curieusement celui des 550 écrivains « distingués », vers 1660 — distingués par les pensions et le succès).

S'il n'a pas beaucoup augmenté par rapport au XVIIe siècle, le milieu littéraire s'est nettement laïcisé : 32 % de clercs dans l'enquête de 1784, contre 50 % au XVIIe siècle (la noblesse passe de 25 à 14 %, le tiers état de 25 à 53 %). Le Philosophe vise ouvertement à succéder au clerc, réduit à la défensive sur terrain adverse.

Il s'est aussi politisé : l'intellectuel des Lumières a des idées sur les réformes de l'État, et sur la conduite des affaires publiques. Le temps est passé des préfaces et dédicaces humbles aux Grands et au roi. L'homme de lettres n'est plus dans la dépendance fascinée de la cour et du monarque.

Le milieu littéraire s'est inévitablement commercialisé, grâce à l'extension du public et à l'audace des éditeurs. La plume rapporte plus, mais avec toujours de criantes inégalités. Un tiers à peine des auteurs vivent mieux qu'un professeur de collège, grâce aux pensions du roi, des Grands, de la finance, aux sinécures officielles (qui incluent les bénéfices ecclésiastiques). Si Suard et Marmontel touchent 20 000 livres, Diderot n'en gagne que 5 000, le revenu d'un commis de ministère. En l'absence de véritable reconnaissance des droits d'auteur, proportionnels à la vente, il faut cumuler, comme au XVIIe siècle, des revenus d'origines diverses, autrement dit, entrer dans la logique du clientélisme (étatique et privé). À cet égard, les esprits sont divisés : en l'absence d'un statut juridique de l'auteur (comparable à celui du médecin, de l'avocat, du notaire...), qui n'existe pas sous l'Ancien Régime malgré quelques progrès au XVIIIe siècle, les uns réclament l'alignement des écrivains sur les professions libérales (propriété des œuvres), ou du moins un meilleur équilibre entre libraires et auteurs. Mais les représentants les plus illustres (Voltaire, d'Alembert...) méprisent les roturiers de l'esprit, la masse des « demi-littérateurs » qui veulent conquérir un statut social, un « état », par la plume et le livre-marchandise. Leur hantise, c'est le développement d'une plèbe de publicistes, satiristes, journalistes à scandale, dévalorisant et dégradant le prestige nouveau, chèrement gagné, de l'homme de lettres.

Car, à travers la figure du Philosophe, le milieu littéraire n'a pas seulement accédé à la légitimité : il est en passe d'obtenir une sorte de sacralisation, qui se manifestera à Paris, en 1778, avec Voltaire ; sous la Révolution, au Panthéon. On honore, et bientôt on révère, le grand auteur. Le culte des grands hommes commence, le sacre de l'écrivain se prépare. La littérature va changer de statut (avec le romantisme). Tout cela suppose et produit à la fois une autonomie croissante du champ culturel, qui s'émancipe du monopole de l'Église et échappe insensiblement au contrôle de l'État, tout en s'appuyant sur lui.

Les Philosophes ont en effet bénéficié, malgré des sursauts parfois brutaux, de la connivence des hautes sphères de l'État contre la Sorbonne et les parlements (l'affaire de l'*Encyclopédie* constitue un test décisif). Dès les années 1760, ils dominent l'Académie française où d'Alembert est élu secrétaire perpétuel en 1772. Avec Turgot, un des leurs accède au pouvoir (1774-1776).

En moins d'un siècle, du XVIIe au XVIIIe, la couche des intellectuels s'est laïcisée, spécialisée, renforcée, valorisée. Elle aspire sourdement, sinon à gouverner, du moins à conseiller le Prince ; elle s'est dotée d'organes (journaux), de bréviaires (dictionnaires), d'institutions (académies et autres sociétés) ; elle s'est donné un roi (Voltaire), et un prophète (Rousseau), une religion (déisme ou christianisme raisonnable), une philosophie (les Lumières), un héros (le Philosophe), une idole (la Raison), une mission (le bonheur du genre humain par les réformes et la diffusion des Lumières), une armée (l'opinion publique), et comme une stratégie (conquête de la société civile, désacralisation et désarmement de l'Église, escarmouches et compromis avec l'État). Survint la Révolution, qui eut le mauvais esprit d'engendrer des révolutionnaires, quand on attendait des philosophes. De ces couches grandioses et vaguement comiques, les Lumières moururent. De guillotine, un peu ; d'effarement, sûrement. L'histoire, la dure histoire du commerce des intellectuels modernes et de l'Histoire, venait de commencer.

C'est sur ce fond (schématisé sans scrupule) que peut se dessiner la prodigieuse fortune d'un mot fétiche — *philosophe, philosophie, philosophique* — qui finit, dans la pléthore et l'emphase, par incarner le destin du siècle.

La première définition globale et nouvelle du Philosophe se fait en sourdine, dans un manuscrit clandestin du début du siècle, qu'on peut attribuer à Dumarsais (1676-1756). Imprimé en 1743, ce texte sera démarqué par l'*Encyclopédie* (article « Philosophe »). Le terme conserve dans les dictionnaires du XVIIIe siècle un sens complexe, formé de diverses strates. Est philosophe, celui qui :

1) s'occupe des sciences de la nature et de l'homme (physique, logique, morale...) ;

2) mène une vie retirée et tranquille, sagement détachée des agitations du monde ;

3) « ...par libertinage d'esprit, se met au-dessus des devoirs [...] de la vie civile et chrétienne » (Dictionnaire de l'Académie, à partir de 1694).

Le texte de Dumarsais permet de repérer une première réorganisation et valorisation. Le philosophe est défini par l'exercice prudent, méthodique et critique de la raison. Mais aussi par le souci du bien public. Être pensant dont la raison met en question les préjugés ; être sociable qui tourne vers le monde le visage bienveillant d'un honnête homme : tel est le philosophe première manière, fixé par Dumarsais dans les limites prudentes d'un manuscrit à faible diffusion, conformément aux traditions classiques du libertinage philosophique.

La publication de 1743 marque donc déjà, par elle-même, une évolution, ponctuée par les *Lettres philosophiques* (1734) de Voltaire, les *Pensées philosophiques* (1746) de Diderot.

L'*Encyclopédie* donne consistance et relief à ce que l'opinion considère dorénavant comme un groupe cohérent, le « parti » des Philosophes. Le terme, lancé, à la mode, polémique, s'affiche au théâtre : *les Philosophes* (1760), violente satire d'un adversaire médiocre, Palissot (ses *Petites Lettres sur de grands philosophes* (1757) avaient déjà mené campagne contre l'*Encyclopédie*) : *le Philosophe sans le savoir* (1765), de Sedaine, sans doute le plus réussi des drames bourgeois... Il s'accroche au titre des romans, et même des dictionnaires : *Dictionnaire philosophique portatif* (1764) de Voltaire, *Dictionnaire anti-philosophique* (1767) de Dom Chaudon, *Dictionnaire philosophique de la religion* (1772) du P. Nonotte (un régal, on s'en doute, pour Voltaire). On notera, à propos de ces deux derniers titres, l'hésitation des adversaires entre le rejet (Dom Chaudon) et la récupération (Nonnotte) d'un terme devenu prestigieux.

Mais il y a plus, et plus important. Après 1750 (l'*Encyclopédie* faisant office de catalyseur), les Philosophes s'adressent directement à l'opinion : affaires Calas (1762-1765),

La Barre (1765-1766). Une technique de diffusion des Lumières se met en place et opère à plein régime : non plus comme au temps du libertinage classique, et au début du siècle, le manuscrit clandestin, cher payé, précieusement conservé, médité dans le silence et la solitude, mais l'action conjuguée du traité méthodique, du dictionnaire, du texte court, affûté et de la fiction. À la division interne du champ religieux (catholiques/protestants ; jésuites/jansénistes) succède au grand jour une bipartition inédite : le parti des Philosophes affrontant le camp des esprits orthodoxes soutenu par l'Église, parfois par l'État et s'essayant au maniement des mêmes armes (théâtre, fiction, journalisme...).

Mais cette division fondamentale, qui marque la fin irrémédiable du monopole de l'Église sur le champ intellectuel, ne doit pas masquer la fragilité du consensus philosophique au sein des Lumières, comme la Révolution en administrera la preuve définitive. Christianisme éclairé, déisme, scepticisme, athéisme ? Toute la gamme des options philosophico-religieuses se déploie dans le camp de ceux que leurs adversaires et le public imaginent unis dans un projet cohérent, offensif.

La figure du Philosophe, à travers laquelle se manifeste pour la première fois, sur la scène de l'Histoire, le pouvoir social d'une couche d'intellectuels détachés de l'Église, ne pouvait pas survivre à la Révolution. Le Philosophe est lié à l'Ancien Régime, à une conjoncture sociale et idéologique qui lui a permis de briller d'un éclat inoubliable. Cette historicité indélébile conduit à souligner un dernier trait, souvent négligé. En toute rigueur, il faut résister à la tentation (rendue inévitable par le coup de tonnerre révolutionnaire) d'identifier Philosophes et auteurs, et même Philosophes et intellectuels. Le Philosophe, dans le sillage de l'honnête homme, c'est-à-dire d'une certaine sociabilité de l'ancienne France, continue à définir plus qu'une fonction ou une activité : un certain type de rapport au monde et aux autres, une manière d'être et d'agir. On peut être Philosophe légitime sans écrire une ligne : tel M. de Wolmar dans *la Nouvelle Héloïse* (1761) de Rousseau, tel *le Philosophe sans le savoir* de Sedaine, ou... les

Philosophes des romans sadiens, qui retournent contre la philosophie les armes qu'elle a forgées.

Il importe de protéger cette complexité, signe et gage de succès. Derrière la figure emblématique du Philosophe, toujours tentée de se diluer ou de se durcir, se profilent les porte-parole des Lumières, fortement individualisés ; mais aussi le groupe plus large des notables sociaux et intellectuels, intégrés dans des sociétés de pensée ; et enfin, moins cernables mais non moins réels, tous ceux que touche, fût-ce à titre de mode, le rayonnement diffus d'une philosophie que Diderot se proposait expressément de rendre populaire.

BIBLIOGRAPHIE

Le sceptre et la plume

Chartier R., *Lectures et Lecteurs dans la France d'Ancien Régime,* Le Seuil, 1987.

Furet F. (sous la direction de), *Livre et Société dans la France du XVIIIe siècle,* Mouton, 1965.

Martin H.-J. et Chartier R. (sous la direction de), *Histoire de l'édition française,* t. 2, Promodis, 1984.

Lire au XVIIIe siècle

Chartier, Julia, Compère, *l'Éducation en France du XVIe au XVIIIe.* S.E.D.E.S., 1976.

Furet F., Ozouf J., *Lire et Écrire, l'alphabétisation des Français de Calvin à J. Ferry,* Éd. de Minuit, 1977.

Goubert P., Roche D., *les Français et l'Ancien Régime,* t. 2, Colin, 1984.

Lebrun F., Queniart J., Venard M., *Histoire générale de l'enseignement en France,* t. 2, Nouv. Librairie de France, 1981.

Roche D., *le Siècle des Lumières en province. Académies et académiciens provinciaux, 1680-1789,* Mouton, 1978.

Du Philosophe au « sacre de l'écrivain »

Bénichou P., *le Sacre de l'écrivain, 1750-1830,* Corti, 1973.

Darnton R., *Bohème littéraire et Révolution. Le monde des livres au XVIIIe siècle,* Gallimard, 1983.

Dieckmann H., « le Philosophe », *Text and Interpretation,* Saint-Louis (Miss.), 1948.

CADRE INTELLECTUEL

QU'EST-CE QUE LES LUMIÈRES ?

Promotion massive et multiforme de l'imprimé (amorçant le recul d'une civilisation orale immémoriale) ; valorisation de l'éducation (conçue d'abord comme un apprentissage de la lecture et de l'écriture — condition d'un accès individuel à la culture) ; extension et vulgarisation des connaissances à l'usage d'un public plus vaste, dont on sollicite le concours actif et critique ; revendication d'une autonomie de la raison, appelée par nature à examiner sans préjugés toute réalité pour en tester la légitimité ; rayonnement grandissant des spécialistes laïcs de l'écriture, qui s'assignent la mission d'éclairer leurs concitoyens, voire le genre humain : tout ce qu'on vient d'esquisser dans les chapitres précédents n'est pas extérieur aux Lumières. Les Lumières signifient très exactement cette prise de conscience et cette confiance — si du moins l'on ne refuse pas (et qui oserait vraiment s'y risquer ?) la réponse fameuse de Kant à la question devenue classique : « *Qu'est-ce que les Lumières ?* » (article publié en décembre 1784, dans une revue berlinoise).

« Qu'est-ce que les Lumières ? *La sortie de l'homme de sa minorité, dont il est lui-même responsable. Minorité,* c'est-à-dire incapacité de se servir de son entendement sans la direction d'autrui, minorité *dont il est lui-même responsable* puisque la cause en réside non dans un défaut de l'entendement, mais dans un manque de décision et de courage de s'en servir sans la direction d'autrui. *Sapere aude !* Aie le courage de te servir de ton propre entendement ! — Voilà la devise des Lumières » (Kant, *la Philosophie de l'Histoire,* souligné dans le texte).

Ainsi débute ce célèbre article, qui précise : « ... pour ces Lumières il n'est rien requis d'autre que la *liberté* [...] l'usage public de notre propre raison doit toujours être libre, et lui seul peut amener les Lumières parmi les hommes [...]. J'entends par usage public de notre propre raison celui que l'on en fait comme *savant* devant l'ensemble du public *qui lit* » (souligné dans le texte). L'officier, le prêtre, le citoyen ont le devoir d'obéissance dans leur fonction : mais ils ont le droit et la mission, lorsqu'ils s'expriment publiquement en tant que savants, « comme membre(s) d'une communauté, et même de la société civile universelle » de critiquer avec « une liberté sans bornes [...] en vue d'une meilleure organisation ».

Tout ici mériterait commentaire. Insistons sur l'essentiel : Kant ne définit les Lumières par aucun contenu philosophique précis. Pour lui, les Lumières ne sont donc pas une philosophie mais une émancipation de l'esprit, la décision courageuse de tout soumettre au libre examen, publiquement assumé, de la raison animée par l'esprit de progrès. On retiendra de cette position la nécessité d'insister sur la diversité des philosophies à l'intérieur des Lumières, qu'il est vain de vouloir réduire en une formule unifiée. Mais il demeure néanmoins possible d'insister sur quelques tendances majeures, qui s'imposent, comme un horizon difficilement dépassable, aux divers penseurs des Lumières françaises.

La mesure du monde

Histoires d'ailleurs : l'univers élargi

On sait que l'idéologie des Lumières s'ébauche de manière décisive dès les années 1680, notamment en Hollande, et qu'elle passe d'abord par l'élaboration d'une critique historique, d'une mise en cause de la tradition. Ce travail peut légitimement s'incarner dans la figure de Bayle. Il se poursuit et s'amplifie, avec des objectifs plus positifs, durant le XVIIIe siècle, pour aboutir à des œuvres majeures : *De l'esprit des lois* (Montesquieu, 1748) ; *Essai sur les mœurs et l'esprit des nations* (Voltaire, 1756) ; *Histoire philosophique et politique des établissements et du commerce des Européens dans les deux Indes* (Raynal, 1772. Un des grands succès du siècle) ; *Esquisse d'un tableau historique des progrès de l'esprit humain* (Condorcet,

1794) ; *les Ruines ou Méditations sur les révolutions des empires* (Volney, 1791).

Le relativisme historique se renforce d'un comparatisme géographique qui accumule l'immense série des récits de voyages, inépuisable trésor de la diversité humaine, où les Philosophes puisent à pleines mains. Après les commerçants et marchands d'esclaves, les missionnaires de tous poils et de toute parole, les colonisateurs de toutes armes. La réflexion et l'imaginaire des Lumières travaillent inlassablement sur un ailleurs souvent idéalisé (peuples primitifs ; peuples policés hors de la sphère chrétienne : Chine, Rome, Grèce ; peuples déjà nimbés de lumière : Angleterre...) ; sur un ailleurs idéal (récits utopiques, que les catalogues d'époque distinguent parfois mal des récits de voyages, tant l'échange est constant entre les deux genres) ; mais aussi sur un ailleurs obscurci, et même noirci : despotismes asiatique et clérical, qui incarnent toute la noirceur d'une Histoire retournée contre les valeurs naturelles. Le sérail, fusion trouble des voluptés et des tyrannies, fascine le siècle, avant de s'accomplir, sur le sol même des Lumières, en apothéose furieuse dans les fantasmes sadiens.

On n'aura garde d'oublier que le criticisme historico-géographique fournit au XVIIIe siècle une de ses figures les plus représentatives : l'Indien raisonnable, et parfois raisonneur (La Hontan, *Dialogue curieux entre l'auteur et un Sauvage de bon sens qui a voyagé,* 1703 ; Voltaire, *l'Ingénu,* 1767), le Persan au regard perçant (Montesquieu, *Lettres persanes,* 1721), le Tahitien sans tabous (Diderot, *Supplément au voyage de Bougainville,* 1773), et tant d'autres étrangers, toujours prêts à parler, toujours prompts à venir nous voir. Pour nous apprendre à voir. À voir l'étrangeté des choses familières. C'est pourquoi, à la fin du siècle, le regard ethnographique se tourne aussi vers la France paysanne.

De Bayle et Fontenelle à Voltaire et Montesquieu, la convocation de l'Histoire et de la géographie permet de rendre toute tradition problématique, toute sacralité suspecte, et autorise la recherche d'un fondement laïc des choses humaines, d'un ordre, caché mais humain, de leur déroulement.

Cette documentation amassée sur l'espèce humaine met

en question aussi bien l'histoire des religions que la morale, la nature du lien politique que la philosophie du droit, etc. Ce que montrent à l'évidence deux textes aussi différents que les *Lettres persanes,* 1721, et le *Discours sur l'origine de l'inégalité,* 1755. Au bout du chemin, la tradition chrétienne se trouve sécularisée et relativisée, la Bible ramenée à une parole d'hommes bégayant dans le désert d'Orient. Un nouveau fil conducteur de l'Histoire s'impose, qui réordonne l'écriture du passé : les progrès de l'esprit humain à l'œuvre dans les sciences, les arts, les techniques, mais pas forcément en morale. L'Histoire peut devenir philosophique en retraçant les erreurs de l'esprit humain et ses progrès, en suivant la généalogie des connaissances, bref, en proposant, au lieu de se perdre dans une érudition condamnée par tous les Philosophes, une hygiène et une histoire de l'esprit.

Redire le passé, c'est moins, pour le XVIIIe siècle, médire (on le lui a peut-être trop reproché) que méditer. L'Histoire échappe définitivement à ses deux maîtres classiques, Dieu ou le hasard, et commence à découvrir, avec bien des hésitations, l'idée du progrès.

Mais le paradoxe, c'est que la bigarrure, exploitée avec tant de brio, des lois et des mœurs, ne met pas vraiment en cause la notion centrale d'une nature humaine immuable, dotée de droits, de devoirs, d'attributs inaliénables, socle d'airain, autel philosophique, sur lequel les Lumières entendent bien fonder l'essentiel de leur programme, aussi divers soit-il. Au-delà des océans, au fond des temps, le XVIIIe siècle cherche en fait l'image originelle d'une nature plus vraie, plus pure, plus forte, plus belle. L'idée de nature, carrefour de toutes les ambiguïtés, légitimation de toutes les démarches, règne sur les pensées et sur les rêves.

Newton : l'univers unifié

Chercher, derrière l'infinie variété des formes, la rigueur d'une loi unificatrice, c'est aussi, c'est surtout l'objet des sciences, qui remportent avec la loi de l'attraction universelle (1687) un triomphe éclatant. La figure de Newton domine la philosophie des Lumières, et sa démarche définit l'essence même de la « nouvelle méthode de philosopher » (d'Alembert). Ni Montesquieu, ni Voltaire, ni Diderot ne sont de véritables savants, malgré l'ampleur de leur culture scientifique. Tous cependant sont fascinés par les recherches scientifiques et leurs implications philosophiques. Voltaire vulgarise Newton à l'usage des Français (*Lettres philosophiques,* 1734 ; *Éléments de la philosophie de Newton,* 1738) ; Diderot accumule sa vie durant les matériaux d'un traité de physiologie ; Rousseau rédige des *Institutions chimiques,* 1746, un *Dictionnaire de botanique.* D'autres rêvent de devenir les Newton de la morale, de la politique, de la physiologie, etc., c'est-à-dire les découvreurs d'un principe universel. Le livre emblématique des Lumières n'est pas par hasard une *Encyclopédie, ou dictionnaire raisonné des sciences et des arts,* assumée conjointement par un mathématicien (d'Alembert) et un homme de lettres (Diderot).

À partir de 1730, l'Académie des sciences passe progressivement du cartésianisme au newtonisme. Plus de systèmes prétendant rendre compte de la totalité des choses par une méthode rigoureusement déductive, modelée sur la géométrie, à la façon du XVIIe siècle. Le XVIIIe siècle unanime rejette les « romans » métaphysiques antérieurs. Nous pouvons seulement chercher les lois qui relient les phénomènes, dont la cause et l'essence ultimes nous échappent.

La mathématisation de la nature, initiée par Kepler et Galilée, consacrée par Newton, loin d'exclure Dieu, exalte sa toute-puissance, qui déborde toute Église et toute tradition. Chez Newton, savant et mystique, Dieu ordonne et conserve le monde par une intervention constamment active. La physique newtonienne soutient fortement le déisme (notamment le déisme voltairien), et va alimenter une immense littérature : les merveilles de la nature (insectes, plantes, étoiles), merveilleusement agencées pour l'homme, chantent la gloire et la bonté divines (abbé Pluche, *le Spectacle de la nature,* 1732-1750, souvent réédité ; Bernardin de Saint-Pierre, *Études de la nature,* 1784-1788).

Bien entendu, aucune philosophie ne maîtrise sa postérité. On pouvait aussi tirer, en apparence plus difficilement, le newtonisme dans un sens matérialiste et athée. Douée de cette étrange puissance d'attraction (et non plus pure étendue selon la leçon cartésienne), pourquoi la matière n'en posséderait-elle pas d'autres, jusqu'à susciter d'elle-même, par son propre dynamisme, ce qui lui semble radicalement antinomique : la pensée ? (Diderot, *Pensées philosophiques,* 1746). Ainsi la nouvelle physique newtonienne, qui entendait allier science et religion, aboutit paradoxalement, mais non illogiquement, à favoriser aussi, par la bande, l'hypothèse d'une sensibilité de la matière.

Histoires naturelles : l'univers engendré

Le formidable éclat de Newton ne doit pas masquer une évolution : vers le milieu du siècle, l'intérêt se détourne quelque peu des mathématiques au profit des sciences de la vie (médecine, physiologie naissante, chimie, sciences naturelles...). L'œuvre majeure est ici la grandiose *Histoire naturelle* de Buffon (36 volumes in-4°, de 1749 à 1789). Elle propose pour la première fois une fresque de la nature (règne végétal excepté) purement ordonnée par un souci scientifique, c'est-à-dire coupée (à quelques précautions près) de toute finalité religieuse, chrétienne ou déiste. Buffon ne cherche plus à déceler les intentions que Dieu a pu avoir en créant les êtres vivants *(causes finales),* car la Création n'est pas un fait scientifique. Il ne s'agit plus de décrire en s'émerveillant (abbé Pluche, Bernardin de Saint-Pierre, voire Rousseau), mais de dégager des causes et des lois, par la méthode inductive de Newton. L'homme, maître et possesseur de la nature, domine certes les autres créatures de toute sa raison. Mais cette supériorité n'est pas déposée en hommage sur l'autel d'un Dieu bienveillant : elle est analysée en termes déjà anthropologiques. N'obéissant à aucun plan divin préconçu, mais à une histoire qui procède par essais et adaptations, la nature selon Buffon offre évidemment aux hypothèses matérialistes un terrain plus favorable que le cosmos newtonien, support du déisme. D'où l'effervescence, au même moment, d'un La Mettrie, d'un Diderot, d'un D'Holbach.

Dans *l'Homme-machine* (1747), *l'Homme-plante* (1748), La Mettrie fait sortir la vie et la pensée du mouvement même de la matière, qui hasarde puis élimine les formes non viables. Perspective parallèle chez Diderot : *Pensées philosophiques,* 1746 ; *Lettre sur les aveugles,* 1749 ; *De l'interprétation de la nature,* 1753 ; et enfin, admirable explosion poético-philosophique, *le Rêve de d'Alembert,* 1769. C'est Diderot qui rédige le dernier chapitre, enflammé, du *Système de la nature,* 1770, du baron D'Holbach, dont la virulence matérialiste et athée fit scandale.

Plus qu'un siècle de grandes découvertes scientifiques (il n'égale ni le XVIIe ni le XIXe), le XVIIIe siècle est celui d'un changement profond dans l'attitude de l'homme devant la nature. Confrontée à la diversité et à la complexité du réel, la raison est obligée, dès la fin du XVIIe siècle, de renoncer à l'ambition d'embrasser d'un seul regard l'essence et la totalité des choses. La notion de « gravitation », par exemple, se révèle incompréhensible, et pourtant toutes les expériences confirment la vérité du modèle newtonien. Pourquoi ne pas faire également de la vie un donné brut, organisé selon ses propres lois, et enchaînant, dans le temps, toutes les formes vivantes connues ? « Le XVIIIe siècle, parti d'une vision créationniste, mécaniste et statique de l'univers, aboutit ainsi à une vue dynamique et déjà historique de la nature » (Roger J., *Histoire littéraire de la France*). Voltaire appartient jusqu'au bout, imperturbablement, à la première période (fixité des reliefs, des espèces végétales et animales, des races humaines), Diderot à la seconde.

Raisonner la raison

Encore un Anglais...

L'ambition métaphysique des grands penseurs du XVIIe siècle n'est pas battue en brèche sur le seul terrain des sciences de la nature. Un autre Anglais, Locke (1632-1704), médecin et philosophe, opère dans les sciences de l'homme une mutation comparable à celle de Newton. Son *Essai philosophique concernant l'entendement humain,* 1690, traduit et diffusé (en français) dans toute l'Europe dès 1700, est un des livres fondateurs des Lumières : « Locke nétaphysique [c'est-à-dire l'analyse des idées] à peu nme Newton avait créé la physique » (d'Alembert, *Discours préliminaire de l'Encyclopédie,* 1751). Dans les *Lettres philosophiques* (Voltaire, 1734), Locke est exalté comme le premier véritable philosophe, qui observe au lieu d'imaginer, qui avoue son ignorance au lieu de bâtir des systèmes, qui s'efforce de distinguer ce qu'il sait de ce qu'il ne sait pas ou ne peut savoir.

Système, métaphysique, expérience

C'est que Locke, comme certains savants hollandais par lui fréquentés, et comme Newton, refuse de construire déductivement (à partir de vérités *a priori* dont on déroule les conséquences logiques) un système fondé sur des principes saisis directement par la raison, et garantis par la véracité divine (*idées innées* du XVIIe siècle). Il s'agit d'observer, d'analyser la formation de nos idées, leur combinaison dans notre esprit. La question cruciale, qui obsède la philosophie du XVIIIe siècle, devient dès lors celle de l'origine de nos connaissances, celle de leur validité. Remonter à l'origine de nos idées, pour le XVIIIe siècle, c'est analyser les sensations *(sensualisme)*. L'esprit humain, s'il veut enfin parvenir à des vérités solides, doit renoncer à connaître la nature et la cause profonde de la pensée, pour se concentrer sur l'origine et la combinaison des idées. On peut alors appliquer la méthode inductive, reconstituer la genèse des connaissances à partir des idées les plus simples, et donc s'interroger sur les moyens et les limites des connaissances. La célèbre statue de Condillac, qui s'anime sensation après sensation (*Traité des sensations,* 1754) en fournit le modèle classique ; mais tout le siècle va travailler sur cette base, c'est-à-dire une expérience fictive de l'origine. « Mon idée serait de décomposer, pour ainsi dire, un homme et de considérer ce qu'il tient de chacun des sens qu'il possède. Je me souviens d'avoir été quelquefois occupé de cette espèce d'anatomie métaphysique » (Diderot, *Lettre sur les sourds et muets à l'usage de ceux qui entendent et qui parlent,* 1751. Voir aussi : Rousseau, *Discours sur l'origine de l'inégalité,* 1755 ; *Essai sur l'origine des langues,* achevé en 1761 ; Diderot, *Lettre sur les aveugles,* 1749 ; Marivaux, *la Dispute,* 1744).

Le mot de métaphysique change alors de sens : « [Locke] réduisit la métaphysique à ce qu'elle doit être en effet, la physique expérimentale de l'âme » (d'Alembert, *Discours préliminaire de l'Encyclopédie*). La nouvelle physique expérimentale de l'âme se veut une liquidation des anciens systèmes métaphysiques, et Locke régnera sur les Lumières pour avoir défini une méthode « historique » d'analyse des idées que l'esprit construit dans son expérience du monde. Les *Idéologues,* sous la Révolution et l'Empire, seront dans le droit fil de cette recherche qui ruine toute possibilité d'atteindre l'essence ultime des réalités matérielles ou immatérielles, mais qui mime, avec une ferveur infatigable et vaine, la rigueur expérimentale des sciences. Bayle, Newton, Locke, ou la Sainte Trinité des Pères fondateurs (Fontenelle ferait un quatrième mousquetaire assez seyant — Aramis secret, souriant, sinueusement inflexible).

Le rationalisme des Lumières se révèle donc paradoxal. D'un côté, on ne cesse d'exalter la raison, de traquer les croyances, les superstitions, les préjugés. La raison diffuse la lumière, chasse les monstres, prépare le bonheur des hommes. Ses progrès lents, trop lents, combien fragiles, se déchiffrent pourtant à travers l'Histoire, et éclatent dans le siècle présent. Mais d'un autre côté, il s'agit d'une raison qui a sciemment renoncé à connaître le fond des choses, dont les vérités ne sont plus gagées sur une garantie absolue, divine. L'immense effort de sécularisation dépose, au creux des Lumières, un germe de scepticisme secret, ou, comme on voudra, une nostalgie des vérités absolues. Le XVIIIe siècle pratique un rationalisme sceptique avide d'action. Voltaire est un bel exemple de cette oscillation, lui qui sait bien que, pour pacifier les hommes, il faut d'abord raisonner la raison, lui rappeler ses limites mais qui ne doute jamais des certitudes métaphysiques qui animent son combat... et sans lesquelles il n'y aurait pas de combat. Est-ce à dire qu'en se coupant de la transcendance, en se laïcisant, la raison devait nécessairement se fanatiser, comme certains le prétendent avec une insistance parfois suspecte ? Mieux vaut suivre l'analyse d'E. Cassirer : pour le XVIIIe siècle, la fonction essentielle de la raison « est le pouvoir de lier et de délier [...] elle ne connaît pas de repos tant qu'elle n'a pas mis en pièces [...] la croyance et la "vérité-toute-faite". Mais après ce travail dissolvant, s'impose de nouveau une tâche constructive. [...] C'est par ce double *mouvement* intellectuel que l'idée de raison se caractérise pleinement : non comme l'idée d'un être, mais comme celle d'un *faire* » (Cassirer E., *la Philosophie des Lumières,* 1932, souligné dans le texte). Autrement dit, les Lumières repoussent unanimement l'esprit de système, fondé sur la déduction à partir de principes innés (XVIIe siècle), mais non l'esprit systématique, qui organise les corrélations issues de l'analyse des phénomènes : car la raison, selon le XVIIIe siècle, « ne *comprend* véritablement que ce qu'elle *engendre* à partir de ses éléments » (Cassirer E., ouv. cit.).

Ici-bas, le bonheur

Le ciel par terre

Si le XVIIIe siècle a eu une obsession, c'est celle du bonheur. Nous ne mesurons plus clairement la nouveauté d'une telle idée, parce qu'elle nous paraît aller de soi. Or, elle suppose un changement considérable, et même radical, par rapport à la tradition chrétienne. Jusqu'à la fin du XVIIe siècle, la pensée est dominée par Dieu, à qui tout est suspendu. La finalité essentielle de la vie n'est pas le bonheur, mais le salut, non pas la nature mais la Grâce. Au XVIIIe siècle, il n'est sans doute pas exagéré de dire qu'un renversement s'opère, où l'homme prend la place de Dieu. « Le mot de Pope : *Proper study of mankind is man* exprime d'une formule brève et frappante le sentiment profond que le XVIIIe a de lui-même » (Cassirer E.,ouv. cit.). Diderot le dit à sa manière, magnifiquement : « Abstraction faite de mon existence et du bonheur de mes semblables, que m'importe le reste de la nature ? » (Diderot, *Encyclopédie,* art. « Encyclopédie »).

La nature de l'homme lui donne le droit, le devoir, le pouvoir d'organiser ici-bas la quête du bonheur. Ce n'est pas par hasard que Voltaire se croit tenu d'en découdre avec Pascal dans la 25e *Lettre philosophique,* et rien ne sert de lui reprocher, naïvement ou pédantesquement, de ne rien « comprendre » à Pascal : il ne l'entend que trop bien, et peut-être mieux que nous. Plus question de diviser l'homme, de le tourner contre lui-même pour le détourner du monde : passions, sensibilité, raison, amour-propre, vont concourir à la recherche pratique du bonheur, qui est aussi un confort. Une science, au moins une technique, du bonheur s'avère possible, si l'homme connaît et accepte sa véritable nature, qui n'est plus écartelée entre l'ange et la bête, le ciel et la terre, ni viciée par le péché originel. Les crânes aux yeux vides, les sabliers inexorables, cessent de hanter les heures et les jours. Tout s'est fait insensiblement, mais de déplacement minime en inflexion mineure, le ciel s'est retrouvé par terre, et les arpenteurs du bonheur la règle en main.

Bon, le plaisir ; saines, les passions

Le bonheur passe donc par une réhabilitation du plaisir, principe de vie, source de tous nos actes. Les passions font corps avec l'idée d'homme.

Morale et affectivité, corps et esprit, ne s'opposent plus comme au XVIIe siècle. Le fond de l'homme, c'est l'amour-propre, que certains comparent au principe de gravitation universelle. À l'ignorer ou le combattre, on fait plus que manquer l'homme, on le mutile, on le déshumanise. Brimée, brisée, la nature se venge : en niant le corps, le couvent l'exaspère et le pervertit, dans l'hystérie de l'ascétisme ou l'hystérie du lesbianisme (Diderot, *la Religieuse*). Cette réhabilitation de la nature est si forte qu'elle emporte même le discours chrétien : la religion, la Grâce, Dieu, nous convient à être heureux dans un univers heureux de nous servir, car rien d'essentiel ne sépare vraiment l'ordre naturel de celui de la Grâce. Aucun siècle n'a autant exalté, analysé, chassé le bonheur sous toutes ses formes, des plus immédiates aux plus subtiles, des plus raffinées aux plus sauvages (La Mettrie, Rousseau, Sade), conçu une algèbre aussi savante, aussi précise, de leurs combinaisons ; autant goûté ou désiré la plénitude du sentiment de l'existence, autant ressenti ses défaillances, autant redouté (jusqu'à l'angoisse) l'ennui, l'apathie, la mélancolie. D'où la nécessité des passions, du travail, des plaisirs, machines à réveiller l'âme engourdie qui perd sa conscience d'exister.

Antinomies du bonheur

Mais la quête du bonheur débouche sur une série d'aspirations divergentes, contradictoires, pensées par le siècle jusqu'à la satiété, ou prudemment impensées.

R. Mauzi *(l'Idée du bonheur au XVIIIe siècle)* propose de distinguer quatre aspects du bonheur au XVIIIe siècle :

— Est heureux celui dont les états de conscience agréables sont plus nombreux que les déplaisants. « Pensent ainsi des épicuriens cyniques comme La Mettrie, et des moralistes tristes comme Maupertuis. C'est aussi quelquefois l'idée de Montesquieu ou de Voltaire » (ouv. cit.).

— Le bonheur peut exprimer non pas un bilan mais une harmonie continue, totale et hiérarchisée, du corps, de l'esprit, du cœur. Cette définition qui concerne plutôt l'Homme universel que l'individu intime et concret, est celle de Voltaire, D'Holbach, Helvétius, de la plupart des Philosophes.

— « Le troisième style de bonheur repousse toute idée de synthèse et d'universalité. Il consiste en un resserrement de tout l'être autour d'un point unique, que l'on appellera le *moi,* faute de mieux, [...] la simple *conscience d'exister...* » : Rousseau, *les Rêveries du promeneur solitaire,* 1776-1778, publiées en 1782.

— Le bonheur dépend de « *l'existence en mouvement* [...] qui réclame des émotions inouïes, [...] recherchées non pour leur valeur propre, mais pour accroître à l'infini la conscience d'exister vertigineusement » : personnages de Prévost, de Sade, du roman « noir » fin de siècle.

Mais il importe plutôt d'insister sur quelques antinomies.

— « Mouvement et repos apparaissent comme les deux pôles du bonheur », qu'il s'agit de concilier : « bonheur circonscrit » et « bonheur expansif », selon les termes de Diderot.

— Le couple repos-mouvement recoupe banalement le rapport raison-cœur. Le siècle ne cesse de broder, à l'infini, sur les élans du sentiment et la sagesse immobile de la raison, d'en peser interminablement les avantages et les risques, et Rousseau en propose même — à peu près seul — une théorie. Pour lui, la division de l'homme vient de ce qu'il n'est ni dans l'état de nature ni dans un état social réconcilié. Dans *la Nouvelle Héloïse* (1761), M. de Wolmar, philosophe athée, a éliminé le sentiment au profit exclusif de la raison.

— Le bonheur individuel et le bonheur collectif s'opposent-ils ? Le XVIIIe siècle s'y refuse de toutes ses forces, passionnément. Le bonheur individuel suppose celui des autres hommes : la sociabilité définit l'être même de l'homme, ce que la nature a inscrit en lui de plus précieux. Même pour Rousseau, qui les dénonce avec tant de véhémence, la division des hommes et leurs malheurs ont des causes surmontables, puisque non imputables à la nature. Pourtant, dans l'utopie civilisée des protestants de Sainte-Hélène et dans l'utopie primitive des Indiens Abaquis, Prévost fait éclater le conflit du bonheur personnel et d'une organisation rigoureusement collective de la société : les passions brisent toute tentative d'inscrire sur terre un ordre parfait (Prévost, *Cleveland, ou le Philosophe anglais,* 1731-1739).

— Pas question non plus de laisser divorcer nature et vertu ! Ni de concevoir la vertu, la morale, comme un effort contre les désirs, les instincts, la pente naturelle de l'homme (ce que fera la révolution kantienne). Il faut absolument que la nature pousse spontanément à la vertu, que la vertu procure délicieusement le bonheur, que le méchant soit justement malheureux (de fait ou au fond de son cœur), ou... fou (et donc bon à étrangler : Diderot, *Encyclopédie,* art. « Droit naturel » — mais Diderot n'en est pas toujours aussi convaincu !).

La vertu, fille de la nature ? Sade se délecte de ce sophisme qui a fasciné et bercé le siècle. Ses personnages ne cessent de justifier leurs actes par leurs désirs, et leurs désirs par la nature.

Le mariage sans nuages de la nature et de la morale, du bonheur et de la vertu, tel est bien le rêve le plus profond des Lumières. C'est une des fonctions capitales du roman non conformiste que de déchirer ces voiles vaporeux et ces voluptés trop suaves, où l'âme du siècle risquait de s'assoupir. Et puis l'Histoire à son tour est venue, sur le soir, qui parut une aube, exposer sa propre philosophie du bonheur, un peu tranchante.

Un chantier des Lumières : l'*Encyclopédie*

Dix-sept volumes de texte, onze de planches (in-folio : le format du journal *le Monde*). Ce « monument des progrès de l'esprit humain » (Voltaire) s'édifie de 1750 à 1772 sans cesser d'occuper l'Europe des Lumières (et des anti-Lumières), en attendant de l'incarner pour la postérité. C'est incontestablement l'événement intellectuel majeur de la seconde moitié du siècle, par l'ampleur des effets visés, des remous suscités, des capitaux et des collaborateurs mobilisés, des questions soulevées, et par la cristallisation qu'elle provoque dans les mentalités : avec l'*Encyclopédie*, le mouvement des Lumières s'accélère. À tout le moins, son histoire mouvementée accompagne une mutation du siècle.

Quelques dates...

1747 : Diderot et d'Alembert deviennent responsables d'une *Encyclopédie ou Dictionnaire universel des Arts et des Sciences* dont le privilège a été pris en 1746, au départ pour traduire et développer un, puis deux dictionnaires anglais.

1750 : Diffusion à 8 000 exemplaires du *Prospectus* rédigé par Diderot pour attirer les souscriptions. On prévoit 10 volumes in-folio, dont 2 de planches.

1751 : Premier volume de l'*Encyclopédie ou Dictionnaire raisonné des Sciences, des Arts et des Métiers, par une société de gens de lettres.*

1752 : Deuxième volume. Arrêt du Conseil d'État interdisant les deux premiers volumes déjà distribués. Compromis grâce à des appuis à la cour et à Malesherbes, directeur de la librairie.

1753 : Troisième volume. — **1754** : Quatrième volume.

1755 : Cinquième volume. — **1756** : Sixième volume.

1757 : Attentat de Damiens contre Louis XV. Les attaques contre l'*Encyclopédie* se multiplient. Le volume sept (novembre) contient l'article « Genève » (d'Alembert), qui provoque des remous à Genève, et la rupture de Rousseau (*Lettre à d'Alembert sur les spectacles,* 1758).

1758 : D'Alembert renonce à la co-direction (mais continue à superviser les mathématiques).

1759 : Crise. Le parlement de Paris condamne huit ouvrages, dont *De l'esprit,* d'Helvétius, et l'*Encyclopédie* (février). La distribution des sept premiers volumes est suspendue. Le Conseil du roi révoque le privilège de 1746 (mars). Le pape condamne l'*Encyclopédie* (septembre). Malesherbes sauve l'entreprise ; le gouvernement fermera dorénavant les yeux sur l'impression clandestine du texte parallèlement à la publication des *Planches.*

1762 : Premier volume des *Planches.*

1764 : Diderot découvre que le libraire Le Breton a censuré des textes qui lui paraissaient trop dangereux et détruit les originaux.

1766 : Les dix derniers volumes de textes sont enfin publiés (la distribution reste interdite à Paris et Versailles).

1770 : Le gouvernement interdit la mise en vente d'une réimpression par Panckoucke.

1772 : Publications des deux derniers volumes des *Planches.*

1776-1777 : Panckoucke publie un *Supplément* (quatre volumes de texte, un volume de planches). Il se lance ensuite dans une *Encyclopédie méthodique* dont il ne verra pas la fin.

... et quelques chiffres

L'*Encyclopédie* doit être située dans une expansion continue et croissante des dictionnaires. De 1680 à 1739 : 167 ; de 1740 à 1799 : 536 ; de 1800 à 1829 : 512. « Au moins 30 portatifs précèdent le *Dictionnaire philosophique [portatif]* de Voltaire (1764), de 1738 à 1763 » (P. Retat, dans *Histoire de l'édition française*). « Avec les *mémoires* des académies et les journaux littéraires, le dictionnaire devient une des formes canoniques, et la plus dynamique, de l'accumulation du savoir » (ouv. cit.). En 1758, paraît un dictionnaire des dictionnaires !

1700-1750 : 2 000 exemplaires en moyenne pour un grand dictionnaire. L'*Encyclopédie* (plus les rééditions) : 4 225 exemplaires pour la première édition in-folio. Près de 25 000 en tout, de 1751 à 1782, pour les six rééditions (in-folio, in-4°, in-8°), plus les *Extraits* et l'*Encyclopédie méthodique* de Panckoucke.

Gains : 2 500 000 livres pour Le Breton et ses associés de la première édition. Le Breton a multiplié son capital par... 30, et meurt avec une fortune énorme (1 500 000 livres). Mais pour les 8 525 exemplaires de l'édition in-4°, le bénéfice n'est plus que de 500 000 livres (l'ouvrier parisien vit avec une livre par jour). Un éditeur, Charles-Joseph Panckoucke, qui rachète les droits de l'*Encyclopédie,* « va bâtir en vingt ans un empire éditorial aux dimensions de l'Europe. Il joue sur trois atouts majeurs : vulgariser la philosophie, mobiliser une équipe d'auteurs, parier sur la puissance du journalisme [...] » (D. Roche, dans : *Histoire de l'édition française*).

Les grands dictionnaires d'avant 1750 sont individuels : Bayle, Moreri, Furetière, etc. Mais 160 collaborateurs travaillent autour de Diderot et du chevalier Jaucourt (qui rédige un quart des articles !) ; 100 à l'*Encyclopédie méthodique* de Panckoucke. Soit plusieurs centaines de personnes impliquées (typographes, graveurs...). Le dictionnaire portatif, au contraire, mise sur la brièveté sélective de la matière, voire sur une écriture délibérément individualisée (Voltaire : *Dictionnaire philosophique,* 1764 ; *Questions sur l'Encyclopédie, par des amateurs,* 1770-1772).

L'*Encyclopédie* est un monde : environ 60 200 articles ! 25 000 grandes pages ! 2 900 planches !

Un monde ou un chaos ?

Ordre et désordre

La flagrante hétérogénéité de l'*Encyclopédie,* reconnue par Diderot, dénoncée par Voltaire, sans doute inévitable, tient à plusieurs facteurs : la compilation de matériaux d'origines diverses ; une conception qui se modifie en cours de route ; la valeur très inégale des collaborateurs ; l'éclectisme des points de vue ; les difficultés politiques, qui provoquent départs, retards, compromis.

D'Alembert et Diderot ont voulu pallier l'inéluctable désordre d'un inventaire alphabétique : « L'ouvrage dont nous donnons aujourd'hui le premier volume a deux objets : comme *Encyclopédie* il doit exposer, autant qu'il est possible, l'ordre et l'enchaînement des connaissances humaines ; comme *Dictionnaire raisonné des sciences, des arts et des métiers,* il doit contenir sur chaque science et sur chaque art [...] les principes généraux qui en sont la base, et les détails les plus essentiels qui en sont le corps et la substance » (d'Alembert, *Discours préliminaire des Éditeurs,* en tête du premier volume). On devrait donc pouvoir reconstituer de véritables traités. C'est ainsi que Marmontel réunit ses articles de littérature pour l'*Encyclopédie,* le *Supplément* et l'*Encyclopédie méthodique* (*Éléments de littérature,* 1787). Un système de renvois (d'efficacité discutée, en tout cas non systématique) vise à renforcer les liaisons, permet d'éclairer un article par un autre, avec parfois des intentions polémiques, voire ironiques (l'article « Cordelier », d'un ton digne, renvoie à « Capuchon », qui agresse les moines. Ces jeux pouvaient dérouter ou dérider les lecteurs, mais guère prétendre tromper les censeurs).

À la base, il y a donc la croyance en une unité de la raison, qui exprime l'unité de l'homme, placé au centre de l'œuvre comme au centre du monde : « Pourquoi n'introduirons-nous pas l'homme dans notre ouvrage, comme il est placé dans l'univers ? Pourquoi n'en ferons-nous pas un centre commun ? » (Diderot, art. « Encyclopédie »). Plus que méthodologique, l'unité est d'abord idéologique : tous les collaborateurs sont des Philosophes, qui partagent les options fondamentales des Lumières — sensualisme d'origine lockéenne, méthode newtonienne, libéralisme intellectuel, volonté de progrès. Ils ne pouvaient que rencontrer l'hostilité de l'Église, des parlements, d'une partie de l'appareil d'État. Sur certains sujets importants, plusieurs articles expriment délibérément des opinions divergentes (Diderot se déclare pour le despotisme éclairé dans « Autorité politique », D'Holbach pour un système représentatif dans « Représentants »).

Sur l'origine des sociétés, les institutions, l'économie, etc., l'*Encyclopédie* tend à présenter un cocktail d'opinions, entre lesquelles le lecteur peut choisir à condition d'exercer sa raison critique. L'article « Âme », après un début orthodoxe de l'abbé Yvon, débouche sur une argumentation matérialiste de Diderot, sans que le cas reste isolé. Cet éclectisme (interne aux Lumières) exaspérait le militantisme voltairien. Il entraîne aujourd'hui des précautions de lecture. Mais il fait de l'*Encyclopédie* une œuvre de dialogue, une démonstration en acte du libéralisme, oscillant entre les deux écueils du dogmatisme et du scepticisme.

En ouvrant au hasard ce livre monstrueux, on plonge tête la première dans l'enchevêtrement fascinant, vertigineux, du monde des idées. Ou de leurs chaos, quand l'Histoire les a pétrifiées. Tendue vers le progrès, l'*Encyclopédie* nous invite aujourd'hui à la mélancolie méditative des ruines, chère au cœur de Diderot. Lambeaux et tombeaux de l'esprit, par quoi se paierait le prix du pari tenté par d'Alembert et Diderot de vendre, vite, cher et en vrac, les Lumières ? Cette tour de Babel sauvée par l'imprimerie méritait que la philosophie sortît de son cabinet et de ses vieilles robes de chambre, pour se frotter aux métiers (préindustriels), au capital (pré- ou quasi capitaliste), et à la politique (de toujours ?).

Lumières mouvantes

Convergences des Lumières, combats communs pour et contre. Mais aussi différences, divisions, dissidences, qu'on réduira à quelques lignes de fracture.

Ce qu'il est convenu d'appeler, avec le siècle lui-même, en sa fin, les Lumières, se met clairement en place dès les années 1680 (Bayle, Fontenelle), reprend souffle avec la Régence, triomphe au grand jour après 1750, explose avec la Révolution. Naissance, maturité, crise cardiaque et apoplexie : schéma classique, trop poli et repoli pour ne pas être honnête. Mais que sur plus d'un siècle, on ne puisse mettre dans le même panier (la guillotine l'a pourtant fait) des générations successives, des trajectoires individuelles divergentes, des œuvres et des pensées d'autant plus irréductibles qu'elles sont plus fortes, doit-on s'en étonner ?

Les Lumières ne sont peut-être qu'une fiction, un éclairage trop violent qui, en brûlant les ombres, efface les contours et les nombres : une dramaturgie prodigieuse du spectacle des idées, dont on ne reconnaît plus, dégrimés, dégrisés, les acteurs. Mais elle a la vérité plus vraie de toute fiction géniale : sans elle, le XVIIIe siècle n'a plus grand-chose à nous jouer, lui qui fut sans doute le premier siècle à savoir se mettre en scène. Reste que les conflits existent, et s'exacerbent au fil du temps, avant que ne se creusent les divisions irrémédiables d'après 89.

Dieu, ou Comment s'en débarrasser ?

Dieu et la nature, au XVIIIe siècle, sont inséparables : impossible de penser l'un sans l'autre. Un athée conséquent ne peut se contenter de nier Dieu : il se doit de proposer une théorie matérialiste de la nature. Plusieurs conceptions de Dieu, donc de la nature (et inversement), se chevauchent, et divisent les Lumières en pôles nettement divergents, dont les options enveloppent en fait, inévitablement, une conception des rapports de l'homme et du monde.

La nature est-elle l'œuvre d'un principe divin ? Fontenelle n'en souffle mot dans les *Entretiens sur la pluralité des mondes* (1686). Mais une grande partie des Philosophes et des savants de la première moitié du siècle le pensent, dans le sillage de Newton. Comment porter au compte des mouvements aveugles de la matière l'admirable harmonie des lois mathématiques à l'œuvre dans le cosmos ? La nature mathématisée de la science moderne suppose une intelligence suprême, un Dieu horloger, que rien n'oblige à identifier avec le Dieu incarné et triplé du christianisme. Le déisme voltairien tire, avec une sincérité jamais démentie, les conséquences métaphysiques de son initiation aux sciences modernes. Se débarrasser de l'idée de Dieu revient pour lui à rendre le monde incompréhensible, et dangereusement absurde. C'est ce qu'il s'acharne à démontrer jusqu'à sa mort, quand, dans les années 1760, il découvre et combat les progrès du matérialisme chez les « frères » philosophes (*Histoire de Jenni ou le Sage et l'Athée,* 1775). Mais l'intelligence suprême n'intervient pas dans le cours des choses humaines (*Candide,* 1759) et ne nous permet pas d'accéder à la vision divine du cosmos (fin de *Micromégas,* 1752, fin de *Candide*).

Le déisme est une solution modérée, raisonnable, séduisante, à mi-chemin d'un christianisme dévalorisé et d'un athéisme inquiétant, et il peut se nourrir du succès de la sociabilité maçonnique. Il répond à l'esprit des Lumières par la rationalisation radicale qu'il opère : la religion est vidée de tout mystère, de tout surnaturel ; elle consiste à adorer un principe divin et à pratiquer une morale de bienveillance et de tolérance. Il peut donc se combiner ou se confondre avec un christianisme raisonnable, c'est-à-dire purgé de ses superstitions, guéri de toute velléité fanatique, et confiant dans la perfectibilité de l'homme. Car le déisme, comme toutes les Lumières, exclut le péché originel. Le rapport essentiel n'est plus à Dieu mais aux hommes.

Dieu nous a faits pour être heureux et bons ; soyons-le. Tout se joue donc sur le terrain de l'existence, conformément au mouvement fondamental des Lumières, qui fait de l'homme le centre de l'univers. D'où le scandale du malheur, de la souffrance, de l'insatisfaction (romans de Prévost ; *Candide...*), qu'on ne sait sur quoi ni sur qui reporter (Dieu ? la nature ? la société ? l'homme ?). Le bonheur pose la question du malheur, qui interroge Dieu.

Les matérialistes du XVIIIe siècle, nourris par l'Antiquité, la Renaissance, le libertinage érudit, radicalisent les implications de la philosophie des Lumières (rationalisme scientifique, sensualisme, hédonisme, anticléricalisme). Pourchassés depuis des siècles par l'Église, ils ont enfin la force de paraître sur la scène des idées. Événement important, trop souvent minimisé ou caricaturé. Ils le font en deux étapes. D'abord (première moitié du siècle) par des manuscrits clandestins (originaux ou non). Le plus virulent, le plus étonnant, est le *Testament* d'un curé de village, Jean Meslier (1664-1729), publié, tronqué et expurgé dans un sens purement anticlérical par Voltaire (1762). Ensuite apparaissent les grands auteurs matérialistes : La Mettrie, qui a une incontestable priorité, mais dont chacun tient à se démarquer (*Histoire naturelle de l'âme,* 1745 ; *l'Homme-machine,* 1747, son livre le plus connu ; l'*Art de jouir,* 1751 ; *Vénus métaphysique, essai métaphysique sur l'origine de l'âme humaine,* 1751) ; Helvétius (*De l'esprit,* 1758 ; *De l'homme,* 1773, posthume, qui provoque une ferme *Réfutation* de Diderot, achevée en 1774) ; D'Holbach (*le Système de la nature,* 1770 ; *le Bon Sens ou Idées naturelles opposées aux idées surnaturelles,* 1772, commode et efficace résumé du *Système*) ; Diderot, dont *le Rêve de d'Alembert,* rédigé en 1769, reste clandestin jusqu'au XIXe siècle. Convient-il d'y ajouter Sade ? Sans doute, bien qu'aucune tradition ni aucune orthodoxie matérialistes ne songe à revendiquer cet ancêtre encombrant, plus litigieux que prestigieux.

Les matérialistes s'en prennent à deux notions métaphysiques de taille : Dieu créateur (prouvé par l'ordre du monde), l'âme immortelle. La pensée, propriété de la matière organisée (du cerveau) est liée à deux de ses attributs fondamentaux : le mouvement et la sensibilité. Au regard de l'univers, l'unité matérielle du monde rend vaine toute distinction du Bien et du Mal à partir des notions subjectives de malheur et de bonheur (critique, par la *Correspondance littéraire* de Grimm, juillet 1756, du *Poème sur le désastre de Lisbonne,* Voltaire, 1756) ; l'organisation universelle réduit à néant l'idée de liberté (fatalisme dénoncé par leurs adversaires, mais assumé par des matérialistes comme D'Holbach). Les idées morales n'ont aucun fondement transcendant, idéal, car elles s'enracinent totalement dans l'univers matériel (besoins, plaisirs, intérêts, éducation, etc.). Qu'il soit plutôt physiologique ou plutôt sociologique (détermination des comportements par le corps ou par la société), le déterminisme matérialiste se signale toujours par sa radicalité, inspirée du modèle des sciences de la nature, et animée par la volonté de provocation et/ou de démonstration.

Mais le matérialisme est lui-même conflictuel : La Mettrie est tenu en suspicion pour son joyeux et trop cynique amoralisme (réel ou feint) ; Diderot réfute vigoureusement Helvétius, dont il juge l'anthropologie trop étroite, trop mécanique.

La société, ou Comment lier les hommes ?

Les Philosophes n'ont pas voulu la Révolution, ni même une réforme globale, qu'ils auraient appelée une révolution. Voltaire aime son château, Montesquieu son vignoble, et Diderot ses pantoufles (et il faut doter Angélique, qui aimerait bien s'appeler Mme de Vandeul, en attendant de brûler les lettres paternelles trop peu édifiantes). Parfois, il est vrai, ils ont eu quelque pressentiment sombre, inquiet, d'un orage menaçant, mais la plupart sont morts avant la tempête. Les survivants, hébétés, nous supplient de croire que la Raison ne coupe pas les têtes. Nous les croyons sans peine : l'Histoire frappe toujours dans le dos, et ne donne pas ses raisons (ou elle en donne trop : cas de la Révolution française). Bossuet s'émerveillait de cette preuve perpétuelle d'une Providence divine : la perpétuité de l'Église romaine dans ses vérités et ses dogmes. Certitude carrée ! La méditation des Philosophes dessinait les linéaments d'une progression rompue de l'esprit civilisateur : panorama nettement plus large, mais encore un peu grêle. Avec la Révolution française et la Terreur, et Bonaparte mué en Napoléon Ier, l'Histoire change brusquement et à jamais de substance, d'épaisseur, de sens : énigme terrible, mystère grandiose, qui broie la lumière, l'ombre et le sang sur la même palette. Aux querelles théologiques succède la guerre européenne des interprétations de la Révolution. Au regard de cette interrogation dont les termes se renouvellent jusqu'à nous, mais pas l'urgence, la réflexion ininterrompue et plurielle des Philosophes sur la société et la politique peut sembler, parfois, souvent, manquer de fièvre. Comme si leur faisait défaut une expérience cruelle. Mais cette réflexion a existé, elle a divisé et mobilisé les esprits, elle a nourri les hommes de la Révolution, et ses problèmes sont sans doute moins anachroniques qu'on aimerait le croire. Ne serait-ce que la fiction des droits de l'homme, ressortie récemment, toute fraîche, à peine refardée, des malles du XVIIIe siècle.

Un schéma assurément simplifié mais commode consisterait à suivre le fil d'un double effort qui traverse le siècle. Le travail sur l'histoire nationale, qui débouche sur une certaine idée de la monarchie et de la société françaises, et qui imprègne deux œuvres capitales : *De l'esprit des lois,* 1748, de Montesquieu, et les *Mémoires* du duc de Saint-Simon publiés au XIXe siècle ; l'élaboration d'une philosophie politique fondée sur la théorie du droit naturel et du contrat social, dans le prolongement de Locke. Bien entendu, échanges, interférences, combinaisons multiples, compliquent cette distinction trop simple, qu'il ne faudrait surtout pas interpréter comme l'opposition d'une pensée scrupuleuse et réaliste, car historienne, et d'une pensée radicale et rêveuse, car rationaliste et philosophique.

Les aristocrates, lanternes des Lumières ?

Dès la fin du XVIIe siècle, le système louis-quatorzien de monarchie dite absolue provoque dans certains milieux aristocratiques un intense travail de réflexion critique, qui guette la mort du roi. Fénelon (1651-1715) publie en 1711 les *Tables de Chaulnes.* Il propose un système de gouvernement par Conseils (polysynodie expérimentée par le Régent de 1715 à 1718, et soutenue par Saint-Simon) où la grande aristocratie de cour retrouverait ses prérogatives aux dépens des ministres ; une décentralisation aux dépens des intendants, appuyée sur des assemblées provinciales à larges pouvoirs, réunies tous les trois ans en états généraux ; une distinction et une hiérarchie plus rigoureuse des ordres, afin d'atténuer les effets perturbateurs de l'argent sur la structure sociale traditionnelle.

Boulainvilliers (1658-1722), esprit radical et original (c'est l'un des introducteurs en France de Spinoza), va beaucoup plus loin. Son apport majeur est d'avoir proposé une réinterprétation de l'histoire de France. Plus exactement, il apporte une problématique, un fil conducteur, une interprétation, là où ne régnait jusqu'à lui que la narration, plus ou moins ornée, de règnes successifs. Problématique ravageuse : les nobles authentiques (à l'exclusion donc des anoblis) descendent des envahisseurs francs ; les roturiers, des Gaulois vaincus. Deux races, deux droits. Le droit de conquête est sans doute dur, mais il est fondé sur la force, et sur la force de l'origine. Mais l'histoire, ou la fiction, des origines vise surtout la royauté. Chef de guerre élu, le roi de France n'a gouverné pendant des siècles qu'en accord avec la noblesse, avant d'usurper lentement, avec l'aide du tiers état, et grâce à l'ignorance et à l'imprévoyance des nobles, des pouvoirs de plus en plus étendus, et maintenant absolus. D'où des propositions de réformes, au demeurant assez prudentes, qui vont dans le sens de Fénelon, et dont certaines visent à assainir la collecte des impôts, à réanimer l'activité économique, perturbée par les guerres louis-quatorziennes. Autrement dit, la critique aristocratique ne s'oppose nullement à un réformisme éclairé, dont elle peut même préparer les thèmes et les voies.

Les textes de Boulainvilliers, publiés après sa mort, mais qui circulaient en manuscrits (mal composés, mal écrits, ils sont aujourd'hui difficilement lisibles), provoquèrent une réfutation vigoureuse de l'abbé Dubos, 1670-1742 (*Histoire critique de l'établissement de la monarchie française dans les Gaules,* 1734). Le roi de France ne tire pas son pouvoir des conquérants francs, mais de l'empire romain, et est donc légitimement absolu. Cette polémique retentissante alimente une abondante production historico-juridico-politique, depuis bien longtemps illisible, mais qui traverse et passionne le siècle, non seulement par le canal des livres, mais aussi par les « Remontrances » des parlements, qui leur donnent le retentissement d'actes politiques. C'est que les thèses antagonistes de Boulainvilliers et Dubos étaient passées par la main prestigieuse de Montesquieu. Tout en se démarquant des thèses extrémistes de Boulainvilliers, Montesquieu en retient l'essentiel. La monarchie française a atteint son équilibre idéal — roi, noblesse, tiers état — vers... la fin du Moyen Âge. Elle n'a cessé de dégénérer depuis, tendant dangereusement, irrésistiblement, vers le despotisme, que rien dans les lois n'interdit, mais encore freiné par les mœurs. C'est pourquoi il importe dramatiquement de contrebalancer les pouvoirs excessifs de la cour, des ministres, par les privilèges de la noblesse et par les droits des parlements, ultimes remparts des libertés, et éléments constitutifs du système monarchique bien compris.

On saisit sans peine l'ambiguïté d'une telle vision : aristocratique, modérément mais indéniablement, et libérale indiscutablement. L'immense prestige de Montesquieu cautionnera toutes les résistances, sourdes ou éclatantes, des parlements, jusqu'à ce que leur pseudo-libéralisme s'effondre d'un coup, avec leur popularité, dans leur refus du vote par tête aux états généraux, qui lésait leur monopole de la contestation-politique-sans-risques-ni-effets mais non sans bénéfices symboliques et matériels. Et qui substituait, à la France des ordres et des privilèges, la Nation, fondée sur l'égalité des citoyens.

Voltaire est l'un des rares Philosophes à soutenir la réforme des parlements tentée par Maupeou (1771-1774). Un penseur radical comme Mably (1709-1785), sans illusion sur l'aristocratie parlementaire, y voit, en attendant mieux, un rempart contre le despotisme, danger le plus pressant.

La philosophie couronnée

Ce qui se joue là, et qui divise les Lumières, c'est donc le rapport à un pouvoir fort et raisonnable, ce qu'il est convenu d'appeler, assez mal, le *despotisme éclairé.* Pourquoi ne pas s'appuyer sur un prince-philosophe pour hâter les pas de la Raison ? Plus exactement : sur qui compter pour rogner les griffes noires de l'Église, pour réformer, améliorer, éduquer ? Pour contenir, aussi, le peuple, si ignorant, si sensible aux superstitions, si remuant et si peu raisonnable, car il y a peu de raison là où manque l'assiette d'une propriété. Le despotisme éclairé, autrement dit la Philosophie couronnée, c'est la tentation, qu'on comprend difficilement résistible, du « raccourci », d'une accélération de l'Histoire, sans risques ; des retrouvailles de la nature, de la raison et de la politique dans la figure prestigieuse, mythique, du législateur (Solon, Lycurgue), frère jumeau du Philosophe. Que font Voltaire à Berlin, Diderot en Russie, sinon anticiper la venue (si tard, si peu) de Turgot aux affaires (1774-1776) ? Pour appliquer leur libéralisme économique (laisser-faire, laisser-passer), si évidemment voulu par Dieu, les *physiocrates* (Quesnay, Turgot...) s'adressent résolument à un pouvoir fort, absolu, puisque la physiocratie (« gouvernement de la nature ») n'est que l'expression évidente des lois naturelles, donc de la raison, qui s'imposent inflexiblement à tout homme sain d'esprit ! « Donnez-moi cinq ans de despotisme et la France sera libre » (Turgot).

Diderot s'éloignera, lentement, irrésistiblement, de cette fascination qu'il défendait dans l'*Encyclopédie* ; se rapprochant ainsi de son frère ennemi, Rousseau, dont la vie et l'œuvre semblent dénoncer avec violence cette illusion — tout en lui faisant place sous les traits du précepteur d'*Émile* (1762), et de M. de Wolmar, philosophe-législateur de Clarens (*la Nouvelle Héloïse,* 1761).

Le droit naturel

Il est impossible de comprendre la pensée politique des Lumières sans passer par le droit naturel. C'est « dans les traités de droit naturel que Rousseau a puisé l'essentiel de son érudition politique. On trouve en effet dans ces ouvrages une théorie de l'État qui, au XVIIIe siècle, s'est imposée à l'Europe entière et a fini par ruiner complètement la doctrine du droit divin... » (R. Derathé, *J.-J. Rousseau et la pensée politique de son temps*). Dès la première moitié du XVIIIe siècle, les universités allemandes, suisses, suédoises, etc., sont dotées d'une chaire de droit naturel, sauf la France, en raison notamment de l'hostilité de l'Église. Mais le public dispose de remarquables traductions commentées des deux classiques : Grotius (1583-1645), *le Droit de la guerre et de la paix,* 1625, traduit par Barbeyrac en 1724. Et surtout : Pufendorf (1632-1694), *le Droit de la nature et des gens,* 1672, traduit par Barbeyrac en 1706 et 1712 (dix éditions au XVIIIe siècle !). L'*Encyclopédie,* de son côté, répand et vulgarise la doctrine, dont l'*Essai sur le gouvernement civil,* 1690, traduit en 1691, de Locke (1632-1704), est un chaînon important.

Le droit naturel est explicitement dirigé contre la théorie catholique du droit divin, selon laquelle l'autorité politique des gouvernements (choisis par les hommes) vient de Dieu, comme les évêques reçoivent leur autorité pastorale de Jésus-Christ. La doctrine du droit divin ne privilégie aucune forme de gouvernement : sa fonction est de fonder l'obéissance absolue des sujets, d'exclure tout droit de résistance et toute souveraineté originaire du peuple, contrairement au droit naturel. Il y a là un clivage fondamental entre les deux doctrines, qui explique l'origine protestante du droit naturel : Grotius et Pufendorf opèrent la séparation de la théologie et de la politique. Cette révolution intellectuelle a dominé la pensée européenne pendant près de deux siècles.

Le droit naturel s'efforce de penser la société comme une institution purement humaine, et d'en tirer des lois fondées sur la pure raison, universellement et éternellement valables, antérieures et supérieures à toutes les lois positives infiniment variées, propres à chaque État, à chaque époque.

Pour ce faire, ils vont élaborer une série de concepts fondamentaux.

L'état de nature

Pour connaître les lois naturelles dérivées de la nature de l'homme, il faut imaginer l'homme avant la société, c'est-à-dire dans un état fictif, l'état de nature, où n'existe aucune législation, aucun code, aucun État. Égaux et indépendants, les hommes n'obéissent qu'aux lois naturelles, aux lois qui découlent de la nature humaine. Ces lois peuvent concerner les rapports naturels de l'homme à Dieu ; de l'homme à lui-même (fondés sur le principe de conservation, qui implique la conservation et le développement de nos facultés en vue de leur fin naturelle, le bonheur de l'homme) ; des hommes entre eux — les plus importants de tous (fondés sur le principe de sociabilité).

Mais cela n'épuise pas la notion d'état de nature. Il faut distinguer :

— *l'état de nature en lui-même,* c'est-à-dire l'homme isolé, absolument seul. Il s'oppose alors à la vie de société avec tous ses avantages : sa fonction est de calmer, comme dit Pufendorf, les revendications du peuple, en lui montrant les affreux inconvénients d'un tel état ! (parfaitement fictif).

— *L'état de nature par rapport à autrui.* C'est la vie sociale des hommes avant l'institution d'un pouvoir politique, les hommes vivant dans des groupes où ils n'ont entre eux que des relations fondées sur la sociabilité et l'égalité naturelles, sans aucune contrainte étatique. C'est le sens de loin le plus important, car le seul qui intéresse la théorie politique : état naturel s'oppose ici à société civile. Il s'agit non d'un état d'isolement, mais d'un état d'indépendance : les hommes manifestent leur liberté et leur égalité naturelles, originaires, sans maîtres ni sujets. Mais c'est un *état social,* et la fiction philosophique peut alors sembler renvoyer aux origines primitives de l'humanité. Mais attention ! les États modernes vivent encore entre eux dans l'état de nature, c'est-à-dire dans des rapports (internationaux) non réglés par le droit positif, à l'inverse des sociétés civiles où les citoyens ont abandonné leur égalité et leur liberté naturelles dans les mains d'un gouvernement.

De cet état, on va déduire les droits et les devoirs naturels de chacun. L'objectif principal des théoriciens du droit naturel va consister à combattre l'idée de Hobbes (1588-1679 ; *De cive,* 1642, traduit en 1649 ; *Leviathan,* 1651) d'un état de guerre généralisé de chacun contre chacun, né de l'égalité. Car, si l'homme est originellement un loup pour l'homme, alors on ne peut échapper au dilemme : anarchie intolérable, contraire au principe de conservation, ou despotisme absolu, qui apporte la paix aux dépens de l'égalité et de l'indépendance naturelles. On voit donc que l'enjeu des discussions sur l'état de nature n'est pas de savoir s'il a existé. Ce qui importe, c'est un problème philosophique crucial : la société fait-elle une violence extrême à la nature de l'homme (Hobbes), justifiant ainsi le despotisme, ou bien la société civile est-elle le couronnement de l'état naturel, interdisant alors de piétiner les droits naturels de l'homme, dérivés de sa nature ? (Locke).

Le contrat social

Mais si l'homme jouit de la paix dans l'égalité et la liberté naturelles, d'où lui viendrait l'idée de fonder des sociétés civiles, assises sur la subordination et l'inégalité, sur des lois fabriquées et sanctionnées ? C'est, explique-t-on, que cet état de paix originaire, fondé sur la sociabilité naturelle, est incertain, précaire ! Tout se passe « comme si cette paix devait bientôt se changer en guerre ». « Il faut donc regarder tous les hommes comme ses amis, mais en se souvenant toujours qu'ils peuvent devenir des ennemis... » (Pufendorf, *le Droit de la nature et des gens,* II, 2 §12).

Ces lois civiles, positives, vont donc garantir, par la contrainte de la force, les droits et devoirs nés du droit naturel, au lieu de les renverser. La crainte (pour la vie, pour les biens) explique le passage de l'état de nature à la société civile, comme chez Hobbes, mais sans ses conséquences terribles.

Ce passage se fait selon un double pacte :
— un pacte d'association, qui fonde la société civile ;
— un pacte de gouvernement, qui définit la forme politique du gouvernement (monarchique, démocratique, etc.).

On voit évidemment en quoi cette théorie du contrat, c'est-à-dire de la souveraineté *originaire* du peuple, peut fonder un libéralisme politique, un droit de résistance à l'oppression tyrannique. Et c'est bien pourquoi on a tant besoin de nier que l'état de nature soit caractérisé originellement comme état de guerre généralisé. Les théoriciens du droit naturel ne veulent absolument pas opposer état de nature et société civile. Celle-ci n'est pas pour eux dégradation, déperdition. L'homme est fait pour la société, qui peut et qui doit garantir et épanouir ses potentialités naturelles, ses droits et devoirs naturels. Telle est, grossièrement résumée, la théorie à partir de (et contre) laquelle Rousseau va élaborer le système politique le plus original et le plus radical du XVIIIe siècle.

Illuministes et anti-Lumières

Il faut faire une place, même réduite aux courants de l'illuminisme, difficile à définir, dont la figure de proue, en France, est Saint-Martin (1743-1803, l'*Homme de désir,* 1790). Le siècle des Lumières est aussi celui de l'occultisme et des illuminismes. « L'illuminisme professe une croyance en une tradition primitive universelle que seuls les initiés peuvent connaître par la compréhension des forces surnaturelles et la communication avec l'au-delà » (*Dictionnaire des littératures,* Bordas). Ce véritable illuminisme, celui de Saint-Martin, ne s'oppose pas à la raison, mais à toutes les certitudes dogmatiques (théologiques et sensualistes), et poursuit la quête douloureuse d'une régénération et d'une réconciliation par la voie d'une parole poétique et prophétique. Il joue un rôle important dans la genèse du romantisme.

C'est une des originalités des Lumières françaises que leur agressivité anticléricale et même antichrétienne, qu'on ne retrouve guère ailleurs, sinon dans l'entourage de Frédéric II de Prusse. À défaut d'écraser l'*Infâme,* tâche qui dépassait les forces d'un homme et même d'un parti, Voltaire et les « frères » ont au moins réussi à éclipser jusqu'au souvenir de leurs adversaires malheureux, réduits à survivre et à souffrir dans quelque recoin de phrase ou d'anecdote cinglantes. Il faudra la Révolution pour voir apparaître les brillants représentants d'une pensée « réactionnaire », Bonald, de Maistre, Chateaubriand, dans le sillage d'un maître-livre, les *Réflexions sur la Révolution de France* (1790), d'Edmund Burke, qui donne le branle d'une réflexion européenne sur l'événement majeur des temps modernes.

Il serait pourtant injuste de traiter par le mépris tous les tenants de l'orthodoxie. Les grands ordres religieux spécialisés depuis la fin du XVIIe siècle dans l'érudition (Bénédictins, Oratoriens) continuent à publier d'immenses et admirables recherches (religieuses et profanes), que les Philosophes ne se privent pas toujours d'utiliser, malgré leur mépris pour le travail de pure érudition.

Mais le rythme et l'efficacité des travaux diminuent, l'argent du siècle et des libraires exerce un attrait grandissant. Après 1770, les Bénédictins ne comptent plus dans les travaux savants.

Un des plus brillants, et des plus détestés, adversaires laïcs des Philosophes fut sans doute Fréron (1719-1776), fondateur de *l'Année littéraire* en 1754, périodique qui paraissait tous les dix jours et que les Philosophes eurent la joie de faire suspendre par le pouvoir peu avant la mort de son animateur.

À dire vrai, le camp anti-philosophique disposait bien d'une machine de guerre formidable contre ses ennemis triomphants : Rousseau. Mais comment manipuler sans risques un engin aussi explosif ? Rousseau est utilisé par tous, et n'appartient à aucun des deux partis. Encore une fois, en France, c'est bien l'irruption violente et massive de l'Histoire sur la scène des idées qui change radicalement, avec 89, le rapport des Lumières et des anti-Lumières.

Un contre-révolutionnaire conséquent combat dans la Révolution l'événement et surtout la conséquence fatale des Lumières.

La *Théorie du pouvoir politique et religieux* (1796), de Louis de Bonald (1754-1840), mise au pilon par le Directoire, mais lue par Chateaubriand, Sieyès, La Harpe, et... Bonaparte, identifie volonté générale et volonté divine, dénonce les usurpateurs qui entendent substituer les droits de l'homme et du citoyen à ses devoirs envers un Dieu dont procède la monarchie (le meilleur des gouvernements possibles).

Si l'écriture bonaldienne est trop rébarbative pour rendre justice à la cohérence de ses développements, celle de Joseph de Maistre (1753-1821) dans ses *Considérations sur la France* (anonyme, 1797) déploie toutes les séductions d'un style limpide, acéré et sarcastique : un Voltaire contre-révolutionnaire, l'égal d'un Chamfort (1740-1794) ou d'un Rivarol, « Tacite de la Révolution » selon Burke (1753-1801), qui saurait aussi tracer des fulgurances poétiques. Il fustige les prétentions de la raison à comprendre et transformer un monde dont seule l'observation des faits permet de rendre compte sans lui imposer un ordre ou une grille de lecture. Aux systèmes, ce visionnaire prophète substitue une métaphysique à la Bossuet : le cours de l'Histoire, aussi fluctuant et déconcertant soit-il, obéit à l'intervention constante de Dieu, ce « gouvernement temporel de la Providence ». Entre le péché originel et la rédemption, expiation de la faute, la suite des temps prépare l'avènement de la cité de Dieu, et le châtiment révolutionnaire y joue son rôle, étape sanglante dans la conquête de l'unité, moment tragique, conjonction de la folie philosophique et de l'intention providentielle.

À ces affirmations, pesamment didactiques ou décidément sublimes, s'oppose le scepticisme, voire le nihilisme du premier Chateaubriand, celui de l'*Essai sur les révolutions* (Londres, 1797, connu en France en 1826). À la comparaison des révolutions française, anglaise et antiques, se mêle l'analyse d'un mal moderne, celui d'une génération perdue de déracinés, de parias. Livre du *moi* confronté à l'Histoire, d'une écriture originale, riche en métaphores, où René (monarchiste par désespoir) met en cause une Révolution avortée et mensongère, l'*Essai* ouvre la voie au romantisme. Car le romantisme est inséparable des rêves prométhéens de 1789 et de l'issue tragique des Lumières.

Les Lumières quand même...

Si le déroulement implacable de la Révolution frappe d'effarement des philosophes patentés comme Marmontel ou Raynal, si une pensée réactionnaire fourbit des armes inédites, si Robespierre condamne durement la plupart des Encyclopédistes pour n'exalter que Rousseau, l'héritage syncrétique des Lumières reste revendiqué par le groupe des *Idéologues,* à travers sa revue, *la Décade philosophique,* qui paraît tous les dix jours (calendrier républicain) du 29 avril 1794 au 21 septembre 1807.

Républicains libéraux proches de la Gironde et donc hostiles au jacobinisme terroriste, les Idéologues veulent asseoir la République et diffuser les Lumières par l'éducation, leur préoccupation majeure. Une éducation philosophique et républicaine à l'adresse de toute la population, impliquant une régénération des esprits et des mœurs. Partisans naïfs du coup d'État préparé par un général républicain et éclairé, ils s'opposent rapidement à Bonaparte, qui les réprima hargneusement et s'efforça de substituer à l'*idéologie* (« science des idées »), héritée du sensualisme des Lumières, un éclectisme spiritualiste plus rassurant.

Travail d'étouffement et d'occultation qui a bénéficié d'une complicité séculaire : cette génération perdue a disparu de la mémoire collective. Et pourtant, que d'hommes remarquables chez les Idéologues : le médecin Pinel (1745-1826), « libérateur des fous », le médecin Cabanis (1757-1808), le génial savant Lamarck (1744-1829), le philosophe Destutt de Tracy (1754-1836), créateur du mot « idéologie » promis à un si fantastique avenir par le canal inattendu du marxisme, l'écrivain Volney (1757-1820), l'historien Daunou (1761-1840), etc. Proches de B. Constant et de Mme de Staël, ils sont une des sources du courant libéral au XIXe siècle, et leur influence sur Stendhal apparaît indéniable.

Le cœur et la raison

Siècle de la raison froide, mécaniste, analytique, acharné à pratiquer l'« anatomie de l'âme » (d'Alembert), l'« anatomie métaphysique » (Diderot) des idées et des sentiments, à reporter sur l'homme, conçu comme être générique, universel, les méthodes de la science newtonienne ; obsédé par l'idée de tout décomposer en l'homme jusqu'aux éléments originels — ces fameuses sensations nées du contact des choses — pour jeter enfin sur toute réalité humaine des lumières intelligibles qui dissiperaient leur mystère ; enthousiasmé, vers 1789, par le projet de réaliser le bonheur de l'homme en recopiant dans les constitutions ses droits éternels et universels inscrits dans la nature...

Mais siècle aussi de la sensibilité, des larmes, du sentiment (l'adjectif *sentimental* apparaît en 1769, calqué sur l'anglais), du *moi,* de l'individu unique et inimitable, de la vie privée, de l'intériorité, de l'autobiographie moderne, des passions exaltées, du génie, de l'enthousiasme, de la mélancolie — préludes au romantisme...

Un être sensible, type qui se répand surtout après 1760, ressent plus vivement qu'un autre les impressions que libèrent la nature, les autres hommes, les œuvres d'art, et lui-même. Ce qui lui donne accès à une vérité aussi vraie, mais plus fulgurante que la saisie rationnelle du monde par les seules procédures de l'entendement. Mais vérités du cœur et vérités de la raison ne s'opposent pas nécessairement (par exemple chez Rousseau). La sensibilité n'est donc pas une vague sensiblerie, une incertaine propension à l'émotivité ou à la rêvasserie. Elle définit une part inaliénable de la nature humaine et de l'individualité. Mais cette capacité d'être affecté par le monde et par ses propres sentiments est évidemment à double détente, source de joies enivrantes, et de souffrances inconnues — « Fatal présent du ciel qu'une âme sensible ! » s'écrie Saint-Preux (*la Nouvelle Héloïse,* 1761). Sur un cœur sensible, la passion déclenche des orages effrayants. Le champ est ouvert aux conflits romanesques comme aux périls et aux sauvetages du drame bourgeois : tant qu'il y a une bribe de sensibilité dans le cœur le plus corrompu, il reste de l'espoir. À la femme, donc, par ses larmes, sa beauté, sa vertu (profanée), d'attendrir et de régénérer, au risque de se perdre, le séducteur libertin qui a perdu le chemin des pleurs.

Cette double postulation n'échappe pas aux esprits les plus lucides : « ... les valeurs du sentiment sont plus inébranlables dans notre âme que les vérités de démonstration rigoureuse, quoiqu'il soit souvent impossible de satisfaire pleinement l'esprit sur les premières [...] le cœur et la tête sont des organes si différents ! Et pourquoi n'y aurait-il pas quelques circonstances où il n'y aurait pas moyen de les concilier » (Diderot, *Lettre à Falconet,* février 1766).

« ... les raisonnements, lorsque nous nous y abandonnons et que nous en faisons notre principal langage, étouffent les sentiments ; [...] ils nous sortent de nous-mêmes et nous font vivre hors de nous [...]. Il faudrait les laisser à ceux qui sont hommes par la tête, [...] au peuple des savants qui font de la science leur capital et qui, dans l'ivresse qu'elle leur cause, renoncent aux avantages du cœur qu'ils ne connaissent pas, qui se perdent en eux et qu'ils détruisent dans les autres » (Béat de Muralt, *Lettres sur les Français, les Anglais et les voyages,* 1725).

On peut proposer, semble-t-il, au moins trois interprétations de cette polarité :

— *Une chose après l'autre* ? Une construction chronologique a été tentée d'opposer le premier demi-siècle, dominé par l'esprit caustique et critique (Montesquieu, Voltaire, etc.), au retour en force de la sensibilité après 1750 (Diderot, Rousseau, etc.). Elle débouche logiquement, dans le même esprit évolutionniste, sur la notion de « préromantisme », calquée sur celle de « pré-classicisme ». Cette conception n'est plus acceptable. Ne serait-ce qu'en raison de son incapacité à rendre compte de Marivaux et de Prévost. Ce qui n'exclut nullement inflexions et mutations après 1750-1760.

— *Une chose et l'autre* ? Une deuxième perspective souligne la coexistence et la complémentarité d'un pôle des Lumières et de ce que G. Gusdorf appelle « le retour du refoulé ». L'excès de lumière suscite le désir de l'ombre, du mystère humain, de l'intériorité. Le romantisme allemand de la fin du siècle se constitue en réaction exacerbée contre les axes essentiels de la philosophie des Lumières. Mais, en vérité, c'est le siècle tout entier qui est ainsi traversé par « l'autre XVIIIe, le XVIIIe du cœur » (G. Gusdorf) qui, en Allemagne, en Angleterre, se nourrit de la vitalité religieuse du protestantisme, et particulièrement du mouvement piétiste. Ambivalence, donc, et souvent dans les individus eux-mêmes, du XVIIIe siècle, où les Lumières finissent par être submergées — beaucoup plus tôt et beaucoup plus radicalement en Allemagne et en Angleterre (une génération d'écart) qu'en France.

— *Une seule et même chose* ? Plutôt que comme un autre XVIIIe siècle, ou l'autre du XVIIIe siècle, ne convient-il pas d'interpréter la montée croissante des revendications sensibles, individualistes, passionnelles, etc., comme émanant des sources mêmes où s'alimentent les Lumières ? Locke, par exemple, ne conduit pas qu'à un intellectualisme « desséchant ». C'est aussi un théoricien de l'individualisme, un analyste de l'inquiétude ; l'exacerbation de la sensibilité n'est peut-être, après tout, que le prolongement de la primauté accordée à la sensation. Somme toute, le XVIIIe siècle n'est-il pas contraint, par la force des choses, d'expérimenter (dans ses pensées, ses pratiques, ses institutions) une réorganisation du champ culturel massivement envahi par les sciences et les techniques, dont nous ne sommes pas sortis, et pas près de sortir ? La cohabitation du savant et de l'écrivain s'aménage sous la perruque poudrée du Philosophe. Compromis encore aimable et prestigieux, malgré quelques tensions. Le romantisme allemand le rejette violemment. Mais sa tentative de repenser radicalement les rapports de la science et de la littérature devait déboucher sur l'échec et la folie, tout en bouleversant les bases de la philosophie des Lumières, et en proposant, de l'écrivain et de la littérature, une image tout à fait neuve.

Entre ces deux perspectives, à la fois proches et différentes, il n'y a pas lieu, ici, de trancher. L'essentiel est peut-être d'admettre qu'une approche globale de la philosophie des Lumières, aussi utile soit-elle, ne définit que des tendances, que les textes croisent et recroisent, sans souci des classifications scolaires et des tiroirs à fiches.

BIBLIOGRAPHIE

La mesure du monde

Ehrard J., *l'Idée de nature en France dans la première moitié du XVIIIe siècle,* 1964, rééd. abrégée Flammarion, 1970.

L'Importance de l'exploration au siècle des Lumières, collectif, CNRS, 1982.

Kant, *la Philosophie de l'Histoire,* Aubier, 1947, rééd. Gonthier, Médiations, 1965.

Roger J., *les Sciences de la vie dans la pensée française du XVIIIe,* Colin, 1963.

— *Histoire littéraire de la France,* Éd. sociales, 1976.

Raisonner la raison

Cassirer E., *la Philosophie des Lumières,* 1932, trad. P. Quillet, Fayard, 1966.

Crampe-Casnabet M., *Condorcet lecteur des Lumières,* P.U.F., 1985.

Dagen J., *l'Histoire de l'esprit humain de Fontenelle à Condorcet,* Klincksieck, 1977.

Gusdorf G., *les Principes de la pensée au siècle des Lumières,* Payot, 1971.

Ici-bas, le bonheur

Deprun J., *la Philosophie de l'inquiétude en France au XVIIIe siècle,* Vrin, 1979.

Favre R., *la Mort au siècle des Lumières,* P.U. Lyon, 1978.

Mauzi R., *l'Idée du bonheur au XVIIIe siècle,* Colin, 1960.

***Un chantier des Lumières : l'*Encyclopédie**

Darnton R., *l'Aventure de l'Encyclopédie, 1775-1800,* Librairie académique Perrin, 1982.

Martin H.-J. et Chartier R. (sous la direction de), *Histoire générale de l'édition,* t. 2, Promodis, 1984.

Pons A., *Encyclopédie* (choix d'articles), Garnier-Flammarion, 1986.

Proust J., *Diderot et l'Encyclopédie,* Colin, 1962.

— *l'Encyclopédie,* Colin, 1965.

Lumières mouvantes

Dictionnaire des littératures de langue française, Bordas, 4 vol., 1987.

Derathé R., *J.-J. Rousseau et la pensée politique de son temps,* P.U.F., 1950.

Desné R., *les Matérialistes français de 1750 à 1800,* Buchet-Chastel, 1965.

Ehrard J., *Politique de Montesquieu,* Colin, 1965.

Faivre A., *l'Ésotérisme au XVIIIe siècle,* Seghers, 1973.

Godechot J., *la Contre-Révolution. 1789-1804,* P.U.F., 1961, rééd. 1984.
Gusdorf G., *les Sciences humaines et la pensée occidentale, VIII. La conscience révolutionnaire. Les Idéologues,* Payot, 1980.
Lebrun F. et Dupuy R. (sous la direction de), *les Résistances à la Révolution,* Imago, 1987.
Plongeron B., *Théologie et politique au siècle des Lumières (1770-1820),* Droz, 1973.
Pomeau R., *la Religion de Voltaire,* Nizet, 1954 et 1969.
— *Politique de Voltaire,* Colin, 1963.
Saint-Martin C., l'*Homme de désir,* 10/18, 1973.
— *Des Nombres,* éd. Bélisane, 1983.

Le cœur et la raison

Gusdorf G., *les Sciences humaines et la pensée occidentale, IX. Fondements du savoir romantique,* Payot, 1982.
Le Préromantisme, hypothèse ou hypothèque, collectif, Klincksieck, 1975.

CADRE LITTÉRAIRE

LA FORCE DES FORMES

La littérature est une notion historique, qui n'existe pas d'elle-même. Il n'est pas inutile de savoir que le XVIIIe siècle classait les livres selon cinq grandes catégories :

1) Théologie et religion.
2) Droit (civil et religieux).
3) Histoire (religieuse et profane - récits de voyages).
4) Sciences et arts (qui incluent la philosophie. Le *Discours sur les sciences et les arts,* 1750, de Rousseau, appartient à la sous-section « Philosophie »).
5) Belles-Lettres : dictionnaires ; grammaire et philologie (incluant les essais, la critique, la rhétorique, c'est-à-dire l'art de bien dire) ; poésie, subdivisée en : poésie, art dramatique, romans ; correspondances ; orateurs ; facéties ; journaux et périodiques ; almanachs ; mélanges.

Dès 1723-1727, les Belles-Lettres et les Sciences et Arts représentent la moitié des livres. La comparaison avec des sondages ultérieurs (1750-1754 ; 1784-1788) dégage la permanence frappante des « volumes comparables des livres de Droit, d'Histoire et de Belles-Lettres, exprimant à travers tout le siècle le maintien d'un grand type d'écriture et de sa demande sociale [...]. L'extraordinaire stabilité des livres de Belles-Lettres n'est pas seulement celle des proportions par rapport à l'ensemble. Elle caractérise aussi l'équilibre interne qui distribue les ouvrages en grands genres littéraires : orateurs, poésie, théâtre, romans, grammaire, etc. La formalisation esthétique du classicisme traverse le siècle [...]. Elle laisse transparaître la pérennité du style noble où s'épanouira pour mourir l'éloquence révolutionnaire » (F. Furet, *Livre et Société dans la France du XVIIIe*). Il ne faut pas en effet sous-estimer la culture antique, l'art oratoire (sous la Révolution notamment), la poésie (antique et moderne), la tragédie, qui supportent, tant bien que mal, l'esthétique traditionnelle, tandis que le roman et la prose tracent les chemins de l'innovation. Dès

1723-1727, en effet, les romans sont plus nombreux que les poèmes et les tragédies. Mais n'oublions pas que si les Belles-Lettres restent stables (entre 30 et 40 %), le volume des sciences et des arts monte en flèche au cours du siècle — avec dominance de la philosophie et de la politique sur les sciences de la nature. Manifestant ainsi avec éclat la vocation philosophique, tant célébrée, du siècle des Lumières. Certains des plus grands écrivains du XVIIIe siècle — Montesquieu, Diderot, Rousseau, voire, pourquoi pas ? Voltaire — relèvent tout autant de la philosophie que de la littérature, au sens actuel de ces mots.

Ce qui caractérise la production littéraire du XVIIIe siècle, c'est peut-être une certaine permanence des genres et des normes classiques, mais surtout la boulimie d'écriture des écrivains majeurs, leur refus manifeste de la spécialisation classique, de l'ordre et de l'ordonnancement classiques. À cette mobilité savante et irrépressible (des disciplines, de la pensée, du style, de la composition, des genres), à ces jeux maîtrisés de clair-obscur et d'arabesques, on a été tenté d'attribuer, par analogie séduisante et hasardeuse avec les beaux-arts, l'étiquette de *rococo,* au moins pour les deux premiers tiers du siècle. L'adéquation style rococo, style des Lumières éblouit plus qu'elle n'éclaire. Mais elle a (eu ?) le mérite incontestable de vouloir cerner et souligner l'originalité et la philosophie d'un style que les préjugés « classiques » de la critique ont longtemps tendu à fâcheusement minimiser.

La fureur de jouer

Le siècle vu de profil

À partir de 1685, la sclérose dévote de Louis XIV lui rend le théâtre de plus en plus suspect. Après l'expulsion des Comédiens-italiens en 1697, Paris ne dispose plus que de deux scènes officielles, l'Opéra et la Comédie-Française, créée en 1680, en dehors des spectacles privés et temporaires des deux foires parisiennes qui vont devenir, après 1697, un pôle de la vie théâtrale.

La mort du roi, en 1715, marque un tournant important. Le retour d'une troupe italienne, en 1716, a valeur de symbole, et des conséquences imprévues : le XVIIIe siècle (surtout dans sa première moitié) sera marqué par la concurrence des théâtres (Comédie-Française, Théâtre-Italien, théâtres de la Foire, et enfin théâtres du Boulevard) ; concurrence souvent hargneuse, qui engendre des formes dramaturgiques nouvelles.

En province, les conditions de la vie théâtrale restent généralement médiocres et même misérables, avant 1750. Mais le pouvoir royal va inciter les villes de province à un effort remarquable : de 1750 à 1771, 23 salles, parfois magnifiques (Lyon, Bordeaux), sont ainsi construites, qui inscrivent pour la première fois le théâtre comme bâtiment isolé, complet, fonctionnel et spectaculaire au centre de la ville, à l'égal de la cathédrale ou de l'hôtel de ville (modèle : le théâtre de Lyon par Soufflot, 1754). Ce nouveau théâtre français s'offrira en exemple aux sociétés bourgeoises du XIXe siècle par la solution qu'il apporte à trois problèmes : situation dans la ville, distribution fonctionnelle des parties, rapport salle-représentation. Le retard de la province s'est renversé en avance : la Comédie-Française et les Italiens ne possèdent de salle neuve qu'en fin d'Ancien Régime.

Le milieu du siècle voit aussi se développer une réflexion théorique intense sur le théâtre et la cité (Rousseau, *Lettre à d'Alembert sur les spectacles,* 1758, etc.) ; sur le théâtre et la modernité (Diderot, *le Fils naturel,* et les *Entretiens sur le Fils naturel,* 1757 ; Beaumarchais, *Essai sur le genre dramatique sérieux,* 1767 ; L.-S. Mercier, *Nouvel Essai sur l'art dramatique,* 1773, etc.) ; sur l'architecture théâtrale, sur la danse, sur l'acteur (Diderot, *Paradoxe sur le comédien,* achevé en 1773). De nouvelles formes théâtrales surgissent : l'opéra-comique (comédie parlée et chantée), la comédie sérieuse, le drame bourgeois, la comédie poissarde (qui prétend imiter les mœurs et le langage du bas peuple), tandis que, à partir de 1760 environ, la tragédie classique semble décliner.

La Révolution, en supprimant la censure (de 1791 à 1794) et les privilèges des théâtres officiels, modifie les conditions de la vie théâtrale, sans bouleverser ses formes. À l'image du pays, la troupe des Comédiens-Français se divise en 1791, avant que ne commence, avec le nouveau siècle, une autre période, marquée notamment par le triomphe du mélodrame et la mort très douce de la tragédie classique, décédée dans son lit après deux siècles de zélés services, loyalement cadencés.

Lieux et formes

Il faut distinguer, sous l'Ancien Régime, théâtres officiels et théâtres privés (Foire, puis Boulevard). Les théâtres officiels bénéficient d'un privilège, c'est-à-dire du monopole d'un certain type de représentation. L'Opéra possède depuis 1669 le monopole des spectacles avec musique et danse ; la Comédie-Française, depuis 1680, celui, parisien, des pièces en cinq actes et des tragédies. Les Italiens font comme s'ils avaient reçu celui des pièces en italien. La fusion autoritaire, en 1762, des Italiens et de l'Opéra-Comique leur confère un nouveau privilège. Quant à Napoléon, amateur méfiant des tragédies politiques, il réservera le monopole du théâtre parisien à huit troupes, soit moins qu'en 1789.

Ce privilège implique des subventions (irrégulières), et surtout un contrôle très strict de l'État, sur le choix des pièces et des acteurs, sur toute la vie interne des théâtres, sur les représentations. La censure semble même se durcir dans la seconde moitié du siècle.

Ce contrôle étatique (politique et économique) influe-t-il fortement sur le répertoire ? Il pousse certainement dans le sens d'une conservation du répertoire et du respect des bienséances. Mais l'État se préoccupe avant tout des problèmes financiers (déficit du Français et des Italiens) et de l'application des statuts.

La Comédie-Française a le monopole de fait de la tragédie, dont la faveur auprès du public ne faiblit pas : les tragédies attirent plus de monde que les comédies. Voltaire domine sans conteste le siècle, d'*Œdipe* (1718) à *Irène* (1778), par le talent et le succès. Pour l'essentiel, le canon tragique reste immuable, sévèrement surveillé par un public chatouilleux. On a certes tenté de diversifier les sujets (histoire nationale, orientale...), de les actualiser (thèmes philosophiques, tels que la tolérance, le patriotisme, etc.), de dramatiser la mise en scène (effets de masse par les tableaux, exotisme des costumes, machineries spectaculaires). Mais la continuité du XVIIe au XVIIIe siècle reste éclatante, dans les formes, les thèmes, la représentation (d'où l'hostilité jacobine sous la Terreur).

Cette persistance spectaculaire d'un genre à nos yeux exsangue depuis Racine peut surprendre. Mieux vaut réfléchir sur la force des formes, quand elles bénéficient du soutien des pouvoirs, du public, des professionnels. La forme tragique classique passe pour le modèle naturel, rationnel, civilisé, donc français, du théâtre pathétique. D'où la nécessaire traduction-trahison des pièces de Shakespeare, jugées informes, incohérentes, barbares. La tragédie française est une forme totalitaire, qui supporte peu de jeu. Benjamin Constant l'explique admirablement dans la préface de son *Wallenstein* (1809). On comprend alors comment, sous l'Empire encore, la moindre innovation devient une tempête sous le crâne des auteurs. Ils ne sont pas paralysés seulement par leur connaissance du public et le prestige de la tradition : par la force d'une forme contraignante, où tout se tient, et qui tient dans le vide, depuis cent ans.

Si le Théâtre-Français a le monopole de la tragédie, il ne s'y cantonne pas ; il lance les premiers drames bourgeois, les premières tragédies historiques (nationales), s'essaie à toutes les formes de comédies, y compris celles qui viennent de la Foire. Car à l'autre pôle, il y a la Foire (Foire de Saint-Germain, février-mars ; Foire de Saint-Laurent, août-septembre, soit au total cent vingt représentations). Il s'agit de troupes privées recrutées par un entrepreneur de spectacles, avec des comédiens salariés libres de leurs mouvements, et qui jouent des pièces achetées au forfait. Les comédiens officiels s'efforcent, avec un acharnement variable, de leur imposer un règlement, pour contenir une concurrence redoutable. Le théâtre est ainsi interdit à la Foire de 1718 à 1720, de 1745 à 1751. D'où vient ce succès de la Foire ? D'abord de l'expulsion des Italiens en 1697. Puis, surtout, du droit, cher acheté à l'Opéra, de dresser des décors, de chanter et danser (1708-1714) : l'histoire de la Foire se confond avec celle de l'opéra-comique, genre populaire, spécifiquement français, qui, dans sa forme définitive, à partir de 1753, mêle dialogues et airs chantés sur une musique originale. Il y a opéra-comique quand les personnages s'expriment alternativement en paroles et en chants, à l'intérieur d'une intrigue qui peut flirter avec la comédie, le drame ou même la tragédie (*le Déserteur,* 1769, de Sedaine et Monsigny, dont l'audience dépassa le célèbre *Philosophe sans le savoir,* 1765, drame de Sedaine). C'est donc un genre extrêmement plastique.

Rien ne serait pourtant plus faux que d'imaginer la Foire comme un théâtre populaire opposé à un théâtre aristocratique.

Tous les théâtres visent le même public, comme le prouvent leur concurrence, et le succès des parodies chez les Italiens et à la Foire (plus de 800 au XVIIIe siècle). Bien plus : la Foire dispose dès avant 1750 de salles plus modernes, mieux équipées que les scènes officielles, à prix identiques. On se dispute environ 35 000 spectateurs effectifs (pour 12 000 à 15 000 places vers 1789, la moitié vers 1750, le tiers vers 1700). Public évidemment hétérogène où l'aristocratie continue à donner le ton. Les laquais en livrée, à l'origine admis à la Foire, y sont interdits dès 1743, pour ne pas choquer la clientèle riche (les femmes, sauf au Boulevard, n'ont pas accès au parterre, très longtemps non assis, des théâtres).

Même public (à une frange près), mais qui module ses réactions (toujours sonores) selon la hiérarchie des genres et des lieux (Français, puis Italiens, puis Foire). Quant aux théâtres de société, très nombreux, ils se permettent dans les *parades* des libertés inconcevables ailleurs.

On était loin du théâtre civique et éducateur rêvé par les Philosophes.

Le drame, une modernité avortée ?

Chance rare pour un genre, le drame a un père, qui le reconnaît (Diderot), une date de naissance (1757), et une mère d'apparence sévère, qui, quoique philosophe, accepta de jouer avec lui. La tradition assure qu'il grandit surtout sous la tutelle d'un oncle très habile (Sedaine), et qu'il mourut avec la Révolution, sans qu'on sache exactement s'il eut le temps ou même l'idée d'engendrer le mélodrame, voire le drame romantique. Cette biographie traditionnelle n'explique en fait pas grand-chose.

— Une chose est sûre : le drame a partie liée avec le groupe intellectuel qui tente, à partir de 1750, de s'imposer. Pas de consécration sans le baptême symbolique et charnel du théâtre : le scénario est comme prêt pour la bataille d'*Hernani,* qui fut mieux préparée (ces jeunes gens en colère, enfants de Bonaparte, avaient les dents plus longues, et les vieillards étaient plus vieux).

— Il est préparé par le succès de la comédie larmoyante (Nivelle de La Chaussée, *Mélanide,* 1741), par l'influence du roman (notamment Richardson), par des précédents anglais (Moor, *le Joueur,* traduit par Diderot ; Lillo, *le Marchand de Londres*) et français (Landois, *Sylvie,* 1742, en prose ; Mme de Graffigny, *Cénie,* 1750, en prose).

— Il dure moins d'un demi-siècle (de 1757 à la Révolution). Au sens strict, on pourrait même dire qu'il occupe essentiellement la scène française de 1765 à 1780 ; ensuite, il est dépassé par des formes qui se réclament des mêmes principes : l'opéra-comique sérieux (Sedaine), le drame historique (L.-S. Mercier), le drame sombre, une des sources du mélodrame (Pixérécourt, *Victor ou l'Enfant de la forêt,* 1798, infatigable procréateur de mélos).

— Le *drame bourgeois,* ou *sérieux*, ou *honnête*, prétend se situer entre la comédie qui fait rire et la tragédie héroïque. Il prend acte du vieillissement de la tragédie, comme de l'artifice comique. Il propose de leur substituer des pièces en prose, des personnages, des milieux, des situations de la vie contemporaine, qui ne soient plus traités, comme dans la comédie classique, sur le mode comique, mais sérieux et pathétique. En son essence, le drame bourgeois cherche à toucher violemment la sensibilité des spectateurs par des situations contemporaines pathétiques et morales. C'est donc le substitut moderne de la tragédie. Il fonde sa dramaturgie non plus sur la distance, mais sur l'illusion mimétique, la ressemblance bouleversante de la vie et de la scène (limite évidemment inaccessible, Diderot le sait aussi bien que nous). Ce qui implique la nécessité d'une mise en scène, c'est-à-dire d'une maîtrise unifiée des signes théâtraux jusque-là inutile. Le metteur en scène moderne apparaît au XVIIIe siècle. L'abondance et même l'inflation des indications scéniques caractérisent le drame, de même que le style haletant, expression paroxystique des émotions tentées par le mutisme, et que le tableau, qui fige et fascine le regard dans un silence envoûtant (*le Mariage de Figaro,* II, IV).

Réalisme et pathétique, dignité, jusqu'à la sublimité, des drames de la vie quotidienne : on a reconnu la définition même du roman moderne, telle que R. Challe, le premier, en donne la formule dans *les Illustres Françaises,* 1713, d'où Landois tire sa *Sylvie* en 1742 (Diderot cite cette pièce en 1757). À l'espace public (historique, politique, princier) de la tragédie en son palais, le drame substitue l'espace bourgeois, c'est-à-dire privé, domestique, de la famille.

Le grandissement héroïque (distancié par le vers, le costume, la déclamation, etc.) de la sphère publique devient un obstacle à la participation pathétique et naturelle des spectateurs. Ce qui jusque-là était l'apanage de la comédie et excluait le tragique (la médiocrité sociale, la contemporanéité, l'exclusion de la politique et de l'Histoire) devient donc la condition même de l'émotion, définie comme la finalité et le critère de la réussite théâtrale.

Théâtre et moralité peuvent alors se réconcilier, chose impossible dans la sphère publique, articulée par le politique, de la tragédie classique. On peut concevoir un drame du Père, du Fils, de l'Épouse, du Négociant (les « conditions » de Diderot, substituées aux « caractères »). Là où la théorie classique ne pouvait voir que du mesquin et du comique, le théâtre, après le roman, découvre qu'il y a un pathétique, et même un sublime, de l'individu privé immergé dans la vie quotidienne. C'est la leçon de Challe, de Prévost, de Richardson, et bientôt de Rousseau. C'est pourquoi la question de la prose est bel et bien une question décisive, qui interdit par exemple de considérer la comédie larmoyante en vers comme un drame bourgeois avant la lettre.

Le cœur du drame bourgeois, c'est donc non plus l'État, le Pouvoir (le Palais), mais l'unité et l'intégrité de la Famille (la Maison), souvent menacée par un séducteur libertin et aristocrate (Beaumarchais, *Eugénie,* 1767), et/ou par les carences du Père. Un de ses enjeux fascinants, comme dans le roman : les infortunes de la vertu, qui menacent de pervertir la jeune fille, écartelée entre la loi du Père et la loi du Cœur. On voit que se profile la possibilité d'un thème délicieux, de tableaux enivrants : la réconciliation du Père et de sa progéniture, l'amendement, par contagion, du séducteur, conquis aux valeurs et aux vertus de la vie privée...

L'année 1757

Quelles que soient les précautions de Diderot, c'est la première fois qu'au lieu de se moquer de la tragédie classique (les parodies, genre à succès), on détaille posément, méthodiquement, son acte de décès en tant que genre moderne. Ce qui n'est tout de même pas rien. En France.

C'est aussi la première fois qu'au lieu de se justifier à toute force par la tradition (Aristote, les classiques), on définit l'art par la modernité, par son originalité, et par les changements du public qui appellent un art changé.

C'est la première fois qu'est posée théoriquement la possibilité de tirer du tragique, en tout cas du pathétique, de la sphère privée jusque-là réservée au comique.

C'est la première fois sans doute qu'une pièce de théâtre (publiée avant d'être jouée) se présente avec un commentaire théorique conçu pour former une sorte de roman théâtral expérimental, à la fois pièce, récit et dialogue. Décidément, 1757, l'année du *Fils naturel* et des *Entretiens,* mérite mieux que sa place dans l'histoire du théâtre.

Bien entendu le drame bourgeois n'a pu fournir les chefs-d'œuvre exigés. Le drame bourgeois, de fait, est un genre instable (preuve ou rançon de sa modernité) qui ne tarde pas à se défaire. Le XVIIIe siècle, qui a tant voulu pleurer, ne nous laisse que des comédies.

Et pourtant... Et pourtant, l'on se surprend à rêver d'une hypothèse : et si, sans le drame bourgeois, *le Mariage de Figaro* n'avait pu advenir ? Paradoxe ? Puisqu'un paradoxe, selon Rousseau, vaut mieux qu'un préjugé, peut-être mérite-t-il qu'on l'éprouve.

Naufrages : Les esprits sublimes aiment méditer sur les œuvres d'art qui traversent l'océan des âges. Les chiffres, comme toujours, dévoilent un envers du décor moins grandiose. Sur les milliers de pièces recensées en ce siècle fou de théâtre, un effrayant naufrage en a déposé sur nos scènes moins d'une trentaine. Deux de Beaumarchais (sur cinq) et guère plus de vingt réellement représentées sur les trente-cinq de Marivaux (soyons bons princes, et ajoutons-y *Turcaret,* 1709, de Lesage).

Se consolera-t-on vraiment en ajoutant que le XVIIIe siècle a inventé nombre des disciplines affairées autour du phénomène théâtral (pré-sociologie et histoire du théâtre, psychologie de l'acteur, mise en scène) et au moins deux genres qu'on aurait bien tort de mépriser : l'opéra-comique et le mélodrame ?

Ces livres qu'on ne lit qu'une fois, et parfois d'une main...

La poétique classique ignore à peu près le roman, apparu tardivement dans l'Antiquité. Ce qui ne l'empêche évidemment pas de se vendre. Il devient au XVIIIe siècle, malgré soupçons et moues de façade, un genre majeur de la littérature, un pilier de l'édition. Tous les grands écrivains s'y essaient, Beaumarchais mis à part.

Qu'est-ce qu'un roman ? Le XVIIIe siècle ne le sait pas plus que nous. Les libraires les classent selon l'origine (grecs, anglais) ; la forme (contes, nouvelles, romans épistolaires) ; le contenu : romans historiques, « romans d'amour, moraux, allégoriques, comiques et amusants » sans oublier, bien entendu, les romans érotiques, fort répandus en ce siècle qui nous a légué quelques classiques du genre. Il semble bien que le pieux et chaste Louis XVI ne dédaignait pas, dût sa tête s'y égarer, de jeter un œil à la serrure de livres érotiques (on disait aussi : galants) luxueusement reliés, frappés des armes royales !

Peut-être nous donne-t-il là, pauvre roi si peu éclairé, une clé passable : le roman est toujours une machine à rêves pour âme seule, qui fait parfois effraction dans une réalité plus vraie qu'au miroir des idéologies. Parfois : quand il est réussi, quand il met à l'épreuve les certitudes ou les interrogations de la philosophie. Mais cette ambition, au XVIIIe siècle, se dissimule : sur six cents titres nouveaux recensés par un critique de 1720 à 1750, six seulement s'avouent romans ! C'est que ce mot a perdu sa crédibilité, depuis qu'il désigne les immenses récits héroïco-sentimentaux du XVIIe siècle baroque.

Contre ces romans (qu'on relit et qu'on réédite, parfois opportunément raccourcis), le roman se cherche d'autres habits moins compromettants : nouvelle, histoire, lettres, aventures, voyages, vie, confessions, mémoires... Rien n'y fait : à redescendre des nuées, on l'accuse aussitôt de se rouler dans la fange. La critique du premier demi-siècle ne trouve pas roman selon son cœur : toujours trop romanesque ou trop cru. Jamais décent, vrai, honnête ! « Les vrais gens de lettres les méprisent » (Voltaire, *Essai sur la poésie épique,* 1728). Diderot ne les méprise pas, mais que ne baptise-t-on autrement les vrais romans, les romans vrais ? Il laisse le chevalier de Jaucourt publier, en 1762, dans l'*Encyclopédie,* un article « Roman » très méprisant. Qu'on se rassure : on les vend, donc on les édite, donc on les écrit. De plus en plus.

Et Diderot, en 1761, rédige d'enthousiasme l'*Éloge de Richardson,* l'année même où Rousseau publie le plus ambitieux roman du siècle, la sublime *Julie* (en se donnant l'air, il est vrai, comme si souvent au XVIIIe siècle, d'éditer une correspondance authentique, ce que crurent nombre de ses lecteurs !). Malédiction de l'Église, méfiances du pouvoir, mépris de la critique, malaise des auteurs : c'est beaucoup, et ce n'est rien.

Découpes

Mais une définition n'abolit pas le problème scabreux de la découpe : comment désosser et servir cet animal tentaculaire et centenaire ?

— En ne retenant que les morceaux nobles, les grandes œuvres que le temps a consacrées ou exhumées ? H. Coulet, *(le Roman jusqu'à la Révolution)* met en garde : « Une histoire du roman qui ne connaîtrait que les grandes œuvres serait fausse, mais une histoire qui engloberait ces grandes œuvres dans la production courante serait aussi fausse... »

— Par tranches chronologiques ? H. Coulet le reconnaît franchement : « Un découpage chronologique est difficile. Bien que le roman soit en transformation perpétuelle, les procédés usés, les conventions, les poncifs [...] survivent [...]. En adoptant comme dates charnières, par un choix arbitraire mais non absurde, la date de 1715, à laquelle paraissent les premiers livres de *Gil Blas,* inaugurant l'importante série de romans de Lesage, Marivaux, Prévost, Crébillon, et la date de 1761, à laquelle paraît *Julie, ou la Nouvelle Héloïse,* sommet du roman de mœurs et du roman psychologique, on divisera le siècle en trois périodes :

« 1) 1690-1715 : période de recherches confuses qui continue plus encore la période baroque que la période classique, et au cours de laquelle le roman de mœurs apparaît.

« 2) 1715-1761 : période de création, d'organisation : elle se subdivise elle-même en une époque féconde de 1715 à 1740 environ, et une époque de stagnation, terminée par le succès éclatant de *la Nouvelle Héloïse,* synthèse de ce qui précède et modèle de ce qui suivra.

« 3) 1761-1789 (si l'on arrête à la Révolution : mais il faudrait aller jusqu'à *Atala* et *René*) : période de fermentation, période des formes les plus hardies, des ambitions les plus vastes. Sauf pour *les Liaisons dangereuses,* qui par là-même sont peut-être un livre retardataire, la notion de chef-d'œuvre et même la notion d'œuvre sont dépassées ou hors de propos » (ouv. cit.).

1690-1715

Y cohabitent :

— *les Aventures de Télémaque* (1699), de Fénelon, un des best-sellers du siècle, roman-poème qui renoue avec la tradition du grand roman baroque du XVIIe siècle, roman pédagogique, politique, utopique, philosophique et même mystique. En 1788, le *Voyage du jeune Anacharsis en Grèce au IVe siècle de l'ère vulgaire* de l'abbé Barthélemy en prolonge la veine avec succès.

— Les *Contes* de Perrault (1697), source d'un genre protéiforme qui connaît au XVIIIe siècle un essor foisonnant, du conte de fées au conte moral, exotique, philosophique, etc. *Les Mille et une nuits,* traduites avec un charme inégalé par Galland (1704-1717), marquent aussi bien Crébillon fils que Voltaire *(Zadig, la Princesse de Babylone, le Taureau blanc)* et inscrivent l'Orient féerique et philosophique au cœur des Lumières, et de leurs rêveries.

— *Les Illustres Françaises* (1713) de R. Challe, livre injustement méconnu par la tradition critique jusqu'au milieu du XXe siècle (malgré son succès au XVIIIe), et où s'essaie pourtant une formule aussi neuve que décisive : le roman sérieux, tragique parfois, de la vie privée jusque-là réservée au roman comique.

— Les *Mémoires de la vie du Comte de Gramont* (1713), où Hamilton narre avec un esprit Régence et à la troisième personne, certains épisodes de la vie de son beau-frère et la chronique libertine de la cour d'Angleterre sous Charles II. L'année 1713 a donc le bon goût de nous faire entendre deux voix du roman : le roman sérieux des passions (racontées à la première personne, inscrites dans un contexte réaliste) ; le roman ironique, qui dissout les valeurs dans une désinvolture élégamment cynique.

— D'inspiration picaresque, et non plus aristocratique, la première version du *Diable boiteux* (1707) de Lesage, profondément remaniée en 1726, relève de cette même vision détachée et ironique, qui juxtapose anecdotes, portraits, traits satiriques, aventures... Ce livre fait chaînon entre les *Caractères* de La Bruyère et les *Lettres Persanes.*

— Mais les grands romans romanesques du XVIIe siècle ne sont pas évanouis : leur séduction se lit dans les parodies et pastiches auxquels s'essaie le jeune Marivaux (*Pharsamon ou les Folies romanesques,* 1713 ; *la Voiture embourbée,* 1714 ; *le Télémaque travesti,* 1714).

1715-1760

Le phénomène majeur est ici l'explosion, à partir de 1730, du *roman-mémoires,* c'est-à-dire de la pseudo-autobiographie. De 10 % de la production entre 1700-1710 (et une quasi-disparition après 1720), cette forme grimpe à plus de 25 % entre 1735 et 1750 ! Plus de 200 titres entre 1700 et 1750, sur les 946 recensés par un bibliographe ! Les romans majeurs de Marivaux et Prévost s'y inscrivent sans défaillance, pour en exploiter toutes les ressources.

Mais un romancier comme Claude Crébillon pratique toutes les formes de narration : le roman-mémoires (*les Égarements du cœur et de l'esprit ou Mémoires de M. de Meilcour,* 1736) ; le roman par lettres (*Lettres de la marquise de M*^xxx^ *au comte de R*^xxx^, 1732) ; le conte (*l'Écumoire,* histoire japonaise, 1734 ; *le Sopha,* conte moral, 1740, un des modèles des *Bijoux indiscrets,* 1748, de Diderot ; *Ah ! quel conte ! conte politique et astronomique,* 1751) ; le dialogue mêlé d'interventions du narrateur (*la Nuit et le Moment,* 1755 ; *le Hasard du coin du feu, dialogue moral,* 1763). Dans *les Heureux Orphelins, histoire imitée de l'anglais,* 1754, il utilise le récit à la troisième personne, les mémoires à la première, et les lettres, à travers une composition en *histoires.*

Si la modernité du roman tient entre autres à l'absence de règles, on voit qu'il serait léger de la confondre avec l'absence de technique. Ce qui caractérise le XVIIIe siècle (au moins chez les meilleurs), c'est au contraire la virtuosité du travail sur les formes romanesques, et la délectation à en jouer. Les romanciers suivent de près recherches et innovations. Crébillon se moque de la mode anglaise (Richardson) du petit fait vrai, qui fait au contraire l'admiration de Diderot. Et surtout, les grandes œuvres, ou les grandes ventes, ne manquent pas de susciter des imitations (sans parler des parodies), et d'infléchir l'histoire du genre. C'est ainsi qu'on a dénombré, entre 1720 et 1760, une trentaine de romans épistolaires, dont un quart en 1749. Pourquoi cette éruption ? À cause de l'énorme succès des *Lettres d'une Péruvienne,* 1747, de Mme de Graffigny. Ce récit sensible ne connut pas moins de quarante-deux rééditions ! Comment expliquer que le roman par lettres culmine autour de 1770, sinon par l'extraordinaire impact de Richardson et de *la Nouvelle Héloïse* ?

Au total, dominée par les œuvres de Lesage, Marivaux, Prévost, Crébillon, Voltaire et Rousseau, cette période voit s'imposer le roman-mémoires à partir de 1730, et apparaître, après 1750, deux genres nouveaux : le conte moral (Marmontel) et le conte philosophique (Voltaire). Mais le chef-d'œuvre de l'époque et du siècle est un roman par lettres écrit par un ennemi déclaré des romans !

1760-1799

La tendance à l'éclatement multiforme, qui définit le genre romanesque, pourrait caractériser cette période, travaillée par des tensions et des mutations multiples et ambiguës. Le succès du genre ne se dément pas et son procès commence même à relever d'attitudes surannées : « Un écrivain qui n'a pas su faire un roman me paraît n'être point entré dans la carrière des lettres par l'impulsion du génie » (L.-S. Mercier, *Mon bonnet de nuit,* 1786).

Selon quelles perspectives ordonner cette profusion de fictions de toute longueur, de toutes tonalités, où s'entrecroisent traditions, innovations, contrefaçons ?

Dans le sillage de Richardson et de Rousseau, le roman épistolaire (plus de 150 entre 1750 et 1778) équilibre quasiment les mémoires. Il donnera un autre chef-d'œuvre en 1782 : *les Liaisons dangereuses* de Laclos. Rétif de La Bretonne le manie avec brio dans *la Paysanne pervertie,* 1784. Le roman a aussi tendance à se nourrir de la personne du romancier à un point jusque-là inconnu : autobiographies de Rousseau (*les Confessions*), de Rétif (*Monsieur Nicolas,* 1796-1797 ; *la Vie de mon père,* 1779), ou projections violemment personnelles dans l'œuvre romanesque (Sade, Rétif et même Rousseau).

Le récit à la troisième personne semble retrouver de la vigueur : oserait-on ici accoler, par un rapprochement incongru, les deux textes les plus connus : *Paul et Virginie* (1788, publié d'abord à la fin des *Études de la nature,* 1784-1788), de Bernardin de Saint-Pierre, et... *Jacques le Fataliste,* de Diderot, publié confidentiellement dans la *Correspondance littéraire* en 1778, et qui s'interroge sur les pouvoirs du narrateur ? Mais ce serait oublier les romans de Voltaire, tel *l'Ingénu,* 1767.

La tendance générale, quelle que soit la forme du roman, est à une exacerbation de la sensibilité, qui tourne souvent, par un véritable détournement du rousseauisme dont on se réclame, au sentimentalisme (sauf, bien entendu, chez Laclos, Diderot ou Sade). Entre le roman moral, sentimental, et le roman de passion et d'aventures, le roman de mœurs et le roman d'analyse se trouvent comme laminés. « Le roman retrouve les chemins du fantastique, du merveilleux, du poétique, du démesuré, qu'il avait abandonnés progressivement au cours des siècles » (H. Coulet, ouv. cit.) : ce qu'illustrent Rétif de La Bretonne, Sade, Cazotte (*le Diable amoureux,* 1772, considéré comme un des modèles du fantastique français).

La vague moralisante et sensible, qui tend trop souvent à noyer tous les problèmes sous les larmes, peut prendre des formes plus sombres : Baculard d'Arnaud (1718-1805), qui avait rencontré le succès dès 1745 avec ses *Époux malheureux,* travaille sans relâche dans ce genre sombre dont il aimerait exploiter le brevet. L'orientation antiphilosophique de cette production inlassable et méthodique se berce de décors pensifs (églises, cimetières à sombres ifs), de gestes exclamatifs, d'un style convulsif.

Quant à la mode du roman noir, inaugurée en Angleterre dès 1765 par *le Château d'Otrante* d'H. Walpole (traduit en 1767, 1774 et 1797), elle ne se répand vraiment en France qu'en fin de siècle. Les souterrains, caveaux, cachots de Sade, qui, à la différence des récits anglais, ne mobilisent aucun surnaturel, exacerbent en fait une tradition française, comme on le voit chez Prévost.

Du roman sentimental, qui domine incontestablement de Rousseau au Directoire, H. Coulet propose une schématisation savoureuse : « Venus de Rousseau, de Richardson, de Fielding, de Prévost, on retrouve un peu partout les mêmes personnages et les mêmes épisodes : personnages de la jeune femme vertueuse et sensible luttant contre un amour coupable ; du vieux mari, quelquefois brutal et vicieux ; du séducteur félon, qui ne pousse jusqu'à l'enlèvement et au viol que dans les romans sombres ; du bon prêtre, bon docteur, bon oncle, bon parent, qui vit dans la retraite et offre réconfort et asile au héros ou à l'héroïne ; du domestique à la fidélité entière et au langage coloré, soldat d'ordonnance, cocher, laquais ; épisodes du coup de foudre au premier regard ; de la tentative (ou du projet) de suicide par désespoir d'amour ; du portrait perdu ou dérobé ; de la petite vérole ; de la fausse couche ; de la mort de l'enfant ; de la mort de la mère, qui tient de longs propos édifiants dans son agonie ; de l'accident ou de l'incendie qui permet au héros de sauver l'héroïne au péril de sa vie, etc. » (ouv. cit.).

Le cataclysme révolutionnaire a eu la force de bouleverser la société, pas le roman. Car *l'Émigré,* 1797, de Senac de Meilhan (publié en Allemagne), a beau reconnaître qu'« il faudrait d'autres expressions pour exprimer un *crescendo* de crimes et d'infortunes qui va à l'infini » (lettre XIX), il s'agit d'un (bon) roman par lettres adroitement nourri de Richardson, de Rousseau, et même de *la Princesse de Clèves.* Les formes ont la vie dure, et le cou rétif aux guillotines politiques. Sous la Révolution, l'Histoire court plus vite que la plume. Balzac la rattrapera, un peu essoufflée, pour lui faire rendre gorge.

Bilan : de Rousseau à Bonaparte, un livre parfait, parfaitement et énigmatiquement clos sur lui-même : *les Liaisons dangereuses,* 1782. Une pastorale exotique et retorse, qu'il faudrait relire sans préjugés (ce n'est guère facile) : *Paul et Virginie,* 1788. Et deux univers foisonnants, énormes, échevelés, où la notion de livre, d'ouvrage, tend à se dissoudre au profit d'un autre plaisir, d'une autre fascination : Sade et Rétif de La Bretonne — aux marges tous deux de l'institution littéraire et de la société. Voués à l'ombre et aux fantasmes... Là où le roman rejoint ses origines impures.

On a pu constater, dans ce survol à très haute distance, combien un schéma chronologique ne peut éviter de mobiliser des critères hétérogènes : techniques, thématiques, quantitatifs, normatifs, etc. Ne serait-il pas plus satisfaisant de classer les romans selon des critères formels ?

Narcisse au miroir

L'imagination romanesque, au XVIIIe siècle, se fascine voluptueusement au miroir de la première personne. Le XVIIe siècle, on le sait, y répugnait assez. Y compris dans les Mémoires, qui déléguaient volontiers le récit à un tiers — modèle encore suivi par Hamilton dans les *Mémoires de la vie du Comte de Gramont,* 1713. Scrupule moral ? « Un honnête homme ne se peut résoudre à parler de soi », dit un personnage de La Calprenède. C'est aussi qu'aux héros et aux exploits du grand roman baroque, il faut un chantre vaguement épique. À quoi il est évidemment assez séduisant d'opposer les aventures, les expériences, les confessions, problématiques, des romans du XVIIIe siècle, tentés de nous enfermer dans les ambiguïtés retorses d'un récit subjectif.

Il convient cependant de ne pas oublier que le roman à la première personne comprend deux formes fondamentales : le roman par lettres, dont le premier chef-d'œuvre date de 1669 (Guilleragues, *Lettres portugaises*), et le roman-mémoires.

Ce n'est sans doute pas un hasard : c'est au XVIIIe siècle que le roman par lettres atteint son apogée, à l'échelle européenne. En 1842, dans la préface des *Mémoires de deux jeunes mariés,* Balzac reconnaît qu'il s'exerce à une forme presque abandonnée depuis le début du XIXe siècle. Quelques-uns des romans les plus célèbres du siècle s'y rattachent.

On peut distinguer deux sous-formes :

— Le roman épistolaire monodique, constitué des lettres d'un seul expéditeur. Ce qui peut s'expliquer de deux façons : le destinataire ne répond pas (*Lettres portugaises*), ou le destinataire a bien répondu, ses lettres sont commentées, mais non publiées (Crébillon, *Lettres de la marquise de Mxxx au comte de Rxxx*). Jean Rousset l'a remarqué : la forme la plus « normale », la plus attendue du roman épistolaire — la correspondance entre deux personnes — n'est presque jamais pratiquée au XVIIIe siècle ! On se doute que ce destinataire silencieux existe intensément pour le lecteur : les lettres l'interrogent, le supplient, le menacent, l'adorent... Avec *Werther, Oberman, Jacopo Ortiz,* en revanche, le roman par lettres devient quasiment un substitut du journal intime : lettres-confessions où le destinataire importe somme toute assez peu.

— Le roman épistolaire polyphonique (*Lettres persanes, la Nouvelle Héloïse, les Liaisons dangereuses*). On constate que ce modèle s'impose surtout après 1750. Auparavant, c'est la formule monodique de Crébillon qui l'emporte.

Passer par la forme lettre n'a rien d'innocent. La lettre supprime la distance temporelle entre faits et récits, et élimine toute instance narrative intermédiaire. Ce qui caractérise la lettre, c'est donc l'immédiateté des faits et des sentiments. Surtout des sentiments. Quoi de mieux que la lettre pour épouser la mobilité ténue du cœur et ses incertaines fluctuations ? Le roman par lettres « suppose moins d'événements, même combinés, que d'observations sur ce qui se passe dans le cœur » (Mme de Staël, *De l'Allemagne,* 1813). La lettre permet aussi de saisir le quotidien, l'instantané, l'évanescent, ce que le souvenir oublierait, ou éliminerait. C'est en quoi la lettre peut, vers la fin du XVIIIe siècle, toucher au journal intime. Mais, bien entendu, comme la lettre est adressée à un autre, elle est tout autant tromperie que confession ou impression fidèle : mensonge, manœuvre (Laclos) ou illusion sur soi-même que les mots fabriquent et masquent (Crébillon).

Forme privilégiée de l'analyse et de l'expression fidèle, à vif, du sentiment, la lettre introduit dans le roman la voix même de la subjectivité. Quand on n'entend qu'un seul émetteur, une question hante le texte : qui est l'autre ? Quand une société croise ses lettres, le roman exhibe le croisement des subjectivités. Montesquieu l'a clairement marqué : « ... l'agrément [des *Lettres persanes*] consistait dans le contraste éternel entre les choses réelles et la manière singulière, neuve ou bizarre, dont elles étaient aperçues » (*Réflexions sur les Lettres persanes,* 1754).

Ici intervient l'art d'organiser la succession des lettres, la combinatoire des points de vue. Car l'essentiel, dans un roman par lettres, ce ne sont pas les faits, mais la disposition et l'effet des lettres sur leurs destinataires. Comme au théâtre, dire, c'est faire. La dramaturgie des lettres devient décisive. Laclos (le manuscrit le prouve) déplace les lettres pour obtenir des effets qui s'apparentent à ceux du théâtre : effets de coïncidence, de retard... (Montesquieu rassemble à la fin des *Lettres persanes* l'épilogue sanglant de son intrigue de sérail).

Le roman polyphonique peut jouer sur la diversité des voix : Laclos juxtapose, en ouverture, la première lettre de Cécile à une amie de pension, et la première de... la

Merteuil : contraste exacerbé de la jeune oie ingénue et de la libertine consommée.

L'absence de narrateur (comme au théâtre) impose au lecteur de savoir jouir de la singularité subjective des discours, et de la suspecter. La mort de Julie, le retour de Saint-Preux, sont racontés trois fois. L'épisode de la sortie de l'Opéra, dans *les Liaisons dangereuses,* trois fois également. Le point de vue se déplace sans cesse, comme les styles (Valmont n'écrit évidemment pas de la même façon à Mme de Tourvel et à Mme de Merteuil).

Mais si la lettre apparaît comme la forme par excellence du sentiment, elle ne s'y cantonne pas : à la diversité des protagonistes peut se substituer celle des matières. Car la lettre, on l'a vite constaté, donne aux idées un air plus vif, moins pesant, moins guindé. L'originalité des *Lettres persanes* ne consiste pas dans la forme épistolaire qui fragmente et disperse, pour mieux les faire scintiller, les éléments d'un dossier politique, religieux, social, philosophique. Ce genre, en 1721, est en place depuis une trentaine d'années. La nouveauté réside dans le piment romanesque qui relève le débat d'idées. *La Nouvelle Héloïse,* roman sublime et somme philosophique, se nourrit de longues et splendides discussions sur l'opéra, l'éducation, le suicide, la gestion d'un domaine... Ou plutôt : roman philosophique où les personnages ont l'audace de sentir et de penser. Comme chacun de nous.

Le jeu des *Je*

On sera plus court, faute de place, sur le roman-mémoires, qu'on retrouvera avec Marivaux et Prévost. Son extraordinaire essor entre 1730 et 1760 tient d'abord à l'authenticité que cette forme confère au récit. Au contraire du roman-lettres, le roman-mémoires joue sur la distance (temporelle, psychologique, morale) entre le *je* narrant et le *je* narré. Il suppose un après-coup, une remémoration qui appelle distance et jugement, mais au sein d'une même conscience. Il y a donc adéquation/réflexion/subjectivité. La distance réflexive, aussi lucide soit-elle, ne peut pas épuiser la vérité du texte : elle est toujours elle-même à interroger, puisque enveloppée par l'indélébile subjectivité du narrateur. Tout récit à la première personne suscite le soupçon. Il faut donc démêler trois voix :

— le *je* narré (généralement jeune) ;

— le *je* narrant ;

— l'auteur, qui met à distance le *je* narrant, qui met à distance le *je* narré.

Cette structure formelle très générale se prête à toutes les modulations, dont on donnera trois exemples.

— Degré zéro : *la Religieuse*. La stratégie romanesque consiste ici à réduire au maximum la distance entre le *je* narré et le *je* narrant, à rapprocher donc le roman-mémoires de la lettre. Il s'agit en effet d'un appel au secours, d'un mémoire justificatif et désespéré envoyé du fond d'un refuge précaire. La narratrice vise un effet pathétique. Toute distance ironique à la Marivaux serait ici préjudiciable.

Cette adéquation n'est pas tant rouerie, qu'aveuglement. La Religieuse, parce qu'elle est religieuse, n'est pas à même de comprendre vraiment ce qui lui advient. Elle n'est pas privée de foi, mais de conscience. De conscience, parce que privée de sensations. De sensations, parce que privée de corps, et donc de sentiments, et donc finalement de réflexion. Le couvent fabrique conjointement l'hystérie (des trois Mères supérieures) et l'insensibilité (de Suzanne). Il surexcite le désir ou il l'anesthésie. Le matérialisme de Diderot, paradoxe génial, passe ici par une voix privée de corps, et de recul.

— *Manon Lescaut* se raconte dans l'immédiat après-coup (environ un an ?), entre le regret et le remords. Cette distance savamment choisie pose l'insoluble question : comment comprendre, sous le regard de Dieu, que la passion pervertisse, dégrade, et qu'en même temps elle exalte ce que l'homme a en lui de meilleur ? Délices et tourments. Choisir entre le monde et l'Église, la vertu et le vice ? Mais entre Tiberge et Manon, peut-on hésiter ? Et à quel jeu joue donc, de là-haut, Dieu dans notre ici-bas de créatures déchirées ? La forme en *je* renvoie sans cesse et sans solution d'une conscience tragique à une métaphysique dé-dogmatisée, incarnée dans la trivialité la plus prosaïque.

— *La Vie de Marianne* et *le Paysan parvenu* s'installent

en même lieu, au point extrême de la distance entre héros et narrateur. De leur retraite lucide et dépassionnée, au seuil de la mort (et déjà morts au monde), Marianne et Jacob, riches, rassérénés, « parvenus », se racontent, s'expliquent et se jugent au travers du récit de leur entrée en société. Mais là aussi, il ne faudrait pas croire naïvement que le commentaire du narrateur, malgré la distance, explicite et épuise tout le sens du texte.

Car c'est la fonction même du roman à la première personne que de cultiver l'ambiguïté, d'interroger la personne, et de questionner les statuts sociaux.

Il *raconte.* Je *s'exprime*

Le XVIIIe siècle s'est laissé fasciner par les ressources inédites de la première personne. Au compte du récit assumé par un narrateur extérieur à l'histoire, que citera-t-on ? *Le Diable boiteux,* 1707 (un des grand succès du siècle), de Lesage ; *les Bijoux indiscrets,* 1748, et *Jacques le Fataliste,* 1765?-1778, de Diderot ; *Candide,* 1759, et *l'Ingénu,* 1767, de Voltaire ; *Paul et Virginie,* 1788, de Bernardin de Saint-Pierre ; des romans de Sade et Rétif.

Palmarès honorable, on en conviendra, dont l'hétéroclite n'est somme toute qu'apparent. Si l'on excepte Bernardin et Rétif, dont l'éventuel comique relève d'une lecture malveillante, on s'aperçoit que la troisième personne tend, au XVIIIe siècle, à privilégier un point de vue ironique, grinçant, distancié. L'opposition de *la Religieuse* et de *Jacques le Fataliste* emblématise à cet égard ce partage du *il* et du *je*, si frappant qu'il a fini par trouver sa théorie : « Faut-il écrire un roman en forme de lettres ou le distribuer en chapitres ? [...] Dans le premier vous jugez mieux les hommes, dans l'autre vous jugez mieux les faits [...]. L'un vous place sur le théâtre, l'autre au parterre [...]. Il faut écrire en lettres le roman où domine l'intérêt des caractères, et diviser en chapitres celui où domine l'intérêt des événements. Le roman sentimental sera mieux en lettres, le roman gai, mieux en chapitres. *Le Huron* [*l'Ingénu*], mis en lettres, serait défiguré ; *la Nouvelle Héloïse* distribuée en chapitres perdrait beaucoup de son intérêt » (Eusèbe

Salverte, *Un pot sans couvercle et rien dedans,* an VII, cité dans L. Versini, *le Roman épistolaire*).

Bien entendu les faits, mis en valeur par la troisième personne, peuvent aussi se prêter à un traitement sérieux dans le roman d'aventures. Mais le XVIIIe siècle ne nous a rien laissé là de mémorable. Et l'on n'oubliera pas, en retour, que les pseudo-mémoires n'excluent pas le récit d'aventures, gonflé, au besoin, d'histoires insérées : le *Cleveland* de Prévost en fournit un exemple magnifique.

Tiroirs

Privé de ses vedettes qui posent sur piédestal, découpé en tranches chronologiques, épuré et distillé en modèles formels, le roman finit inévitablement dans des *tiroirs,* aussi commodes qu'obscurs : roman réaliste, romanesque, de mœurs, sentimental, libertin, pornographique, parodique, philosophique, fantastique, poétique, etc. Catégories sans doute inévitables dans une histoire littéraire, mais largement fictives. *Jacques le Fataliste* et *Candide* sont-ils des romans parodiques, libertins ou philosophiques ? Des « anti-romans » ? etc. L'évidence, c'est que la réponse n'importe pas plus que la question. Parce que le propre du roman consiste précisément à rompre avec l'unité et l'homogénéité classiques. On cherche à le classer, quand l'une de ses fonctions, au XVIIIe siècle, est de déclasser, de déranger les hiérarchies esthétiques et sociales.

Les deux étiquettes qui pourraient définir un type de récit plus nettement spécifique seraient peut-être le *roman érotique* et le *récit utopique.* On laissera chacun méditer sur cette double topique des Lumières : les lieux clos du déchaînement sexuel, les espaces clôturés où règne la Raison.

Le XVIIIe siècle n'a inventé ni l'un ni l'autre, mais leur imprime une croissance très forte.

Philosophes sans culotte

Deux des classiques de la littérature érotique (que nous nous garderons de hiérarchiser : pornographique, érotique, libertine...) paraissent coup sur coup : *Histoire de Dom*

Bougre, portier des Chartreux, écrite par lui-même, 1745, de l'avocat Gervaise de La Touche (douze rééditions au XVIIIe siècle), *Thérèse philosophe,* 1748, du marquis d'Argens, inspiré d'un fait divers fameux survenu en 1731 (dix rééditions). Comme Diderot dans *les Bijoux indiscrets,* 1748, et comme plus tard Sade (*La Philosophie dans le boudoir,* 1795), le marquis d'Argens dose un mélange explosif de philosophie et d'érotisme, dont on retrouve des formules bien adoucies chez Montesquieu (*Lettres persanes*) et dans les *Contes* de Voltaire (on parle alors d'épisodes libertins, de scènes piquantes...). La pornographie fait bon ménage avec la politique à la veille de et pendant la Révolution, dans une multitude de pamphlets fabriqués en série. Elle hante évidemment le monde des images (lits, divans, bosquets, escarpolettes, mains égarées, gorges pâmées...).

Pays de nulle part ou de plus tard ?

L'utopie — c'est-à-dire la description d'une cité idéale imaginaire, qui vaut comme contre-modèle critique de la société réelle — peut prendre diverses formes, se mouler dans différents genres : récits de voyage, roman, théâtre, texte théorique sans support narratif romanesque ou théâtral. De 1700 à 1750, on a dénombré 13 utopies traditionnelles, 10 romans à épisodes utopiques, 9 pièces de théâtre. À partir de 1750, l'utopie déserte le théâtre, mais non le récit de voyage (12 sur 18), ni le roman ; tandis que les traités théoriques augmentent nettement (Morelly, *le Code de la nature,* 1755 ; Rétif de La Bretonne, *le Pornographe, ou Idées d'un honnête homme sur un projet de règlement pour les prostituées,* 1769) : la fiction se retire alors au profit d'un pragmatisme réformateur qui élabore abstraitement la forme de l'avenir. L'« ailleurs » qui donne son nom à l'utopie (*pays de nulle part*) prend le visage du « plus tard » : *l'An 2440,* de L.-S. Mercier, 1771, manifeste spectaculairement ce transfert sur l'axe temporel. Le texte utopique, après 1750, est compris comme une catégorie de la pensée politique : l'*Encyclopédie méthodique* lui fait place dans son tome VIII, *la Science du Gouvernement* (en allemand, utopie se dit *Staatsroman, roman-de-*

l'État). Le chemin est beau, si l'on se souvient qu'à la fin du XVIIe siècle, La Bruyère dénonçait récits de voyage et utopies : autant de mises en causes, en effet, de la Providence divine responsable de l'ordre immuable des choses (dernier chapitre des *Caractères*).

Même en tenant compte des traductions et rééditions, la croissance des utopies au XVIIIe siècle apparaît spectaculaire : aucune utopie française au XVIe siècle (malgré l'*Utopie,* 1516, de Thomas More, créateur du mot), 8 titres au XVIIe, 70 au XVIIIe, 36 au XIXe. Nombre d'écrivains ont rencontré le pays de nulle part : Fénelon dans *les Aventures de Télémaque,* Montesquieu dans les *Lettres persanes* (épisode des Troglodytes). Prévost, dans l'*Histoire de M. Cleveland,* en décrit trois. Voltaire fait séjourner Candide en Eldorado. Sade en rajoute, comme toujours, dans *Aline et Valcour,* 1795. Rétif les multiplie avec frénésie : *le Gynographe,* l'*Andrographe,* le *Thesmographe*, etc. : textes savoureux et effrayants.

Rousseau a-t-il écrit une utopie dans *la Nouvelle Héloïse* ? On en discute. Il manque en effet à la célèbre description du domaine suisse de Clarens deux caractères fondamentaux de l'utopie classique : elle n'est ni ailleurs ni publique (étatique). C'est précisément pourquoi 1761 est à mes yeux une date capitale de l'utopie : Rousseau nous propose la première utopie de la sphère privée, une utopie contemporaine, européenne, réalisable sans la médiation de l'État, par l'exclusion délibérée du politique (c'est pourquoi, par exemple, M. de Wolmar n'est pas citoyen suisse). On insistera donc sur ces deux dates : 1761, première utopie privée en pays réel — 1771, première (?) utopie projetée dans l'avenir (L.-S. Mercier, *l'An 2440*).

Il faut se garder de lire dans les utopies un rêve univoque et radieux des Lumières. L'ironie ambiguë de Voltaire dans *Candide* (tout est beau en Eldorado, rien n'est réel ni réalisable) fait place chez Prévost à une protestation passionnée contre une organisation rationnelle et collective de la société. Genre plastique sur le plan formel, l'utopie s'investit de contenus idéologiques complexes, de rêves et de pressentiments qui appellent l'interprétation.

Après 1789, l'esprit utopique s'attelle à une régénération du monde et de l'homme, qui bouleverse et uniformise la mesure des choses (distances, poids, calendrier, etc.), les institutions, les manières, selon des normes supposées rationnelles et naturelles. Ici et maintenant, et non plus ailleurs ou plus tard. La Fête révolutionnaire se donne l'illusion très rousseauiste d'incarner et de magnifier la transparence unanime d'une communauté régénérée et réconciliée — le rêve de toute utopie classique.

« Quand verra-t-on naître des poètes ? » (Diderot)

La littérature est un cimetière où, dans les tombes les plus profondes, reposent les poètes aux vers abandonnés. D'où la tentation d'un paradoxe, que le XVIIIe siècle porterait à son comble : la plus mortelle des formes serait-elle précisément celle qui semble la plus avide de s'échapper de la contingence et de l'immédiateté du monde, où le roman ébroue à plaisir sa roture ? Paradoxe peut-être recevable... à condition d'ajouter que la poésie, au XVIIIe siècle, se délecte des circonstances fugitives et va s'acharner, après 1750, dans la description : ô saisons ! ô jardins !

Car le vers n'a nullement perdu de son prestige, même si l'on discute de son usage au théâtre (La Motte, Diderot, Beaumarchais). Comme pratique mondaine de l'élite cultivée, entraînée à tourner joliment le compliment, le fait divers, la galanterie ou la raillerie. Et comme forme apte à épouser tous les discours : l'épopée (Voltaire, *la Henriade,* 1728) ; la satire (Voltaire, évidemment ; Jean-Baptiste Rousseau, dont la gloire, jusqu'à sa mort en 1741, égale celle de Voltaire, et qui paie de l'exil son talent) ; le conte, l'épigramme, la poésie légère ; la méditation morale et philosophique (Voltaire, *Discours en vers sur l'Homme,* 1738-1739, *Poème sur le désastre de Lisbonne,* 1756) ; l'ode (J.-B. Rousseau, *Odes sacrées,* 1702 ; Le Franc de Pompignan, *Poésies sacrées,* 1751 et 1755) ; la poésie galante, qui devient vraiment amoureuse avec Parny (*Poésies érotiques,* 1778) ; la description (Saint-Lambert, *les Saisons,* 1769, lui valurent dès 1770 un fauteuil à l'Académie ; Delille, célébré comme le grand poète de la fin du siècle pour sa traduction des *Géorgiques* de Virgile, 1770, et *les Jardins,* 1782).

Le poème en prose peut même se trouver des ancêtres chez Fénelon (*les Aventures de Télémaque,* 1699, imitent sciemment un Homère truffé d'autres pastiches de la poésie gréco-latine), Montesquieu (*le Temple de Gnide,* 1725, petit roman-poème, divisé en « chants ») et même Marmontel (*les Incas,* 1777), qui tendent la main à *Atala* et à la grande machine des *Martyrs* de Chateaubriand.

Il y a donc divorce, apparemment irrémédiable, entre ce que le siècle a admiré et notre sensibilité poétique. Le XVIIIe siècle passe pour un désert poétique, asséché par l'aride Raison. Qui ne manque pas de couper le cou à André Chénier, pour que le crime ait sa rime.

On ne tentera pas ici le coup, pourtant jouable, de la réhabilitation, ni même celui, plus intéressant, de l'admiration-forcément-historique : est-ce notre goût qui importe seul, ou celui des contemporains ? Tout est-il vraiment illisible, ennuyeux, uniforme ? Les spécialistes ont-ils tort de souligner, preuves à l'appui, tout ce que les romantiques français doivent aux poètes de la seconde moitié du siècle ? Et notamment Lamartine, qui leur emprunte son vers le plus fameux : « O temps, suspends ton vol... »

Propos légitimes : il n'existe pas de définition intemporelle du « poétique ». Mais qui ne peuvent contraindre le goût, après tout formé lui aussi par l'Histoire. Brillante, parfois éloquente, et même émouvante, la grande poésie grave de Voltaire ; élégante et fine, parfois féroce, la veine épigrammatique et satirique d'un siècle qu'on sait spirituel. Et il y a plus que du talent, comme une promesse de génie, chez A. Chénier (1762-1794), qui se cherche sans avoir le temps, les forces ni l'occasion de se trouver vraiment. Sauf *in extremis* dans le cri de rage (politique) des *Iambes.*

« Le drame de Chénier [...] ne fut-il pas [...] le drame d'une invention qui n'a plus rien à inventer et qui tourne sur elle-même, vacante, inemployée ?

« Chénier, s'il avait survécu, aurait-il achevé son œuvre ? Il est le grand absent de la période 1800-1815 : la disgrâce distinguée dont souffrent alors les Muses l'aurait probablement étouffé » (Éd. Guitton, *Encyclopedia Universalis*).

La guillotine a cru trancher la tête d'un prosateur hostile, non d'un poète : Chénier n'a publié que des articles, des textes en prose, et deux poèmes. La première édition, incomplète, de ses œuvres date de 1819. Les romantiques à qui il doit sa gloire, peut-être excessive, ont cru couronner un romantique avant l'heure, un poète assassiné : il est, jusqu'au bout des ongles, un néoclassique. Ce qu'il explore avec une fièvre anxieuse, c'est toutes les formes de la poésie des Lumières finissantes (épîtres, bucoliques, élégies, poèmes bibliques, philosophiques, satires...). Sans jamais pouvoir, ni vouloir, achever. Et c'est ce qui le sauve, parfois : poète du fragment, de l'esquisse, que ne glace pas le geste machinal du versificateur professionnel. *Vers antiques, pensers nouveaux :* célèbre et funèbre programme ! mais en art, les programmes ne sont rien. Seuls comptent les travaux. Et les jours : poète doué, né trop tôt. Mais mort à temps : deux jours avant le 9-Thermidor ! Deux jours pour devenir André Chénier. Quel talent !

L'avortement pathétiquement répété d'André Chénier ne saurait sans dérision se comparer à la folie d'Hölderlin, à la fuite de Novalis. Mais il repose, autant que la facilité de Voltaire, la question, vraiment irritante, de la poésie sous les Lumières. Pourquoi s'irriter, dira-t-on, quand tout semble couler de source ? La Raison triomphante impose à la poésie ses exigences de précision, de clarté, d'utilité : la poésie servante de la philosophie chantera donc les conquêtes et les exploits de l'esprit humain (A. Chénier, l'*Amérique* ; Lesuire, *Christophe Colomb,* 1781 ; Le Franc de Pompignan, *la Science économique, l'Esprit du siècle,* etc.). La veine descriptive qui s'impose dans les dernières décennies (Saint-Lambert, *les Saisons,* 1769 ; Roucher, *les Mois,* 1779 ; Delille, *les Jardins,* 1782, *l'Homme des champs,* 1800, etc.) se rattache à cette même inspiration philosophique et pédagogique : recension poétique et méthodique des activités humaines dans un monde à la mesure de l'homme. Poètes encyclopédistes, qui cherchent à renouveler les vieux sujets épiques, mythologiques, chrétiens, usés jusqu'à la corde. Mais qui ne peuvent se libérer du moule formel de la langue poétique : langage le plus souvent monotone et convenu, commun à tous les poètes, saturé des ornements rhétoriques qui font dire à Rica, dans les *Lettres persanes :* « Ce sont ici les poètes, me dit-il, c'est-à-dire les auteurs dont le métier est de mettre des entraves au bon sens » (lettre 137). Le bon sens parle en prose. La langue des Lumières. À vrai dire, ce procès trop vite expédié n'emporte pas absolument la conviction.

Pas de poésie sous les projecteurs agressifs de la Raison ? Mais quel siècle fut plus rationaliste que le XVIIe, plus confiant dans ses pouvoirs déductifs ? La poésie a-t-elle disparu au XIXe et au XXe siècles, devant les extraordinaires progrès des sciences ? S'imagine-t-on sérieusement que le XVIIIe siècle n'a pas cru, lui aussi, aux démons et aux merveilles, vaguement camouflés sous une phraséologie pseudo-savante ? La Raison, tout au long du siècle, enfante les monstres et nourrit le goût des féeries, des évasions, des occultismes. La simplification est ici désastreuse : tout le XVIIIe siècle n'a pas voulu réduire la poésie à une mise en rime de la philosophie. La célèbre phrase de Diderot : « La poésie veut quelque chose d'énorme, de barbare, de sauvage » (*Discours sur la poésie dramatique,* 1758) exprime une frustration que même le froid d'Alembert partage (*Discours préliminaire de l'Encyclopédie,* 1751). On rêve d'un moment originel, où sens et sons, poésie et parole, mots et sentiments entraient en correspondance (Rousseau, *Essai sur l'origine des langues,* etc.). D'où le goût de plus en plus vif pour la poésie naïve, voire primitive (supposée telle) : Turgot traduit les célèbres *Idylles* du suisse Gessner en 1764 ; les pseudo-poèmes du barde Ossian (en fait de Macpherson) connaissent un extraordinaire succès (1760). La mode du Moyen Âge se répand et laisse sa trace jusque dans *le Mariage de Figaro* (romance de Chérubin), etc.

Ni en Allemagne, ni en Angleterre, les Lumières (propres il est vrai à chaque pays) n'ont tué la poésie. Il faut donc invoquer des raisons moins péremptoires, moins générales. Et d'abord le poids immense du classicisme devenu académisme. La poésie française, au XVIIIe siècle, étouffe, comme la tragédie, sous le plomb des chefs-d'œuvre classiques, c'est-à-dire d'une langue qui s'impose à tout poète parce qu'elle est la définition même de la (grande) poésie. De cette langue, Lamartine s'arrache encore à peine. Il faut ensuite se résoudre à une constatation triviale et désabusée :

peut-on véritablement expliquer les fluctuations de l'esprit créateur, dans un même pays, d'un pays à l'autre ?

La poésie française n'a rien donné de grand entre Racine et les Romantiques. Ce n'est sans doute pas un hasard, et c'est peut-être la faute à Voltaire. Mais il aurait suffi... d'un génie pour que la physionomie du siècle changeât du tout au tout à nos yeux ! Imaginons Marivaux terrassé d'un infarctus, rue Quincampoix, dans la faillite de Law qui le ruina : que resterait-il du théâtre des Lumières ?

Révolution sans littérature, littérature sans révolution ?

Bouleversement aussi énorme qu'imprévu, souvent attribué aux hommes de lettres, la Révolution a-t-elle révolutionné la littérature ? Cette question évidemment trop simple appelle des réponses évidemment nuancées.

Fin d'un régime

Dès 1789, la censure disparaît : « La libre communication des pensées et des opinions est un des droits les plus précieux de l'homme ; tout citoyen peut donc parler, écrire, imprimer librement, sauf à répondre de l'abus de cette liberté dans les cas déterminés par la loi » (*Déclaration des droits de l'homme et du citoyen,* art. 11). Les infractions, précisées par la Constitution de 1791, relèvent donc du pouvoir judiciaire. Disparaît également le régime corporatif à privilèges : chacun peut exercer librement le métier de son choix (1791). On passe brutalement d'environ 250 libraires et/ou imprimeurs à Paris à plus de 600 (309 libraires et 224 imprimeurs en 1799, environ 1 100 en province). Les journaux se multiplient prodigieusement, l'empire journalistique de Panckoucke s'effondre d'un seul coup. Mais il fallut attendre 1793 pour qu'une loi protège les droits d'auteur, supprimés avec les privilèges sur l'autel de la liberté : ce texte servit de base, durant le XIXe siècle, à la réglementation de la propriété littéraire, déjà amorcée par des décrets de 1777, qui avaient également limité les privilèges des éditeurs : ruptures et continuités de la Révolution.

Ce régime de liberté quasi totale ne put résister à la Terreur. De 1789 à 1800, trente textes tentent d'organiser la liberté d'expression : contradiction de la liberté et de la politique.

Innovations

En supprimant la censure et les privilèges, en exaltant les esprits et les énergies, la Révolution, dans son mouvement enfiévré, libère et surexcite le désir de s'informer, d'écouter, de parler, d'écrire. Elle fait de la littérature et des arts un emblème des temps nouveaux, un moyen d'éducation et de mobilisation, et donc un terrain d'affrontement à l'échelle d'une société en mutation et d'un public renouvelé. Car beaucoup apprennent à lire pour comprendre et agir, dans les clubs, les sociétés populaires, les sections, l'armée républicaine. On y lit en public les informations, les lois et décrets, les grands discours révolutionnaires. Le journal, lu cursivement, fiévreusement, devient la prière quotidienne du monde moderne, selon le mot de Hegel. L'éloquence, réduite à la prédication religieuse et à la plaidoirie juridique sous la monarchie, retrouve le prestige de ses antiques fonctions politiques, découvertes au collège.

La fête

Les artistes sont mobilisés pour la mise en œuvre de fêtes nationales grandioses, l'innovation majeure et incontestable de la période révolutionnaire, dont Robespierre définit fort bien le sens rousseauiste dans son rapport du 7 mai 1794 (18 floréal an II) : « L'homme est le plus grand objet qui soit dans la nature, et le plus magnifique de tous les spectacles, c'est celui d'un grand peuple assemblé. On ne parle jamais sans enthousiasme des fêtes de la Grèce [...]. Un système de fêtes nationales bien entendu serait à la fois le plus doux lien de fraternité et le plus puissant moyen de régénération ». Écho direct de la *Lettre à d'Alembert sur les spectacles,* 1758.

La première fête nationale fut celle de la Fédération, le 14 juillet 1790. La première fête philosophique, celle du transfert des cendres de Voltaire au Panthéon le 11 juillet 1791, organisée, comme bien d'autres, par le peintre David. Elles atteignent naturellement leur apogée en l'an II (1794), au plus fort de la dictature jacobine, mais le Directoire en maintient le principe républicain. David, les musiciens Méhul et Gossec, le poète Marie-Joseph Chénier (cadet d'André) y travaillent avec ferveur : Marie-Joseph Chénier composa les paroles du *Chant du 14 juillet* (1791), musique de Gossec, et surtout du *Chant du départ* (14 juillet 1794), musique de Méhul, le plus beau chant révolutionnaire avec *la Marseillaise* de Rouget de Lisle (25 avril 1792).

Appel d'air

Avec le journalisme, l'éloquence politique, les fêtes nationales, nous sommes évidemment aux marges de ce qu'il est convenu d'appeler, avec bien des équivoques, la littérature, que la tornade révolutionnaire n'ébranle qu'à peine. Mais elle fait exploser le milieu littéraire. En transformant radicalement les conditions de production : censure, privilèges, droits d'auteur ; mais surtout en déstructurant la société d'Ancien Régime où les Lumières triomphantes s'étaient enfin confortablement installées. Au moment où disparaissent les grands protagonistes du combat des Lumières (Voltaire et Rousseau en 1778, d'Alembert en 1783, Diderot en 1784, Mably en 1785, d'Holbach en 1789), la génération des héritiers occupe les bonnes places et jouit de la douceur de vivre. Or, c'est là justement que le bât blesse : une foule croissante de jeunes intellectuels trouvent les places prises, les réseaux d'influence installés, les débouchés fermés. D'où l'émergence, à la veille de la Révolution, de nouveaux foyers de sociabilité où cette énergie cherche à s'épancher : musées, lycées, sociétés de pensée... D'où l'accroissement, aussi, d'une plèbe littéraire qui nourrit frustration et amertume. La Révolution est un gigantesque appel d'air, l'occasion d'une redistribution des cartes. Elle mobilise pour l'action et la parole politique la plupart de ceux qui essayaient, avant 1789, de se frayer un chemin par les lettres.

Le mal du siècle

Loin de mettre un terme aux inégalités, aux injustices, au mal de vivre, la Révolution bourgeoise leur substitue de nouvelles insatisfactions, qui alimentent rêveries, nostalgies, solitudes : émigrés déracinés que l'exil disperse et paupérise ; mais aussi nouveaux exclus à l'intérieur même de la France révolutionnée. La permanence d'une expérience et d'une filiation rousseauistes avant et après 1789 se lit sans détours des *Rêveries* de Jean-Jacques à celles de Senancour (*Rêveries...,* 1799), en passant par les fulgurances autobiographiques de l'*Essai sur les révolutions* de Chateaubriand (1797). De même que *l'Émigré,* 1797, seul roman de l'ancien haut fonctionnaire Senac de Meilhan, maintient la tradition bien rôdée du roman épistolaire, confrontée ici à l'analyse (elle se veut lucide et objective) du phénomène révolutionnaire. Sans renier les principes essentiels des Lumières, sans les figer non plus, Mme de Staël propose quant à elle de régénérer la société révolutionnée, mais aussi la littérature (*De la littérature considérée dans ses rapports avec les institutions sociales,* 1800). C'est à ses deux romans (*Delphine,* 1802, *Corinne,* 1807) qu'il reviendra, sous l'Empire, de scruter l'échec et l'incomplétude des individus acculés au suicide par les préjugés collectifs.

La tradition littéraire paraît donc continuer imperturbablement sous la Révolution : romans historiques, sentimentaux, libertins, etc. ; tragédies et drames idéologiquement épurés, mais dans les formes léguées par le siècle (Marie-Joseph Chénier, *Charles IX, ou la Saint-Barthélémy,* 1789). Pourquoi s'en étonner ? La Révolution ne pouvait se digérer en un jour, ni le public changer miraculeusement de goûts. Politique, idéologies, mentalités, économie, arts, n'évoluent pas au même rythme.

Mais qu'on se garde d'oublier deux phénomènes de grande portée : la cristallisation en fin de siècle du mélodrame, et la vogue croissante du roman noir, qui mêle tradition française et influence anglaise.

Et surtout, on l'oublie trop souvent : Sade, libéré par les événements, président de la section des Piques, puis condamné à mort la veille de la chute de Robespierre, n'a pas cessé de produire et de publier textes politiques, pièces de théâtre, fictions narratives (*Oxtiern ou les Malheurs du libertinage,* drame représenté en 1791 ; *Aline et Valcour, la Philosophie dans le boudoir,* 1795 ; *la Nouvelle Justine,* 1798, etc.). Il n'est pas non plus raisonnable d'enterrer trop vite l'infatigable Rétif de La Bretonne, mort en 1806 (*les Nuits de Paris,* 1788-1794 ; *Monsieur Nicolas,* 1796-1797 ; *l'Anti-Justine,* 1798, etc.).

Au total, la décade prodigieuse, malgré la disparition des grandes figures des Lumières, apparaît bien plus riche et talentueuse qu'on n'a pris le pli de le dire.

BIBLIOGRAPHIE

La force des formes

Furet F., *Livre et Société dans la France du XVIIIe*, Mouton, 1965.
Laufer R., *Style rococo, style des Lumières*, Corti, 1963.

La fureur de jouer

Lagrave H., *le Théâtre et le public de Paris de 1715 à 1750*, Klincksieck, 1972.
Larthomas P., *le Théâtre en France au XVIIIe siècle*, P.U.F., « Que sais-je ? », 1980.
Lurcel D., *le Théâtre de la Foire au XVIIIe siècle*, U.G.E., 10/18, 1983.
Morel J., *la Tragédie*, Colin, 1966.
Truchet J., *Théâtre du XVIIIe siècle*, Gallimard, la Pléiade, 1972-1974.
— *la Tragédie classique en France*, P.U.F., 1975.

Ces livres qu'on ne lit qu'une fois...

Coulet H., *le Roman jusqu'à la Révolution*, Colin, 1967.
Fauchery P., *la Destinée féminine dans le roman européen du XVIIIe siècle*, Colin, 1972.
Martin H.-J. (sous la direction de), *Histoire de l'édition française*, t. 2, Promodis, 1982.
Roman et Lumières au XVIIIe siècle, collectif, Éd. sociales, 1970.
Rousset J., *Narcisse romancier*, Corti, 1973.
Rustin J., *le Vice à la mode*, Ophrys, 1979.
Versini L., *le Roman épistolaire*, P.U.F., 1979.

Quand verra-t-on naître des poètes ?

Allem M., *Anthologie poétique française. XVIIIe siècle*, Garnier-Flammarion, 1966.
Menant S., *la Chute d'Icare. La crise de la poésie française (1700-1750)*, Droz, 1981.

Révolution sans littérature, littérature sans révolution ?

Carlson M., *le Théâtre de la Révolution française*, Gallimard, 1970.
Lévy M., *Images du roman noir*, Losfeld, 1973.
Martin A., *Anthologie du conte en France, 1750-1799*, U.G.E., 10/18, 1981.
Raymond M., *le Roman depuis la Révolution*, Colin, 1967.
Revue des sciences humaines, « le Mélodrame », n° 162, 1976.
Vovelle M., *Théodore Desorgues ou la Désorganisation, 1763-1808*, Le Seuil, 1985.

FIGURES

SAINT-SIMON
(1675-1755)

Que faire de Saint-Simon ? Telle anthologie fameuse (Lagarde et Michard) le range au XVIIe siècle ; d'autres se résignent à le rendre au siècle des Lumières (Y. Coirault). C'est que la vie active du courtisan cesse avec la mort du Régent son ami (1723). Commence alors l'interminable, l'hallucinante remémoration du Grand Siècle, vu de Versailles, par un petit duc arrogant, voyeur, voyant : génial à force de rage et de détails maniaques. Quarante ans en 1715, et quarante ans encore à vivre, pour revivre le passé et recuire ses rancœurs, une fois échoués les espoirs mis dans la Régence.

Ce n'est pas la matière de ses *Mémoires* qui rattache essentiellement Saint-Simon au passé : le fait vaut pour tout mémorialiste. On peut dire qu'il naît vieux, enfant d'un père de 68 ans, élevé parmi les vieux, voué au culte d'un roi défunt (Louis XIII, bienfaiteur de la famille, dont il célèbre, seul de toute la cour, les messes anniversaires !), dévoué impétueusement à la défense et illustration des traditions monarchiques et féodales, des rites, étiquettes et protocoles de la (vraie !) noblesse, entendons d'abord les privilèges et prérogatives des ducs et pairs, la Passion, la croix de sa vie. Il n'est pas seulement l'homme dont la mémoire tente (avec quelle incroyable acuité) de fixer un monde englouti. C'est l'homme de la conservation sanctifiante, de la permanence sacrée, de l'Histoire révérée, au sein de cette cour de Louis XIV où se développent, comme un cancer, de monstrueuses nouveautés, d'effarantes corruptions qui bouleversent l'ordre des choses et pervertissent le royaume de France. Partisan donc d'une Restauration conforme à l'essence mystique de la monarchie, telle qu'il la conçoit ou la rêve à travers ses lectures, ses souvenirs d'enfance, l'idéologie de sa classe ou de sa caste (il participe au système de la polysynodie, 1715-1718).

D'entrée, il s'installe en position de retrait, à la fois homme de cour jusqu'à la moelle et en marge, fasciné par le roi et hostile, au centre des choses et toujours en coulisse. Œil vivant, ardent, meurtri. Foudroyant et meurtrier. Duc-espion de la cour et du Roi-Soleil, qu'il traînera au tribunal de l'Histoire et de Dieu, comme Rétif de La Bretonne — étrange parallèle qui boucle le siècle — se fera l'espion nocturne, plébéien et policier, des rues de Paris.

Si l'on ajoute que son fanatisme, ou sa mystique, de la tradition s'accompagne d'une vertu conjugale sans défaut, d'une scrupuleuse et grave (mais non dévote) pratique religieuse, on comprend la difficulté de rattacher spontanément Saint-Simon aux Lumières françaises ! Par son style à contre-courant, ses thèmes, ses passions, il semble bien en position d'originalité irréductible, de solitude déconcertante. Et pourtant, il faut résister à la tentation d'enlever Saint-Simon à son siècle. D'abord parce que la métaphore trop efficace des *Lumières* finit par effacer le chevauchement des générations, les différences sociales, les divergences idéologiques, les singularités individuelles, qui font la richesse d'une culture. Ensuite, parce que sa situation a un sens : le désespoir historique du duc de Saint-Simon, son sentiment si profond que toute l'Histoire n'est que naufrage et désastre, parle au fond des Lumières mieux que tant de plates apologies débitées dans les académies. Le duc et pair constate autour de lui, avec une sombre satisfaction, la marche à l'abîme qu'il n'a cessé (selon lui !) de lire et prédire dans la corruption, assumée par Louis XIV, non réparée par le Régent, des traditions, des hiérarchies et des valeurs de l'ancienne France. Diagnostic qui, dans la fureur et le flamboiement, recoupe le pessimisme bien plus discret et élégant du baron de Montesquieu.

Il faut cependant aller plus loin. Saint-Simon n'est peut-être pas seulement *dans* le XVIIIe siècle par la grâce d'une solide santé qu'il partage avec le Roi-Soleil. Il est aussi *du* XVIIIe siècle par sa dénonciation de l'absolutisme, du fanatisme religieux (haro sur les Jésuites !), de la papauté (passion gallicane oblige), par son enquête passionnée sur la constitution fondamentale du royaume. Ces questions traversent tout le siècle. Il faut replacer Saint-Simon dans ce courant nobiliaire, dont Fénelon est l'exemple ondoyant, Montesquieu le théoricien génial, les parlements, la tribune démagogique, et les états généraux de 1789 en partie le résultat.

Ce qui ne tend nullement à ramener le génie rebelle de Saint-Simon à la norme commune. Car sa force, sa valeur, sa vérité sont dans la démesure. Son récit (à la fois chronique, journal, autobiographie et histoire) se donne comme un témoignage véridique, méticuleux à un point jusque-là inconnu, sur une époque, et sur un homme qui, espion sublime, voulut être de tout. Et de fait, peu de textes imposent une si extraordinaire impression de vérité, d'authenticité : choses vues qu'il est impossible d'oublier (même quand Saint-Simon parle par ouï-dire !). Du vitriol sur les effigies complaisamment multipliées par les services de propagande du Grand Roi. En réalité, ce voyeur est souvent un Goya. Plus que choses vues : visions. Subjectives, passionnées, travaillées par l'idéologie, la mémoire, et avant tout, bien entendu, par une écriture inimitable.

L'immense intérêt historique des *Mémoires* ne doit plus être cherché dans les parties les mieux documentées, mais dans les visions en apparence les plus subjectives, qui nous font entrer dans les catégories mentales d'un grand aristocrate imbu de sa caste, pénétré d'une conception de l'Histoire, de la société, de la vie, parfois si étrangement lointaine qu'elle attend de nous une sympathie quasi ethnologique. Leur valeur, c'est de nous plonger dans un univers grouillant, observé et grossi au microscope, où s'agitent des milliers de personnes (plus de sept mille), ponctué à l'infini de morts, de mariages, d'intrigues, de trahisons, de vices, d'infamies (réelles ou supposées), de détails inoubliables, de portraits décapants. Saint-Simon recrée une société, un univers, ce qu'aucun idéologue, aucun historien ne peut faire. Monde en partie fantastique, monde de visionnaire, d'artiste halluciné (le bâtard de Louis XIV, le duc du Maine, devient, sous la plume de Saint-Simon, une figure titanesque, satanique, dont il est seul à avoir percé à jour les diaboliques manœuvres tramées à l'ombre de la nuit !) ; mais, par là-même, prodigieuse condensation d'une société dans la mémoire passionnée d'un homme de la mémoire. Là est l'essentielle portée des *Mémoires,* inséparable de leur écriture.

L'éloignement, loin de le réduire, accentue le pouvoir de ce texte hors normes : c'est le point de vue du lecteur qui s'est déplacé. Saint-Simon croyait par exemple nous révéler la véritable, la monstrueuse origine d'une guerre ruineuse : la blessure d'amour-propre de Louvois à propos d'un détail (une fenêtre mal tracée). Nous ne sommes plus obligés d'y croire. Mais nous devons croire que Saint-Simon y croit : aberration, dénigrement forcené d'un ministre honni ? Pas seulement. C'est l'obsessionnelle « philosophie des petites causes » (qui méduse Pascal, et que Montesquieu récuse), inséparable d'une conception individualiste et psychologique de l'Histoire. Mais incarnée de façon inoubliable, multipliée à l'infini, portée à un degré de minutie incroyable. Théorie et écriture des petites causes qu'il est impossible de détacher du projet général, maniaque et génial, de tout noter, de tout dire, qui caractérise à ses yeux l'écriture mémorialiste au regard de l'écriture synthétique, abstraite et ornée, propre à l'historien (« Avant-propos » des *Mémoires*). Et allons-nous oublier que cette vision obsédée par le secret, la circonstance, le détail infime, révélateur ou inavouable (on est tenté, anachroniquement, de la dire « policière », mais ses enjeux sont autrement vastes), s'adosse à une philosophie grandiose et religieuse de l'Histoire : tout entière dans la main d'un Dieu vengeur, qui n'hésite pas, mystère terrible, à punir les erreurs obstinées, l'aveuglement opiniâtre de Louis XIV à travers sa descendance légitime, tandis que prospère le sang des bâtards ! D'un Dieu dont Saint-Simon serait alors l'infatigable greffier, le procureur rigoureux : chaque détail arrache au Mal son masque, chaque portrait préfigure le Jugement dernier. Tant de damnés, si peu de justes... Tant de vices, d'ignorance, d'oubli, si peu d'ordre (un des mots essentiels de Saint-Simon).

L'inimitable, la prodigieuse singularité de Saint-Simon tient sans doute dans cette bigarrure d'une écriture qui mêle les maladies, les vomissements, les nourritures, les goitres, les boitements, les boues et les puanteurs de Versailles, avec le journal minutieux d'une agonie, le récit des combinaisons diplomatiques, des plus infimes modifications d'étiquette, des projets sublimes de restauration du Royaume de France, des interventions de la Providence divine... Écriture polyphonique et dialogique qui le place, entre Rabelais et Céline, bien en avance sur le roman du XVIIIe siècle, hanté, quoi qu'il en ait, par les normes classiques, et soumis à la sanction du public. Il faut à Saint-Simon la double caution du secret et surtout de la chose vue, de l'Histoire, pour oser écrire ainsi, hors de toute règle, l'épopée mi-burlesque, mi-grandiose, presque toujours effrayante, d'un monde disparu, condamné, damné.

Lorsque Balzac écrit, dans la préface des *Scènes de la vie privée :* « L'auteur croit fermement que les détails constitueront désormais le mérite des ouvrages improprement appelés romans », il définit bien son ambition et celle de Saint-Simon un siècle plus tôt : la résurrection, par l'art, d'une société, et le tissage, par la profusion énorme des détails-signes, d'un univers d'analogies, d'un extraordinaire réseau paradigmatique, qui tente de lutter contre la dispersion difficilement maîtrisable de ce texte monstrueux. Dévoré par la rage d'épuiser la totalité des signes d'un « monde perpétuellement masqué ».

MONTESQUIEU
(1689-1755)

Il connut la célébrité en 1721, et la gloire en 1748. Entre ces deux maîtres livres *(Lettres persanes, De l'esprit des lois)* il a beaucoup travaillé, attentivement voyagé (Allemagne, Autriche, Italie, Angleterre, de 1728 à 1731), parfois publié, et toujours scrupuleusement observé la vie publique. Mais, superbe figure de génie rationnel et raisonnable, il n'a pas oublié de cultiver le bonheur, par l'exercice surtout de la modération, dont il fit la vertu politique cardinale, ou plutôt le critère de la légitimité politique. Qu'on ne s'y trompe pas pourtant : rien de mou ni de tiède chez ce penseur et ce styliste fulgurant, qui ne se proposa rien moins que de découvrir les lois de gravitation des sociétés humaines. Et moi aussi je suis Newton...

Ce philosophe de très grande envergure, qui brassa

comme personne le droit, l'économie, la politique, les mœurs, l'Histoire, est aussi et d'abord un écrivain (il donna à l'*Encyclopédie* l'article « Goût »), et plus précisément un romancier. Quatre romans, dont deux publiés (*Lettres persanes,* 1721 ; *le Temple de Gnide,* 1725. *Histoire véritable,* et *Arsace et Isménie,* composés entre 1730 et 1740, ne parurent qu'après sa mort). Un seul fait date à jamais, tant — par son style, ses préoccupations, son succès — il semble l'emblème et le baptême des Lumières dans leur version Régence, ou rococo.

« Rien n'a plus d'avantage, dans les *Lettres persanes,* que d'y trouver sans y penser, une espèce de roman. On en voit le commencement, le progrès, la fin. » *Sans y penser,* parce que l'auteur s'est « donné l'avantage de pouvoir joindre de la philosophie, de la politique et de la morale, à un roman, et de lier le tout par une chaîne secrète et, en quelque façon, inconnue » (Montesquieu, *Quelques réflexions sur les Lettres persanes,* 1754).

Propos mesurés. On a sans doute eu tort, pendant longtemps, de négliger la forme romanesque au profit de la satire et de la réflexion. Mais il est tout aussi déraisonnable de transformer les *Lettres persanes* en un « magnifique roman », dont on s'acharne à découvrir la chaîne secrète.

La forme épistolaire permet de lier, sur une durée fictive de dix ans (1711-1720), un roman de sérail (45 lettres sur 161), l'observation satirique des mœurs françaises (un modèle presque insurpassable), des discussions philosophiques fort sérieuses et fort diverses, qui marquent bien la pente d'esprit du futur auteur de l'*Esprit des lois,* et même trois histoires insérées (celles des *Troglodytes*, lettres 11-14 ; d'*Aphéridon et Astarté,* 67 ; d'*Ibrahim et Anaïs,* 141 : distribution apparemment concertée).

L'originalité de Montesquieu est bien là : non pas dans la fragmentation épistolaire du propos, ni dans l'utilisation d'un regard étranger, procédés déjà largement pratiqués. Mais dans la greffe d'une intrigue romanesque dont il tire des bénéfices nombreux et inédits. Et soigneusement calculés. L'interminable séjour d'Usbek en Occident installe inévitablement le trouble et le « désordre » dans son sérail : les eunuques intriguent, le désir féminin s'exacerbe, la contradiction s'accroît entre l'ouverture aux idées occidentales du philosophe persan et le despotisme inhérent à l'institution du sérail. Que signifient les discours sur la Nature, la Liberté, la Vertu — thèmes centraux du roman, habilement tressés — à l'aune du sérail qui les étouffe ? À la fin du livre, où il a ramassé pour un final dramatique l'épilogue de son intrigue (en arguant du retard des lettres), Montesquieu nous laisse devant un personnage désemparé, déchiré entre la fureur et le désespoir, et que le suicide héroïque de sa favorite Roxane condamne et dégrade. Le statut de la femme (sans doute le thème le plus obsédant du livre), émancipée jusqu'à l'impudeur la plus effrontée dans la société française, tyrannisée dans le sérail au profit de la « vertu », focalise la différence effarante des systèmes sociaux, et les contradictions d'un personnage à cheval sur deux cultures. Autre correspondance féconde, où s'articulent l'idéologie et la fiction : le sérail, source de rêveries troubles pour le lecteur des Lumières, est aussi une figure, une condensation du régime despotique oriental. Mais le système du texte a des effets plus caustiques et plus inquiétants : tout ce qui est dit de l'Orient peut ricocher sur l'Occident : ainsi des dervis, du despote, des vizirs, des eunuques, etc., dont on ne sait plus s'ils sont figures de l'altérité ou de l'analogie.

C'est que toute société doit régler au mieux (mais le pire s'inscrit durement à l'horizon) les problèmes de la femme, du pouvoir, de la religion, des mœurs, des richesses, de la natalité, etc., qui enveloppent la question cruciale de la liberté, tiraillée entre despotisme et anarchie. La fable n'est pas alors de trop, qui prête le secours de ses *Troglodytes :* de l'état de nature (violence généralisée) à une république pacifique et prospère, puis au choix d'un monarque (évidemment vieux et vertueux, mais ses héritiers ?) qui les soulagerait des responsabilités de la liberté, ce peuple mythique parcourt-il le cycle obligé des formes politiques ? La France, quant à elle, le refait en sens inverse : n'oublions pas les dates de la fiction (1711-1720) qui rejoint l'actualité la plus brûlante. Cette décade passe d'un règne trop long et trop despotique (Louis XIV meurt enfin en 1715, après 54 ans de règne personnel — Montesquieu a alors 26 ans) à la licence fiévreuse de la Régence, qui dissout les valeurs et bouleverse les rangs (système de Law).

Échec et désordre du sérail. Échec et désordre de la Régence. Gardons-nous cependant du ridicule de confesser Montesquieu à travers Usbek : ni l'échec ni le désarroi du grand seigneur persan n'affectent sérieusement le brillant Président bordelais. À tout le moins — et cela seul importe — son roman philosophique ne parvient pas (ni ne cherche) à nous le faire croire. Incapable de naïveté par excès d'esprit, et trop intelligent pour être vraiment pessimiste, l'auteur des *Lettres persanes* joue en virtuose avec les idées, les personnages, les types, les styles. Les styles : on a trop tendance (mais la tentation s'explique) à ne retenir des *Lettres persanes* que sa veine satirique, ce régal de l'esprit français. Mais il y a aussi le style sérieux des analyses philosophiques, le pastiche du style oriental, et le style pathétique des passions. Il est assez clair que les *Lettres persanes* sont tentées par l'éparpillement et le papillotement : trop d'intelligence, trop de curiosités ! Enquête sur l'homme, plus que quête de la destinée humaine. On a beau vouloir se déprendre de l'effet rétroactif, rien n'y fait : à l'horizon de ce livre étincelant et sérieux, il n'y a pas un roman, il y a l'*Esprit des lois,* où, sans masques, un homme prétend, pour la première fois, plier l'Histoire à des lois déchiffrables dans l'Histoire seule.

Le continent Histoire, interdit par Descartes à la Raison, terrain de chasse favori des sceptiques (avez-vous vu le nez de Cléopâtre sur la face du monde ?), Montesquieu tente de le soumettre à la légalité « newtonienne » : une logique immanente organise les sociétés, oriente leurs devenirs, rend compte de leurs lois, de leurs institutions, de leurs conduites. Leur monstrueuse et épuisante diversité peut, sur le modèle des sciences de la nature, se résoudre en lois, c'est-à-dire en rapports constants dérivés de la nature des choses, vérifiés par l'observation, noués entre les phénomènes (le modèle newtonien est patent). Il faut donc commencer par ramener toutes les sociétés historiques à trois types fondamentaux : la république (qui englobe sans les confondre aristocratie et démocratie), la monarchie, le despotisme. Chacun de ces régimes est animé par un principe spécifique qui colore les lois, les institutions, les comportements : vertu républicaine, honneur monarchique, crainte despotique. Principes plus politiques qu'éthiques :

la vertu signifie l'identification à la patrie, l'honneur, l'attachement aux prérogatives du rang, du nom, de la réputation. La méthode consiste donc à rapporter toutes les composantes du type à la logique interne de son dynamisme spécifique, à la structure fondamentale qui le fait être ce qu'il est : il y a une logique républicaine, monarchique, despotique, qui seule permet de comprendre, c'est-à-dire de rendre leurs raisons aux lois, aux mœurs, aux évolutions des sociétés. Il ne s'agit en aucune manière de faire une histoire du droit, une histoire des sociétés, mais de proposer une « nouvelle méthode de philosopher » (d'Alembert, à propos de Newton) dans l'étude de l'homme : Montesquieu peut légitimement apparaître comme un précurseur de la démarche sociologique.

On doit en conséquence éviter un contresens désastreux : Montesquieu ne prétend nullement que toute société réelle répond intrinsèquement et exclusivement à la pureté du type (pas plus que Marx ne s'imagine rencontrer une société conforme aux analyses théoriques du *Capital* !). Car les hommes, s'ils sont pris et formés dans la logique contraignante et spécifique du déterminisme propre à chaque type fondamental, ont droit à l'erreur, privilège de leur liberté naturelle, et ne s'en privent pas : ils promulguent des lois, impulsent des pratiques et des évolutions qui réalisent ou corrompent l'essence idéale de leur régime. Évolution et corruption inévitables, parce que les sociétés sont des organismes vivants forcément soumis au temps ; parce que les hommes sont un composé de raison et de passions. Toute société concrète (Rome, la France, l'Angleterre...) obéit à une histoire particulière, et sa configuration change selon les moments de cette histoire. Elle se rapproche ou s'éloigne davantage de l'équilibre idéal conforme à la logique du type : par exemple, la monarchie française n'atteint son équilibre presque parfait que vers la fin du Moyen Âge, dans l'espace qui sépare l'asservissement trop brutal du tiers état et les prérogatives excessives des féodaux, du renforcement insupportable de l'autorité royale en marche vers le despotisme. La fameuse liberté anglaise ne trouve son accomplissement fragile qu'à la fin du XVIIe siècle, après la glorieuse révolution de 1688. Rome nous offre le modèle grandiose d'un cycle politique où la liberté républicaine impulse la conquête du monde, et ces conquêtes engendrent le despotisme, et donc la décadence (*cf. Considérations sur les causes de la grandeur des Romains et de leur décadence,* 1734).

Un seul régime politique échappe au temps : le despotisme, installé de toute éternité en Asie, immobile, parce qu'il constitue le terme ultime, et presque inévitable, où tendent les autres systèmes : à la fois l'ailleurs, et l'envers du politique, sa négation et son terme. Le despotisme ou la fin de l'Histoire, l'océan où tous les fleuves se jettent.

En revanche, l'histoire des peuples européens met à jour une coupure essentielle. L'Antiquité n'a connu en effet que le despotisme et la république (démocratique ou aristocratique). Il revient aux peuples issus des invasions barbares, des libres forêts germaniques, d'avoir conçu, ou plutôt construit, la véritable monarchie, seul régime adapté aux conditions de la politique moderne. La trilogie des types n'a donc pas un sens univoque : la république, dont il ne reste que des vestiges (Venise, les Cantons suisses...), renvoie pour l'essentiel au passé gréco-romain. Elle requiert au demeurant des citoyens d'une trempe inconnue des modernes : l'État moderne, indestructible (*cf. Réflexions sur la monarchie universelle en Europe,* non publiées avant 1891), ne peut pas fonctionner sur l'admirable abnégation des citoyens antiques. Le despotisme, quant à lui, possède un double statut : régime adapté aux vastes espaces asiatiques (c'est le fameux déterminisme du climat), sur lesquels il règne depuis toujours, et terme fatal de tous les pouvoirs. Tentation, perversion et négation du politique, qui cerne, comme un horizon implacable, le fragile, le miraculeux espace de la liberté européenne (on aura reconnu des considérations étrangement actuelles !). Reste la monarchie, invention moderne, seule à même de concilier la liberté, la puissance attachée à l'espace (les républiques antiques étaient des cités), et l'absence de vertu. Ce qui définit, selon Montesquieu, ce régime étonnant, c'est la coexistence d'un roi (évidemment) et de corps intermédiaires (noblesse, clergé). Le monarque possède le pouvoir exécutif et le pouvoir législatif, mais abandonne le pouvoir judiciaire à d'autres corps (justice seigneuriale et surtout parlements), sans quoi on serait dans le pur despotisme. Mais son autorité est aussi (et peut-être surtout) freinée par l'existence d'une noblesse (de robe et d'épée) animée par le principe de l'honneur, et qui ne tient pas ses prérogatives, ses propriétés, ses titres, du caprice royal, mais de la naissance. La supériorité considérable de ce régime sur les républiques antiques tient au fait qu'il n'exige aucunement le sacrifice des intérêts personnels sur l'autel de la patrie : bien au contraire, plus chacun défend ses droits, ses privilèges, son statut, etc., et plus il renforce, sans le vouloir ni le savoir, le principe qui fait vivre la monarchie.

La machine monarchique peut ainsi diriger de grands États : elle marche à l'intérêt personnel, elle ne consomme pratiquement pas d'énergie morale, elle se passe d'héroïsme civique, mais pas de l'aristocratie, rempart qui protège le peuple (et le régime) contre l'inévitable tentation despotique du roi et des ministres.

C'est ici que nous rencontrons le célèbre principe de la séparation, ou plutôt distribution, des trois pouvoirs (exécutif, législatif, judiciaire), règle d'or du libéralisme politique. Mais on ne saurait trop insister sur un point décisif : en politique sérieux, Montesquieu ne propose pas une règle juridique, une clause constitutionnelle transportable partout à l'identique : par pouvoirs, il entend toujours des forces politico-sociales dont l'équilibre (inégal, conflictuel, variable) oblige à la modération, c'est-à-dire à la liberté politique (inégale, variable). C'est pourquoi il s'agit d'une *méthode d'analyse* des formes politiques, d'un critère de liberté qui implique la prise en compte de toute la structure sociale d'une société donnée. La France, par exemple (qui sert à l'évidence de référence pour définir la monarchie), n'évite de tomber dans le despotisme qui la menace que grâce aux parlements, aux privilèges nobiliaires, et surtout aux mœurs modelées par le passé féodal. L'Angleterre, modèle de régime mixte (comme Rome), mêle esprits républicain et monarchique. Ici, le pouvoir judiciaire est tenu pour nul, car constitué de jurys populaires temporaires. La modération y dépend donc de la distribution des pouvoirs exécutif et législatif entre le roi et le Parlement élu. Contrairement à la France, le problème en Angleterre est de renforcer le pôle royal contre le pôle républicain des Communes, pour éviter le despotisme populaire. Un facteur décisif de la liberté (inconnu en France) tient à la rivalité de deux partis politiques liés chacun à un de ces deux pôles. La France tend vers le despotisme royal, l'Angleterre vers le despotisme populaire typique des régimes républicains. L'Angleterre n'est donc pas un modèle transportable, puisqu'il faudrait exporter une structure indissolublement politique, sociale et mentale, façonnée par l'Histoire ! Mais elle propose un exemple de « constitution » qu'on ne saurait trop méditer, car son objet spécifique est la liberté : l'Angleterre ou l'extrême de la liberté dans un état monarchique moderne.

La liberté apparaît bien comme le critère suprême, l'invariant normatif des formes politiques. La trilogie révèle une opposition binaire entre les gouvernements modérés et le despotisme. Contradiction du savant et du moraliste ? Mais n'est-elle pas inévitable ? Et Montesquieu énonce clairement le double rattachement de son projet à un déterminisme global, et à des normes transcendantes qui justifient la condamnation du despotisme, ce fantasme totalitaire des Lumières, d'une actualité troublante.

Cette pensée si nouvelle, si subtile, si profonde, Montesquieu a voulu la rendre séduisante. Autant qu'aux spécialistes, il tente de s'adresser au public éclairé : chapitres courts (parfois réduits à quelques phrases !), formules brillantes, aphorismes, anecdotes, pointes, transitions inattendues, contrastes, échos, raccourcis... Pour apprécier ce prodigieux travail stylistique, on ne conseillera pas de comparer avec un traité de droit naturel classique, il suffira d'un manuel de droit politique actuel ! « De l'esprit sur les lois », dit méchamment (et superficiellement) Mme du Deffand.

Mais il est sans doute dangereux de trop parier sur la subtilité du lecteur ! L'esprit rococo appliqué à la philosophie politique ne facilite pas toujours la compréhension. Le lecteur de l'*Esprit des lois* est obligé de beaucoup penser par lui-même, de nouer les rapports que Montesquieu esquisse ou suggère, de chercher les logiques sous-jacentes... Quitte à soupçonner parfois qu'on le lance sur les traces fuyantes d'un guide dont on ne sait s'il a perdu sa boussole, ou s'il nous égare à plaisir.

Ce qu'on peut garantir, c'est qu'on ne perd jamais son temps dans les pas d'un génie : deux siècles de commentaires souvent laborieux n'ont pas épuisé ce texte savamment déséquilibré et troué, à relire d'urgence pour savoir ce que *libéralisme* veut dire !

MARIVAUX
(1688-1763)

Crébillon, Voltaire, Diderot tinrent à le dire : ils n'aimaient pas Marivaux. C'est leur droit. L'admiration n'aide pas à écrire. Les grands écrivains n'aiment que les écrivains morts. Marivaux eut l'insolence de ne pas admirer les morts non plus : il fut, et il resta, jusqu'au bout, du parti des *Modernes* (Perrault, Fontenelle, La Motte) sans rallier, les dates ne s'y prêtaient pas et rien ne l'y prédisposait, le camp des Philosophes (il déplora la prééminence croissante des sciences sur les lettres et la morale). Il ne défile pas sous les bannières, il ne dépose pas de fleurs sur les tombeaux. Il revendique le droit de penser par lui-même, et d'écrire comme personne, c'est-à-dire comme Marivaux : toute pensée vraie et naturelle semble singulière, expliqua-t-il (vérité, naturel : ne nous payons pas de mots, il défend et cultive l'originalité, que Diderot drapera dans les plis du génie).

Il y a chez lui, à n'en pas douter, un penchant à la sensibilité. Sa date de naissance l'empêcha de dégénérer en sentimentalité. Il sut aussi la brider par l'ironie et une extraordinaire acuité d'analyse : rien de moins ingénu que le regard marivaudien. À trop insister sur la « délicatesse » du moraliste (journaux et œuvres diverses), de l'analyste (romans), du styliste (marivaudage), on risque d'affaiblir la force, l'allégresse, l'inventivité, l'agressivité de ce qu'il faut bien considérer comme l'une des grandes réussites du théâtre français.

Il a fallu plus de deux siècles à ce moderne résolu pour acquérir le statut de quatrième grand classique, le plus joué actuellement avec Molière. Mais contrairement à une légende démentie par des chiffres irrécusables, nous ne réparons pas ainsi l'incompréhension supposée des spectateurs du XVIIIe siècle : Marivaux fut le principal auteur à succès du Théâtre-Italien dans la première moitié du siècle, le grand rival de Voltaire, vedette de la Comédie-Française, qu'il talonne, de 1720 à 1750, pour le nombre de spectateurs. Journaliste, romancier, dramaturge : on voit que cet artiste réservé et audacieux, qui ne voulut ressembler qu'à lui-même, a toujours écrit pour le grand public.

Romans

En dehors des œuvres de jeunesse, Marivaux a composé parallèlement deux grands romans, dont le succès se mesure aux rééditions, imitations, suites apocryphes et traductions : *la Vie de Marianne ou les Aventures de la Comtesse de* ^{xxx} (1731-1741), *le Paysan parvenu ou les Mémoires de M*^{xxx}(1734-1735). Il est tentant de les opposer : longue gestation/jaillissement rapide ; voix féminine et aristocratique/voix masculine et roturière ; tonalité sentimentale et noble/tonalité libertine et comique... Comme si un registre servait de délassement et de contrepoint à l'autre. Ils ont en commun la forme pseudo-autobiographique ; la distance temporelle et sociale entre le *je* narrant (âgé, détaché du monde et des passions, parvenu), et le *je* narré (pauvre, sans nom, sans famille, saisi au tout début de son expérience du monde) ; les brillantes et minutieuses analyses où le narrateur dévoile et commente après coup, dans un mélange typiquement marivaudien de lucidité, d'ironie et d'incontestable indulgence, ce que le héros jeune vivait dans la confusion, dans l'urgence des instincts et des instants ; la trajectoire qui permet à un individu de trouver sa place, de s'éduquer ou de se reconnaître à l'épreuve du jeu social, avant de se retirer pour mieux se retrouver ; l'inachèvement, une fois remémorées et approfondies les premières expériences cruciales ; l'optimisme, critique, ambigu, mais dépourvu de toute noirceur tragique, qui baigne ces deux romans de la conscience — apparemment pas très malheureuse, et même plutôt contente d'elle-même.

La surprise des aubes

Aucune urgence pathétique ne préside au retour sur soi. Alors que les narrateurs de Prévost, ou *la Religieuse* de Diderot, rôdent dans la lumière noire du mystère et de la catastrophe, Jacob et Marianne, de leur confortable retraite, scrutent sans angoisse, dans l'ironie du recul et la tendre connivence avec soi-même, une jeunesse qu'aucune catastrophe n'a irrémédiablement bouleversée. Cela devrait donc conduire au récit d'une vie : ce qu'annonce *la Vie de Marianne*. Or, ni Jacob ni Marianne ne dépassent les premiers apprentissages : à peine deux mois pour la future comtesse ! Plus de cent pages pour une journée de Marianne, trois cents pour à peine deux semaines de Jacob ! Il y a donc étirement de la distance temporelle entre héros et narrateur, et extraordinaire concentration. Ce qui pointe vers une conception de la vie psychologique, justiciable à la limite d'analyses quasi infinies, et aussi vers une conception de la personne, de la vie, du roman : tout se passe comme si, vécues et remémorées les émotions des premières surprises, des premières aubes de la conscience, mieux valait quitter la scène sur la pointe des pieds et baisser le rideau ; commence alors le règne de l'habitude, le cycle des répétitions (Marianne, comtesse coquette ; Jacob, financier et père de famille). La vie, somme toute, de Marianne et de Jacob, dont nous ne saurons rien. Marianne cède la parole à une autre narratrice — Tervire — sans nous raconter cette fameuse infidélité de Valville présentée comme... le plus grand malheur de son existence ! Le roman marivaudien hésiterait-il à passer de la poésie des cœurs à la prose de la vie quotidienne, où Hegel, lecteur attentif de Marivaux, voyait la leçon fondamentale du genre romanesque ? On ne peut que rêver sur ces ellipses énormes, ces « Mémoires », cette « vie » dont les narrateurs se lassent eux-mêmes au premier acte : troublante alliance du narcissisme propre à toute entreprise autobiographique (fictive ou pas) et d'indifférence à soi-même ; de retour gourmand sur soi, et de retrait méfiant inscrit dans l'inachèvement. Peut-être Marivaux parvient-il à concilier ainsi les deux axes majeurs de sa conception de l'homme : fasciné par la vanité, par l'amour de soi, et valorisé par le désir de sincérité, le détachement ironique et indulgent d'une conscience devenue spectatrice.

Femmes entre elles

Mais tout récit travaille cette forme vide — le roman à la première personne — pour des enjeux spécifiques. On voudrait ici le montrer à propos de *la Vie de Marianne,* roman des femmes entre elles. Il est assez tentant d'interpréter ce dialogue d'une jeune fille en ses premiers matins, et d'une vieille dame retirée du monde, comme la parabole de toute destinée féminine. La vraie coupure dans l'existence de Marianne ne serait alors ni dans le mariage (avec qui ?!), ni même dans la réussite sociale ; elle passerait entre la femme qui plaît (Marianne) et la femme qui pense (la Comtesse narratrice), entre la femme sexuée et la femme exclue des échanges de la séduction, de la circulation des cœurs et des corps.

Les deux positions qu'occupent Marianne et la Comtesse semblent donc symboliques : l'entrée dans le monde, c'est-à-dire dans l'ordre de la séduction, fondement de la conscience de soi (c'est à Paris que Marianne naît à elle-même), et le retrait hors du monde, qui marque l'évanouissement du corps, support de la coquetterie et de l'existence féminine. L'âge pour Marianne, le couvent pour Tervire, permettent le récit et l'exercice (irrémédiablement ambigu) de la sincérité. La structure narrative de *la Vie de Marianne* se révélerait alors gérée souterrainement par la destinée féminine, en sa coupure radicale et ses épreuves réglées : la vente du corps (courtisanerie : M. de Climal ?), son échange légal (mariage : Valville ? Villot ? L'homme de qualité ?, etc.) ; son offrande (couvent : Tervire), sa circulation mondaine (coquetterie). C'est peut-être sur ce fond que la double narration si déconcertante (Marianne, livres I-VIII ; Tervire, livres IX-XI) trouverait pour partie son sens : l'ultimatum du Ministre à Marianne (le couvent ou le mariage) aurait bien une portée décisive, et l'héroïsme propre de la jeune Marianne se mesure au refus de ce dilemme humiliant.

D'où une nouvelle perspective sur la pseudo-autobiographie. La femme, vaincue par le temps, exclue par l'âge d'une société dont elle était la reine insolente et coquette, renverse son destin dans une dernière vocation : l'écriture séductrice de quelques destinées féminines, la ressaisie, en ses origines, de son *moi* dispersé et dégradé par les ans.

Jacob et Marianne, ou les deux sexes du roman marivaudien (F. Deloffre). La troublante homologie formelle des deux romans « inachevés » de la maturité ne doit pas masquer leur irréductible singularité. Du roman de l'homme qui parvient par les femmes au récit qui disperse quelques pâles figures masculines dans les marges, tout, ou presque, change de sens, parce que la voix narratrice a changé de sexe.

La conscience au travail

Les pseudo-mémoires visent à reconstituer un passé plus ou moins lointain, plus ou moins dramatique. Cela passe par la mémoire. Mais l'essentiel du travail de Marivaux ne concerne pas tant les méandres de la mémoire que la conscience, que le rapport de soi à soi. Peut-on se connaître ? Jusqu'à quel point ? Par quelles voies ?

Le marivaudage, on le sait bien maintenant, a pour fonction essentielle de rendre les cœurs transparents, de se connaître et de se faire reconnaître, de lever l'obstacle du langage, de la vanité, des préjugés... Nous n'avons pas seulement à lever les masques autour de nous, mais à nous connaître nous-mêmes, ce qui est bien autrement difficile, pour déchiffrer les vrais mobiles, les pensées secrètes, imperceptibles, les dosages subtils de sentiments entremêlés : d'où la minutie, qui semble à certains exaspérante, des analyses. Tout concourt à obscurcir ce déchiffrement qui justifie seul, en fait, le récit : l'inexpérience de Jacob et Marianne, en train de naître au monde et à eux-mêmes ; l'urgence des situations, des épreuves ; la labilité des sentiments ; les ruses de la vanité ; les rapports complexes du cœur et de l'esprit ; l'action de sentiments, de motifs qui échappent en partie ou totalement à la conscience, ou qu'elle se dissimule, ou qu'elle maquille ; l'enchevêtrement des mobiles, qui débouchent constamment sur des conséquences inattendues, etc.

C'est pourquoi comprendre ne peut consister simplement à ressusciter le moi passé : le moi actuel, purgé des passions et délesté de sa vanité (autant que faire se peut !) doit réfléchir sur ce que sa mémoire rappelle avec une miraculeuse fidélité, afin d'en démêler l'écheveau, de commenter, classer, discuter, généraliser... Le moi, jeté au milieu d'un monde inconnu, subit l'afflux d'émotions violentes, contrastées, de désirs contradictoires, doit faire des choix (dramatiques chez Marianne, cyniques ou complaisants chez Jacob), sans disposer du recul de l'expérience. Mais le dialogue des deux *je* n'oppose pas seulement l'ignorance et la lucidité, l'émotion et la connaissance, le cœur et l'esprit. Il n'y a pas d'un côté Marianne qui sent, de l'autre la Comtesse qui pense. Le cœur est le siège d'intuitions fulgurantes, d'héroïsmes décisifs : Marianne, plongée dans l'action, soumise à un train ininterrompu d'épreuves, pèse le pour et le contre, échafaude des plans, construit des discours. Elle affirme son énergie instinctive, signe de son élection, la clarté de ses choix et de ses refus, tandis que Jacob, bonne pâte plus molle, ne donne guère dans l'héroïsme ! Il fonctionne en effet selon le principe de *plaisir,* Marianne selon l'*honneur,* Tervire selon la *charité* (H. Coulet). Pour l'essentiel, la narratrice confirme les décisions et les conduites de la jeune fille. Nul moment comparable à l'épisode du ruban volé de Rousseau. Nulle occasion non plus où s'avouerait l'impossibilité du jugement rétrospectif : l'effort pour se comprendre et s'analyser n'est jamais voué à l'échec, au moins explicitement. Chez Marivaux, les ambiguïtés du cœur ne débouchent jamais sur une énigme qu'on interrogerait sans fin, comme chez Prévost. Du moins, elles ne sont pas exhibées par le texte, elles relèvent du travail que Marivaux laisse à son lecteur.

Lecteur qui ne peut, surtout à la lecture du *Paysan parvenu,* que s'interroger : belles âmes, ou trop bonnes consciences ? Inconscience morale, candidement étalée, signe de l'impossibilité de se juger soi-même, ou ironie voilée ? Tant d'acuité psychologique, et si peu de sévérité éthique à l'égard de soi-même ! Le mystère le plus impénétrable du roman marivaudien est bien là : dans l'impossibilité de discerner le jugement propre de Marivaux sur ces narrateurs, dont il épouse si manifestement les antipathies (il suffit de lire les *Journaux et Œuvres diverses* pour s'en convaincre).

Le rêve de Marivaux

Cette ambiguïté (des héros-narrateurs, de l'auteur) est constitutive de son univers. Jacob et Marianne, partis sans autre ressource qu'eux-mêmes à la rencontre du monde, s'y sont brillamment intégrés tout en le jugeant sans complaisance, et Marivaux, on l'a vu, nous épargne soigneusement le spectacle de leur réussite.

La critique des préjugés aristocratiques est incontestablement un des motifs les plus insistants, les plus explicites de son œuvre. Mme Dutour, le cocher de *la Vie de Marianne* sont précisément là par souci de provocation et de philosophie à l'égard du préjugé qui voudrait les exclure de la représentation littéraire sérieuse. La fausse dévotion et la morgue nobiliaires mobilisent, dans le récit de Marianne, toute la virulence du texte. Il est très clair que pour Marianne les états, les conditions sont des conventions établies par l'orgueil : un esprit de qualité cherche l'homme, non le titre. C'est pourquoi on ne connaîtra jamais la véritable naissance de Marianne. Nous sommes invités à comparer, dans différents états, la qualité humaine, qui s'éprouvera au secours qu'ils seront capables de fournir à l'orpheline sans nom ni famille, Marianne, appelée à traverser les trois ordres, roture, noblesse, Église, afin de mettre les cœurs et les esprits à l'épreuve de sa détresse et de son défi. Dans cette épreuve de reclassement qu'organise la fiction, une nouvelle hiérarchie s'établit, celle du monde vrai. Attention ! Cette société rêvée n'a pas pour critère l'utilité (jardin de Candide), mais la qualité : c'est une mise en fiction du mérite personnel. Naissance et mérite peuvent certes coïncider (Mme de Miran), mais le roman a pour mission de procéder à leur déboîtement. Sans parents, sans famille, sans nom, sans fortune, Marianne figure quasi allégoriquement l'individu réduit à ses seules ressources : à ceux qui n'ont rien, il reste une âme. Le trajet romanesque de *la Vie de Marianne* revient à faire reconnaître sans cesse son mérite par la société : par l'instance mondaine (Mme de Miran, Mme Dorsin), par l'Église (l'Abbesse), par l'État (le Ministre), par la noblesse (l'Homme de qualité offre de l'épouser). À chaque fois, le même scénario idéologique se reproduit : impossible de résister aux séductions du mérite et de la vertu (de Marianne). L'affrontement n'a lieu que pour réitérer le triomphe. Plus ambigu, *le Paysan parvenu* doit se lire sur ce même fond.

Romans bourgeois, donc ? Sans doute, mais pénétrés aussi de valeurs aristocratiques. *La Vie de Marianne* maintient inflexiblement l'ambiguïté essentielle : la qualité prouve la naissance, le sang produit la qualité. Marianne ne passe pas par une éducation, un apprentissage : elle entre, avec une sûreté infaillible, dans les arcanes de la société mondaine. Le récit ménage avec un raffinement savant une lecture aristocratique des aventures de la Comtesse.

On constate aussi qu'il se garde bien d'exalter le travail, y compris le travail littéraire. Écrivain professionnel, Marivaux mime les marques ostentatoires d'une écriture oisive. Les plus hautes figures du roman ne s'épanouissent pas dans le peuple, ni même dans les classes moyennes, mais dans la haute société mondaine, riche, raffinée, élective, où fusionnent l'élite de la noblesse (Mme de Miran) et l'élite bourgeoise (Mme Dorsin) : la société des belles âmes, qui exclut tout projet de transformation économique et idéologique (Voltaire), ou de restauration politique (Montesquieu).

Théâtre

Pourquoi ne pas l'avouer ? Il est difficile de parler du théâtre de Marivaux, parce que rien n'est plus aisé que de le réduire à des formules brillamment générales, séduisantes et souvent trompeuses. Comment concilier une double réalité : l'impression de pénétrer dans un univers homogène, immédiatement reconnaissable (éblouissante combinaison de structures démontables), et la constatation irrécusable qu'aucune pièce ne ressemble à une autre ?

Marivaux ne nous ayant pas laissé de manifeste théorique comparable à ceux de Corneille, Diderot ou Beaumarchais, on tentera le pari, assez imprudent sans doute, de partir d'une pièce peu connue, presque jamais jouée, *les Acteurs de bonne foi* (publiée en 1757) : de quoi parle Marivaux quand l'épuisement créateur le réduit à mettre en scène les structures dénudées de sa dramaturgie ?

Nature et théâtre

L'intention majeure de la pièce semble souligner les rapports ambigus du *jeu* et de la *vie* : « la simple nature fournira les dialogues » (sc. II).

Mais si les personnes deviennent si facilement des personnages, c'est que la vie est une comédie. Idée chère à Marivaux.

L'épreuve

Que font Merlin et Mme Amelin, dans leur parfaite symétrie ? Ils instituent chacun une épreuve : « et le tout pour éprouver » (sc. I). Mme Argante devra subir l'épreuve, la surprise d'un divertissement tenu secret, compensation du beau mariage que Mme Amelin ménage à sa fille, et l'épreuve organisée par Merlin renvoie à toute la thématique marivaudienne : il s'agit de jouir délicieusement d'un amour qu'on soumet à l'épreuve de la jalousie, de se donner le spectacle d'un cœur qu'on a le pouvoir d'affliger *(le Jeu de l'amour et du hasard).*

Comme si souvent, l'épreuve — figure essentielle de la dramaturgie marivaudienne — prend ici une forme pure : décision inaugurale, acte fondateur de la comédie, jeu délibéré (aux racines troubles, bien entendu). C'est par là que ce théâtre se donne comme artifice affiché, alors que la feinte, dans la tradition théâtrale (et chez Beaumarchais) est un effort ingénieux pour surmonter des obstacles, tourner des résistances *(Surprise de l'amour, Jeu de l'amour et du hasard...).*

L'expérience

L'épreuve a pour autre face l'expérimentation : « Nous sommes convenus tous deux de *voir...* » (sc. I). Le théâtre se fait expérience réglée, hypothèse à vérifier, protocole avec démarches et étapes (qu'on songe à *la Dispute*, et à ses personnages tenus dès leur naissance à l'écart de la société, pour *voir* ce qui sortira de leurs premiers contacts). Comment ne pas renvoyer au développement des sciences d'observation ? (J. Roger). Un modèle épistémologique empiriste semble structurer en profondeur cette dramaturgie du jeu expérimental. *La Double Inconstance, les Fausses Confidences, l'École des mères,* etc., se présentent comme des manipulations du cœur humain, et chaque pièce peut se lire comme une expérience.

Pièce sur le théâtre, *les Acteurs de bonne foi* mettent en scène l'idée pure d'expérience.

L'expérimentateur est dans la pièce

Autre structure centrale liée à l'épreuve/expérimentation : le manipulateur est sur scène, et règle le déroulement de la partie. Mme Amelin et Merlin (comme Dubois dans *les Fausses Confidences,* Flaminia dans *la Double Inconstance*) occupent donc la position privilégiée du naturaliste devant ses insectes : ils observent. La comédie se donne d'abord à qui sait *regarder.* Mais pour bien regarder, il faut être hors jeu : Blaise et Lisette, trop impliqués, ne peuvent demeurer « spectateurs assis » (sc. II), et jouir du spectacle de la comédie du cœur. Il y a bien structure du double registre (J. Rousset) : personnages-acteurs, personnages-spectateurs.

Le double

On ne saurait trop souligner l'importance des dispositifs symétriques chez Marivaux, constamment renouvelés avec virtuosité :

— la structure du double registre ;

— les deux sexes, image double de la figure humaine *(la Colonie),* par le jeu des travestissements *(la Fausse Suivante, le Triomphe de l'amour)* ;

— la division sociale (maîtres/valets), génératrice de dédoublements langagiers, gestuels, moraux, qui mobilisent aussi bien la dramaturgie (types de jeu, de diction, de gestuelle, d'impact comique, etc.) que la philosophie sociale *(l'Ile des esclaves, les Fausses Confidences, le Jeu de l'amour et du hasard, l'Épreuve...)* ;

— la comédie comme double incarné des désirs secrets : ceux de certains personnages (ici, Mme Amelin, Merlin, Araminte), ceux aussi du public (pour ne parler que des plaisirs troubles liés au masque, au travestissement...).

Surprises

Surprise — faut-il insister sur ce mot si typiquement marivaudien ? « Mme Amelin veut la surprendre » (sc. I). Mais la surprise prévue n'est pas assez surprenante : le spectateur verra avec étonnement surgir, de la surprise irréalisable (la représentation d'une pièce), la vraie surprise des *Acteurs de bonne foi,* la comédie engendrée par l'impossibilité de la jouer ! L'interdiction faite aux valets (par Mme Argante) de jouer l'inconstance pour le plaisir des maîtres provoque, par ricochet, l'inconstance des maîtres et le renversement des alliances. La comédie des valets entraîne ici celle des maîtres : contagion à rebours d'un rapport marivaudien trop classique.

Un inconstant, une coquette : « Et voilà ma pièce — Oh ! je défie qu'on arrange mieux les choses » (sc. I). Définition insolente et polémique, tant elle semble corroborer les critiques qu'on adressait à Marivaux, de peser des œufs de mouche dans des toiles d'araignée. Mais voilà la surprise : d'une pièce qui rassemble les thèmes les plus connus, les mécanismes les plus éprouvés, sort brusquement une autre pièce, inattendue, née, symboliquement, de celle qui n'est pas jouée. « Et voilà ma pièce » est donc tendu comme un leurre, lancé comme un défi. Structure en trompe-l'œil. Il faut apprendre à regarder chaque pièce de Marivaux d'un œil non prévenu : une pièce peut en cacher une autre.

Surprises et secrets

S'il y a surprise, il y a secret. La brièveté des *Acteurs de bonne foi* n'interdit pas le fonctionnement d'un système complexe de secrets, signe de la fécondité de cette figure dans la dramaturgie marivaudienne.

— Secret général, dont seule Mme Argante, ennemie du théâtre, est exclue : on va jouer une pièce pour le mariage. Merlin et Colette partagent un autre secret : ils vont monter une comédie dans la comédie, pour éprouver Blaise et Lisette (épreuve, inconstance). Mais ce secret, aussitôt divulgué, empêche la représentation prévue et déclenche la vraie pièce.

— Mme Amelin et Araminte possèdent un secret auquel les serviteurs n'ont pas droit (division sociale), et qu'elles cachent aussi aux autres protagonistes du monde des maîtres, transformés en *acteurs de bonne foi,* manipulés et regardés (double registre). Pour renverser une comédie de mariage entre Araminte et Eraste (masque), Mme Argante réclame qu'on rejoue la pièce qu'elle avait refusée, et en le réclamant, elle joue la comédie qu'on attend d'elle !

— Les secrets apparemment partagés entre Merlin et Colette d'abord, puis Mme Amelin et Araminte, le sont sur un mode inégal. Car Mme Amelin et Merlin, vrais maîtres du jeu, soumettent leur partenaire à une épreuve où ces derniers s'engagent plus qu'ils ne croyaient : le jeu se joue des joueurs, seules quelques figures énigmatiques restent parfaitement maîtres d'un secret, celui du cœur humain, difficile à partager — tel Dubois dans *les Fausses Confidences*.

Gestes et mots

« Ce que j'aime dans la comédie, c'est que nous nous la donnerons à nous-mêmes ; car je pense que nous allons tenir de jolis propos » (sc. II). Lisette définit donc la comédie comme... un marivaudage (au sens péjoratif), un embellissement raffiné et précieux de la réalité. Il revient à une conscience naïve de servante d'exprimer un refrain de la critique. Ces jolis propos, ce jeu maniéré vont pourtant lui donner la rage des coups de poing ! Mais ces gestes du désir populaire sont aussitôt écartés (« Gardons les coups de poing pour la représentation », sc. III). Elle aura seulement droit de « déchirer un papier » (sc. V). Censure des gestes du corps : leur dramaturgie est refusée aussitôt qu'évoquée. Le théâtre est une bataille sur les mots. C'est des mots prononcés ou tus que surgit l'obstacle, la péripétie. Toute la comédie montée par Merlin repose sur le jeu des mots qu'il devrait dire, et qu'il ne dit pas ; qu'il dit, et qu'il ne devrait pas dire.

À la limite, d'une dramaturgie de l'obstacle on passe à une dramaturgie de l'écart linguistique, dont *le Prince travesti* nous offre l'exemple hyperbolique, parce que c'est la pièce de la communication épiée, soumise à l'obsession du regard. Tout y fait peur, tout y fait signe : les mots, les yeux, le silence. Le rapport de la Princesse à Hortense a valeur emblématique : que dites-vous qu'il (Lelio) a dit quand vous avez dit ce que je vous avais demandé de dire, que je n'osais pas dire, et que je ne supporte pas que vous disiez comme vous le dites... Les créatures de Marivaux ont le cœur remuant et l'oreille délicate.

Dénouement et temporalité

Le dénouement d'une pièce de Marivaux mène à son terme un processus psychologique au cours duquel le personnage est devenu autre, s'est métamorphosé et a reconnu, a mis en mots sa transformation. Terme provisoire : on fige dans la photo de mariage un mouvement qui, tout au long de la comédie, s'est révélé trop mouvant, trop fluide, pour que ce dernier instantané prenne valeur définitive. Importent avant tout la succession des images, le flux des sensations et des sentiments, appelé, par convention, amour.

Le temps des pièces de Marivaux n'est pas le temps historique, le temps des artères, des jours qui passent, du souvenir, des lassitudes (Beaumarchais). C'est un temps sans nostalgie, sans épaisseur, sans passé ni avenir. Il n'accumule pas, contrairement à Beaumarchais, il atomise. La naissance de l'amour, c'est sa décomposition prismatique en vanité, pitié, tendresse, cruauté, effroi, désir, jalousie, mensonge, etc. D'où quelques conséquences décisives :

— Le personnage n'est plus une entité cernable, mais le lieu où sous les projecteurs miroitent des facettes. C'est pourquoi l'inconstance n'est pas une faute, mais un fait. Le « caractère » au sens classique cède la place aux figures génériques, l'Homme, la Femme, la Mère, le Valet. De ce point de vue il faut reconnaître à ce théâtre une valeur « métaphysique ». Marivaux agence des jeux de masques, d'ombre et de lumière, qu'on peut regrouper sous quelques noms : Flaminia, Araminte, Angélique, Sylvia, etc.

— La notion d'obstacle, de péripétie, se transforme. L'obstacle devient souvent fictif, car seul compte le flux des sensations qu'il provoque (dans *les Fausses Confidences,* la plupart des oppositions sont ou fausses ou molles). Ce qui revient à dire que le différend principal n'oppose plus les amants au monde (Molière, Beaumarchais) mais l'amant à l'amour. Obstacle suffisamment subtil et retors pour que dans certaines pièces on introduise un magicien chargé de rendre les personnages heureux malgré eux !

Ce théâtre ne cesse de se proclamer théâtre car chaque figure théâtrale, fût-ce la plus artificieuse, la plus invraisemblable — et c'est le cas de la plupart des masques — pointe vers la nature vraie de l'homme selon Marivaux : flux des sensations et des idées, vanité, inadéquation à soi, masque, bref, la comédie perpétuelle que nous jouent les choses, les autres, les mots, la comédie qui se joue en nous. Ni condamnée, ni approuvée : muée en une prodigieuse machine théâtrale. Poétique et comique. Machine à aiguiser les désirs, les rêves et les mots, pour la (tendre ? cruelle ?) guerre des sexes et la rivalité (complice) des classes.

Un des sommets de l'art français.

PRÉVOST
(1697-1763)

Prévost n'appartient pas à ces auteurs dont le nom s'efface dans l'œuvre. Ni à cette race d'écrivains qui sculptent leur vie d'une main assez forte pour que leur image tende à éclipser leurs livres (Voltaire - Sartre ?). Œuvre et vie se sont ici comme évanouies dans le sillage incandescent d'un seul « petit ouvrage », écrit au galop par un bénédictin défroqué de 33 ans, en exil douteux. Il a fallu attendre ces dernières années pour retrouver l'accès de ce romancier fascinant — que certains n'hésitent pas à faire l'égal des plus grands. Le roman le plus édité de la littérature française — environ 234 éditions, de 1731 à 1981, contre 229 pour *Paul et Virginie* — a subi lui aussi cet étrange travail de déplacement, de polarisation : l'*Histoire du chevalier Des Grieux et de Manon Lescaut* est devenue, pour tous, *Manon Lescaut.* L'ombre fuyante de Manon, promue mythe énigmatique de la féminité, s'est étendue aux dépens du narrateur, chevalier dégradé, théologien idolâtre : amant dépossédé, dont la plainte, à l'instar d'autres héros narrateurs de Prévost, interroge Dieu et questionne le sens de la vie, dans une incertitude jamais apaisée.

L'énergie inventive

Si l'on excepte *Manon Lescaut,* construit sur un schéma linéaire qui, en quatre épisodes symétriques, conduit les jeunes amants à la catastrophe, les romans de Prévost renouvellent puissamment la grande tradition baroque :

larges fresques, intrigues savantes, histoires emboîtées (*Manon Lescaut* s'insère au tome VII des *Mémoires d'un homme de qualité*), courses éperdues à travers des espaces immenses, aventures extraordinaires, situations paroxystiques, sentiments d'une intensité rarement égalée. À l'image (peut-être) des exils et des campagnes de Prévost d'Exiles, on saute les frontières, on se lance sur les mers — par amour, par amitié, par inquiétude, toujours en quête d'un bonheur qui se dérobe, d'un objet qui échappe. Qu'on observe, aussi bien, *Manon Lescaut,* récit si bref qu'il pourrait presque passer pour une nouvelle : que de changements de lieux, que de courses dans Paris, que de rencontres, jusqu'au voyage en Amérique où Tiberge, en bon ange gardien, n'hésite pas à chercher son ami égaré, comme Des Grieux a suivi Manon. Même dans les épisodes utopiques de *Cleveland,* lieux d'immobilité calme où le récit, conformément à la loi classique du genre, devrait s'effacer devant la description (l'*Eldorado* dans *Candide* y obéit strictement), on constate tout le contraire : les passions fusent, les événements se précipitent. Tout se passe comme si cette loi dynamique du roman à la Prévost le conduisait à renouveler profondément la tradition du discours utopique, transformé en récit d'aventures bourré d'énergies explosives et de péripéties.

Ces fiévreuses errances ne sont pas les expédients commodes d'un écrivain habile à vivre de sa plume. Soigneusement concertées, elles ont valeur symbolique, et à vrai dire métaphysique : autant d'images, de figurations des « agitations » inquiètes, désordonnées et aveugles qui caractérisent l'existence humaine. On comprend alors combien la pulsion constante du récit, combien l'énergie inventive définissent le génie romanesque propre de Prévost. Il suffit de le comparer à Marivaux, à Crébillon, pour s'en convaincre : même *Manon Lescaut* ne le range pas réellement dans le bataillon serré, et si français, des anatomistes minutieux du cœur humain, acharnés à en démêler, un à un, tous les fils. « [...] il s'intéresse moins à la classification des passions qu'à leur degré d'intensité et à leur manifestation tragique... » (J. Sgard, *l'Abbé Prévost. Labyrinthes de la mémoire*). Il appartient à la race si rare des romanciers imaginatifs (Balzac, Hugo). « L'invraisemblance est donc le climat naturel des romans de Prévost ; la lui reprocher serait méconnaître une des traditions les plus constantes du genre romanesque ; étrange, saisissant, paroxystique, l'invraisemblable est pris dans la trame du quotidien, il est la vérité intime du réel et le mode d'existence d'individus " uniques ", mais exemplaires » (H. Coulet, *le Roman jusqu'à la Révolution*). La vérité qu'il vise, et le plaisir proprement romanesque qu'il procure, ont partie liée avec des situations limites, des obsessions étranges et pénétrantes, des scènes inoubliables comme la mort de Manon en plein désert, sous la face du ciel et de son amant, étendu sur son corps un jour et une nuit.

L'inaccessible vérité

Cette vérité si pathétiquement quêtée, est-elle pourtant accessible ? La forme du roman-mémoires telle que Prévost la pratique dans tous ses romans (sauf deux romans historiques) l'interdit absolument. Chacun des narrateurs est enfermé dans les limites infranchissables de sa subjectivité propre. Quel que soit leur désir de sincérité, ils ne peuvent réellement se voir, se déprendre d'eux-mêmes, démêler toutes les raisons de leurs actes, assumer toutes leurs responsabilités dans la chaîne inouïe de malheurs qui les ont frappés — et qui les distinguent des êtres médiocres. Vérité toujours partiale, toujours ambiguë : chaque récit est aussi un plaidoyer, dont Prévost nous donne, avec un art admirable, à deviner les lacunes, les litotes, les lignes obliques et les roueries retorses. C'est que les narrateurs, chez Prévost, sont encore pris dans leur passion ; tous pratiquent la narration pathétique, se replongent et nous enferment au cœur de leurs égarements. On ne peut échapper au soupçon — Prévost s'y emploie magistralement — que leurs malheurs, leurs folies, leurs passions sont devenus matière à discours, filtrés par la mémoire, fascinés par l'amour de soi, embellis par la rhétorique. À l'intérieur du récit qu'il fait à l'*Homme de qualité,* on peut recenser pas moins de sept occasions où Des Grieux se raconte à différents interlocuteurs en fonction desquels il ajuste chaque fois, avec une science parfaite, son discours (on admirera particulièrement sa façon de faire avec Tiberge !). De ce chef-d'œuvre d'ambiguïté, que conclure, sinon qu'il est impossible de se connaître, de se juger ? À conscience confuse, science incertaine, mais le pathétique des confessions agencées par Prévost passe par cette subjectivité passionnée, qui cherche le vrai sans pouvoir ni vouloir jamais l'atteindre vraiment. « L'univers de Prévost, et le style qui lui est propre, c'est celui du mensonge » (J. Sgard, ouv. cit.), parce que rien d'autre ne peut résulter du roman de la mémoire qu'un récit biaisé et une apologie captieuse. Des Grieux a beau évoquer, avec quelle élégance !, sa déchéance, tout son discours tend à imposer le sentiment d'une qualité irréductible, manifestement rapportée à un statut à la fois naturel et social, acquis et inné ; la honte, le goût de la confession deviennent alors, irrésistiblement, éléments d'une stratégie de séduction et de connivence aristocratique. C'est donc bien à l'*Homme de qualité* (Renoncour), et non à Tiberge (retenu par des pirates !), que Des Grieux devait raconter son aventure, qui le dégrade et le magnifie : déchéance et assomption de la passion, qu'aucun geste de lecteur ne pourra, jamais, départager, parce qu'elles sont constitutives du récit subjectif ainsi tramé.

Ombres mortes

On comprend qu'autrui soit alors, pour la conscience narratrice, une énigme encore plus obscure, un labyrinthe plus inextricable. La mémoire anxieuse, hantée par le passé, jamais en paix avec elle-même, ne cesse de scruter un visage évanoui, de cerner l'ombre d'une morte, adorée et sans doute sourdement haïe (Fanny dans *Cleveland,* Théophé dans l'*Histoire d'une Grecque moderne,* Helena dans *la Jeunesse du commandeur,* Manon). Pourquoi l'*Histoire d'une Grecque moderne* (1740) — récit d'une fascination jalouse et d'un fantasme trouble — n'a-t-il pas l'audience que mérite un des romans les plus étonnants du XVIIIe siècle ? Ambassadeur de France en Turquie (mais rappelé pour des raisons équivoques qu'on ne démêle jamais), le narrateur a libéré du harem une jeune Grecque, Théophé, qu'il entreprend de modeler selon les normes de la féminité occidentale. Mais le désir de paternité, que justifierait la différence d'âge, se double d'un désir amoureux, qui justifierait des rapports conformes aux mœurs turques. À mesure que Théophé s'occidentalise, la jalousie du « père » désirant rêve d'un retour au sérail, d'une passivité docile et muette, qu'il a lui-même barrée. Amour et jalousie s'exaspèrent mutuellement, tandis que la vraie personnalité de Théophé se dérobe sans cesse : vertueuse ? libertine ? Le narrateur vieilli, disgracié, solitaire, ne le saura jamais : Théophé emporte dans la tombe le secret de l'énigme, le secret de la féminité fantasmée.

La Jeunesse du commandeur, 1741, se présente comme une sorte de réécriture de *Manon Lescaut.* Chevalier de Malte, le narrateur tombe amoureux d'une femme, Helena, mais il n'est plus question, comme pour Des Grieux, de tout lui sacrifier. Les flambées sensuelles ne compromettent pas sa carrière jusqu'au jour où — invention superbe — Helena se retrouve défigurée. Que la passion s'éteigne, qu'elle se rallume pour finalement déboucher non sur la mort, mais la séparation définitive (dégoût ? prudence ?) importe peut-être moins que cet avatar saisissant de l'ambivalence féminine dans le regard des hommes.

Peuple, Femme

De tels récits éclairent singulièrement *Manon.* Ils permettent de percevoir, sous le lamento admirable du chant d'amour, un des plus beaux jamais écrits, le sourd travail de dénigrement, à tout le moins de démarquage des sexes et des classes — un des enjeux majeurs du roman. Voix masculine, voix aristocratique : les deux se renforcent sans cesse, dans la même stupeur. Qu'on relise la fameuse lettre de Manon (première partie, pp. 68-69, éd. Garnier), et les réactions du Chevalier. C'est le message spontané d'une « fille » : séparation du cœur et du corps, du « travail » et du plaisir. Morale de condition, vécue comme allant de soi, et qui, comme dans le roman picaresque, soumet les valeurs nobles (ici, la fidélité, « sotte vertu ») à l'épreuve de la réalité. La lettre de Manon inscrit la sphère du corps, du besoin, de l'argent (de sa circulation), de la réalité vulgaire, acceptée comme la règle du jeu social. Manon Lescaut est bien une non-noble (ignoble). Mais elle est aussi femme. Dans son laconique et sobre billet (pas de pathos !), elle n'évoque que la faim, besoin primordial : mais on sait que Des Grieux insiste sans cesse sur son goût du confort, du luxe — traits évidemment féminins. Le corps, c'est le plaisir, la sensualité, la concupiscence, l'absence d'âme et de sens moral... Le mot « fille » entrecroise donc exactement les deux axes : social et sexuel. Pourtant, dans l'histoire du texte, de sa lecture, c'est le mythe de la féminité qui semble l'avoir emporté.

Le récit, par le narrateur, de ses réactions (paroxystiques) établit avec la lettre une série de rapports contrastés : laconisme/abondance — style non soutenu/style haut — absence de rhétorique/redondance rhétorique (modèles tragiques) — simplicité/complexité — placidité/tourment — sensation/sentiment — grossièreté/délicatesse — extériorité/intériorité — action/passion, etc.

Tout se passe donc comme si au discours « picaresque » s'opposait le discours de la conscience de qualité (complexité, singularité, intensité, délicatesse de cœur, sens moral, idéalisme amoureux, etc.). Ethos et pathos *nobles* aux deux sens du mot. La double opposition, sociale et sexuelle, fait de Manon un mystère, hors de toute norme. Ce qui était évidence aux yeux de Manon devient pour le héros monstruosité et folie.

Au cœur du rapport entre rangs et sexes différents, dont le roman nous propose le mythe fascinant, il y a donc une faille, que ce passage exhibe avec une force inégalée, précisément parce qu'il juxtapose, au lieu de les fondre en un seul discours — celui du Chevalier —, les deux sphères de valeurs. Il ne faudra pas moins que le dénuement extrême (punition de son goût extrême pour l'argent), la souffrance et la mort en plein désert (loin des villes corruptrices et des tentations sordides) pour racheter Manon. La racheter de sa double tare congénitale : être peuple, être femme.

Mais on doit aussi lire le récit des souffrances, de l'égarement (indicible !) du narrateur comme une représentation de la passion. La passion est source de désordre, de vertige, d'égarement. Le désarroi et l'agitation de l'individu saisi par la passion le rendent opaque : le moi devient insaisissable, même dans l'après-coup. Il y a donc une double énigme : qui suis-je ? Et aussi : qui est-elle ? L'autre se dérobe sans cesse au désir, qui est aussi désir de possession.

Souffrance, la passion est également délices. On passe sans cesse d'un pôle à l'autre, de la dégradation à la béatitude, du remords au regret : ce double point de vue gouverne tout le récit de Des Grieux. Au fond, on pourrait peut-être dire que la destinée de Manon consiste à entrer, de force, plus morte que vive, dans l'univers mortel de la passion — aux antipodes mêmes de sa lettre, qui dit (candidement, ignoblement) son refus de la privation, de la souffrance, du vide — bref, de la passion, signe d'élection des belles âmes en quête d'absolu.

Machines inquiètes

Ni Manon menée par la sensation, ni Des Grieux grisé par le sentiment ne monopolisent la vérité. « Être, pour tous les moralistes contemporains de Prévost, c'est avant tout sentir ; mais pour Prévost, la sensibilité ne peut trouver d'objet qui la comble. Et tandis que la vie raisonnable paraît vide et livrée à l'ennui, la vie sensible mène à des paroxysmes invivables [...] contrairement à ce que pouvait postuler Cleveland, la sagesse divine a permis que les hommes fussent exposés à des " maux sans remèdes " » (J. Sgard, ouv. cit.).

Les romans métaphysiques de Prévost interrogent sans relâche : pourquoi les passions mènent-elles au malheur ? Pourquoi les bonnes intentions n'accouchent-elles pas le bien ? Qu'est-ce que la providence divine ? Qu'est-ce que le bonheur, la liberté, l'amour, la sagesse, etc. ? Mais ils se gardent soigneusement d'apporter des réponses fermes : la fiction romanesque, d'évidence, a chez lui mission de mettre à l'épreuve les valeurs, non de les prouver.

Ces grandes questions donnent leur gravité et leur portée à ces ambitieux récits, les plus ambitieux avant *la Nouvelle Héloïse.* Nous touchent peut-être tout autant aujourd'hui, ou davantage, les étranges obsessions qui hantent cet univers romanesque hors du commun : labyrinthes de la mémoire et du cœur ; tombeaux et cavernes où reposent des corps aimés, où remonte la nostalgie des origines ; fascinations incestueuses ; délires passionnels ; vertiges de l'identité ; désirs poignants d'une transparence fraternelle sur lesquels le monde s'acharne, et que dément la parole même, trop subjective, qui en rappelle le souvenir...

VOLTAIRE
(1694-1778)

Siècle des Lumières, siècle de Voltaire : cette équivalence ne va plus de soi, mais François Marie Arouet, en soixante ans de vie littéraire, d'*Œdipe* (1718) à *Irène* (1778), a su l'imposer à toute l'Europe. Il a écrit un *Siècle de Louis XIV* (1752), et même un *Précis du règne de Louis XV*. Mais qui peut s'y tromper ? C'est bien la royauté de l'esprit qu'il travaille, de toute sa formidable énergie, à fonder et à faire reconnaître. Le roi Voltaire : l'image usée dit sans détour l'essentiel. Voltaire, pour la première fois, installe l'homme de lettres en position de puissance, et mobilise, à son profit (symbolique et monétaire), ce qu'on appellera, pour faire vite, l'opinion publique. Ne lirait-on plus rien de cette œuvre énorme (et sauf quelques textes, c'est ce qui se passe, ou presque), que le patriarche de Ferney resterait ce qu'il a fini par devenir : la première grande figure mythique de la littérature française. Le premier grand écrivain au sens moderne : modèle artistique et autorité spirituelle.

Ce statut, Rousseau le vise dès le premier *Discours* (1750) et le conquiert en dix ans. On ne sait jamais, avec Voltaire, s'il le rencontre ou s'il le poursuit. Il mêle sans cesse, dans une insatiable activité, les engagements courageux (affaire Calas et d'autres), ce qu'aucun autre philosophe n'a fait, ce qu'aucun écrivain n'avait jamais fait avant lui, et les courtisaneries sans pudeur, quasi sans raison, la philanthropie et les coups bas (c'est lui qui, couvert par l'anonymat, révèle au public l'abandon des enfants de Rousseau), les élans sublimes et les combines financières, le style haut des tragédies et les polissonneries en tous genres...

Cette absence de contrôle sur son image de marque déconcertait et irritait les têtes parisiennes du parti philosophique (Diderot, d'Alembert, etc.) ; d'autant que Voltaire maintenait inflexiblement ses convictions déistes et se battait, à partir des années 1760, sur deux fronts : contre l'*Infâme* (Église catholique) et contre les (« frères ») athées.

Voltaire déconcerte parce qu'il ne répond à aucune image convenue, parce qu'il est impossible de le faire tenir en place. Dans la même journée, on le voit prendre toutes les positions, toutes les postures, comme dans un film accéléré. Quand il se décide enfin à ne plus courir « d'un château l'autre », de Cirey à Potsdam, en s'installant aux Délices, puis à Ferney, sur les marges de la France et de la Suisse, à cheval sur les frontières, il a dépassé la soixantaine ! Candide aussi mit du temps à trouver son jardin.

Il y a en lui quelque chose de monstrueusement intelligent, et en même temps d'irrépressiblement naïf et enfantin. Cet homme qui a tout lu et tout retenu grimpe aux rideaux, de terreur, le jour anniversaire de la Saint-Barthélemy, adore les marionnettes, les mystifications, ment comme il respire, intrigue, agiote, quémande, intercède, flatte, calomnie, griffe et mord, ricane et pleure, avant d'argumenter un point de haute métaphysique ou de répéter ce qu'il a toujours dit. On l'a longtemps identifié, à la suite des romantiques allemands, à ce qu'il y a de plus desséchant, de plus destructeur, de plus superficiel dans l'intelligence française. Et il n'est certes pas raisonnable de le comparer à Diderot (une tête « allemande » selon Goethe !) et à Rousseau. Mais on pourrait être tenté, aujourd'hui que les passions et les enjeux liés à Voltaire se sont apaisés, de souligner l'énorme vitalité, jaillissante et grimaçante, du comique voltairien. Patriarche ? Allons donc ! Comédien hors de pair, jusqu'au dernier souffle (ce qui n'exclut nullement la « sincérité », mais la rend sans objet), singe couronné, fesses nues et saillie imprévisible. Il y a, au fond du comique, quelque chose de candide et d'effrayant, qu'on n'ose regarder, qui fascine et qui pétrifie. C'est sans doute ce Voltaire-là qui peut encore nous parler, le Voltaire qui joue avec les idées et les convictions, souvent sérieux, et même grave, mais qui ne survit que par l'écriture comique et l'écriture pressée. Le Voltaire sensible qui a su faire pleurer son siècle et l'Europe, le poète épique et lyrique, le rival de Racine, et peut-être même l'historiographe novateur, tout cela est devenu à peu près lettre morte, et n'intéresse plus que les historiens des formes et des idées. Ironique retour des choses : la frénésie d'écriture s'est dévorée elle-même ; le génie de la destruction a sapé l'édifice pompeux. Le plus grand champ de ruines de la littérature française, que la fourmilière des érudits ne parvient pas à ranimer. C'est la faute à Rousseau. S'il avait pu le pressentir, du haut de ses monumentales éditions complètes, Voltaire aurait fait la grimace. C'est la grimace qui reste. Nullement hideuse. Rieuse : « Je mourrai, si je puis, en riant ». Il a ri de tout le monde, et son œuvre le lui a bien rendu.

Pompe funèbre

Voltaire eut le talent précoce, et le génie tardif (comme Diderot, somme toute). Brillant élève des jésuites (il en nourrira un, à Ferney, après leur expulsion hors de France, en 1763), il commence par cultiver, à leur image, l'audace prudente dans le respect des formes classiques. Son attachement aux normes classiques ne s'est jamais démenti, même quand le siècle commençait à déborder son infatigable vieillesse. Hors de Racine (il est bien plus vétilleux dans ses *Commentaires sur Corneille,* 1761, destinés à doter une descendante du poète), pas de salut. La tragédie classique française s'identifie à la vérité, à la nature, au bon goût. Produit de haute civilisation, que les brillances d'un Shakespeare découvert à Londres, ne sauraient, malgré les éclairs de génie (reconnus), sérieusement concurrencer. Ce qui n'interdit nullement les innovations dans le traitement des sujets consacrés (*Œdipe,* 1718, joute d'entrée de jeu avec Sophocle et Corneille : démonstration de maîtrise) et dans la recherche de sujets inédits. *Zaïre,* 1732, se déroule en Palestine, au temps de la croisade de Saint Louis : sujet national, pratiquement interdit par la tradition classique et académique. Le drame historique de la seconde moitié du siècle serait donc préparé par... Voltaire. L'héroïne, Zaïre, captive née de parents chrétiens, élevée dans la foi musulmane, est déchirée entre les deux religions, entre le bonheur (elle aime Orosmane) et la foi de ses ancêtres : sujet pathétique et philosophique, qui débouche sur la mort des deux jeunes gens. Le titre de *Mahomet,* 1742, parle de soi-même, comme *Adélaïde Duguesclin,* etc. Il s'intéresse (à quoi ne s'intéresse-t-il pas ?) à la mise en scène : il voudrait remuer les spectateurs, obtenir des effets spectaculaires, en débarrassant la scène de ses perturbateurs privilégiés, en jouant sur les costumes, les décors, les tableaux, les coups de théâtre. Il déplore (Marivaux, à son habitude, n'en dit mot) l'archaïsme technique des théâtres parisiens.

Tout cela est intelligent, tout cela est habile, adroitement et facilement conçu, agréablement écrit, joliment renouvelé. La gloire de Voltaire fut d'abord celle d'un dramaturge, comme il convenait dans une stratégie de carrière ambitieuse. Mais ce théâtre, le temps l'a prouvé sans pitié, est mort et bien mort. Paresse des metteurs en scène ? Routine des acteurs ? De ces quarante et quelques pièces, n'y a-t-il vraiment plus rien à exhumer ? Les faits sont têtus, et parlent d'eux-mêmes. Talonné par Marivaux de son vivant (au moins dans la première moitié du siècle), Voltaire est maintenant totalement écrasé par son rival en comédies. Radicalement exclu du champ théâtral où il a voulu, et cru, donner le meilleur de lui-même. Naufrage sanglant d'un demi-habile, qui avait trop bien compris que tradition et modernité peuvent se renforcer et se valoriser sans risques. Voltaire a pressenti bien des choses, sans oser les réaliser ni même se donner le temps de les concevoir. Plus confiant dans le goût et l'adresse que dans l'originalité, pour ne rien dire du génie. Il a surestimé (aidé par le public) ses innovations, sans voir qu'elles ne devenaient audaces (techniques et idéologiques) que dans le cadre d'une tradition académique. Il ne suffisait pas d'injecter de l'idéologie philosophique dans le corps moribond et adulé de la tragédie classique, comme Diderot et Beaumarchais l'ont bien vu.

Le même malentendu se reproduit avec *la Henriade* (publiée par souscription à Londres, en 1728, mais dont une première version — *la Ligue* — paraît dès 1723). Succès retentissant : une soixantaine d'éditions de son vivant, soixante-sept entre 1789 et 1830. La France, qui n'a pas la tête épique, tenait enfin son Virgile. Car l'auteur et le public sont bien d'accord : une bonne épopée se mesure à l'adresse de la réécriture. Hors de l'*Énéide,* point de salut. Il est difficile de le reprocher à Voltaire : que reste-t-il de la grande machine des *Martyrs,* 1809, de Chateaubriand ? Il faut attendre *la Légende des siècles* pour rencontrer une formule neuve d'épopée moderne.

Au début de sa carrière, on le voit, Voltaire cherche et trouve la consécration dans les grands genres : tragédie, épopée, ode. Pas question de se commettre comme un Montesquieu, un Marivaux, un Lesage, un Prévost, dans ces « productions d'esprits faibles qui écrivent avec facilité des choses indignes d'être lues par des esprits solides » (*le Siècle de Louis XIV,* 1752). Les *Lettres philosophiques* (1734) ne disent mot non plus du roman anglais.

Conformisme esthétique, mais audace idéologique (et impertinence satirique), qui le rend suspect au pouvoir lors même qu'il le courtise. *Œdipe* et *la Henriade* triomphent auprès du public, mais irritent les autorités civiles et religieuses. Le premier dramaturge, le premier poète du siècle fut toujours suspect, toujours surveillé, presque toujours interdit de publication, malgré un retour en grâce (1744-1747) qui lui valut de devenir gentilhomme, historiographe du roi et académicien. Dès 1717-1718, il passe onze mois à la Bastille, pour des vers satiriques. En 1726, une altercation avec le chevalier de Rohan lui rapporte coups de bâton et exil en Angleterre (1726-1728). *Le Mondain,* 1736, l'expédie en Hollande, etc. On a peine à croire qu'à ce Parisien de naissance et d'esprit Paris fut fermé de 1750 à 1778 et qu'il n'y revint que pour mourir. Le séjour berlinois (1750-1753) ne se termine pas mieux (arrestation à Francfort, pour récupérer des papiers compromettant Frédéric II).

Intrigant gaffeur, courtisan vite insupportable, mais spéculateur avisé, il fonde d'abord son indépendance sur l'argent, avant de traiter, d'égal à égal, sur la fin, avec les puissants. Mais entre-temps, il était devenu roi des Philosophes. On simplifie sans doute, on exagère à peine en disant que les trois piliers de la puissance voltairienne au XVIIIe siècle sont l'argent prêté aux Grands, la grande poésie, et la philosophie à la portée de tous. (De tous ceux qui savent lire, bien entendu. Pas des livres, mais du travail et de saines maximes pour la populace. Les « philosophes n'écrivent point pour le peuple », *Lettres philosophiques.* Tant que le peuple ne sait pas lire, le philosophe peut réfléchir en riant, et à haute voix. Mais Voltaire fut lu sans doute plus qu'il ne le croyait).

L'Angleterre, Dieu, Voltaire et l'Histoire

Voltaire serait allé en Angleterre (comme Montesquieu) sans l'affaire Rohan. Il avait déjà ouvert le livre pionnier des Lumières — l'*Essai sur l'entendement humain,* de Locke, Locke dont il ne cessera de chanter les louanges : enfin Locke vint... D'Angleterre, outre la pratique de l'anglais (il rédige directement la version anglaise des *Lettres philosophiques,* parue en 1733, un an avant l'édition française clandestine) et l'expérience d'une société pluraliste et prospère, il ramène le projet ébauché de son premier manifeste philosophique — 1731 : *Histoire de Charles XII* ; 1734 : *Lettres philosophiques.* La grande machine voltairienne s'est mise en marche : elle ne s'arrêtera plus de produire de la prose, de la prose, et des idées.

Les *Lettres philosophiques* (titre provocant) furent brûlées : ouvrage « scandaleux, contraire à la Religion, aux bonnes mœurs et au respect dû aux puissances ». L'agencement du livre définit les grands motifs de la pensée voltairienne, qui refuse ici, contrairement aux *Lettres persanes,* toute compromission avec la fiction romanesque. De l'esprit, oui, mais pas de roman, pour la fracassante entrée de Voltaire sur la scène philosophique. On partira de ce premier texte pour tracer quelques axes de l'idéologie voltairienne.

Sept lettres (I-VII) sur la religion, plus exactement sur les sectes qui cohabitent bon gré mal gré sous la houlette de l'État, en dépit d'une religion officielle (l'Église anglicane). Tolérance et suprématie du pouvoir civil chargé de la garantir : credo voltairien fondamental, toujours bon à dire, surtout quand il est aussi bien dit. Renvoyées dos à dos par une ironie imparable, qui ricoche insidieusement sur le christianisme et la religion en général, les sectes n'incitent pas Voltaire à l'athéisme, mais à une religion raisonnable, tournée vers les vertus sociales. Religion et morale vont de pair. Le dogme divise et fanatise, la morale, inscrite par Dieu en l'homme, humanise et pacifie (*Traité sur la tolérance,* 1763, etc.).

La réflexion philosophique et historique de Voltaire n'a cessé d'être accaparée par le phénomène religieux dont la chaîne implacable (superstition, enthousiasme, fanatisme) bloque le développement de la raison, du progrès, et excite les guerres. Aider et aimer les hommes, c'est mettre l'Église hors d'état de nuire : ce sera la tâche majeure des vingt dernières années. « *Écrasez l'Infâme* » : le slogan, cri de lutte et cri de libération, apparaît en 1762, l'année où commence « l'affaire Calas ».

Quatre lettres (VIII-XI) traitent de la politique. Au terme de longues luttes civiles, une constitution a organisé en Angleterre la liberté, en balançant les pouvoirs du roi (qui peut faire le bien, mais pas le mal), des nobles et du peuple. La puissance de l'État s'appuie sur la prospérité du commerce, auquel les nobles n'hésitent pas à participer. Tableau volontairement idéalisé, qui devait attirer les foudres de la censure. Qu'on ne s'y trompe pas, pourtant : Voltaire ne fut jamais républicain ni démocrate. L'égalité (politique, sociale, et même culturelle) contredit violemment l'ordre naturel et social. Ce qu'il faut, c'est l'égalité devant la loi, mais une loi raisonnable, édictée et appliquée par le pouvoir civil, hors des griffes cléricales. Une loi humaine (*Commentaire sur le livre « Des délits et des peines » de Beccaria,* 1766, etc.). Il compte, il comptera toujours, pour promouvoir la Raison, sur un pouvoir fort et éclairé (éclairé par lui et soutenu par une petite élite : « le nombre de ceux qui pensent est extrêmement petit, *Lettres philosophiques*). Après s'être mis au service de Louis XV, de Frédéric II, il cultive le despotisme éclairé dans le potager de Ferney. Où il construit une église (à dédicace déiste : *Deo erexit Voltaire*), pendant que le château inonde l'Europe lisante et pensante de textes antichrétiens. Mais attention ! Voltaire est un réaliste, pas un hypocrite. Le suffrage universel n'a pas encore contraint idéologues et politiques au pieux mensonge égalitaire qui nous submerge.

Six lettres (XII-XVII) sur Bacon, Locke et Newton tentent de vulgariser (tâche voltairienne par excellence, dont il ne se lassera jamais) le nouvel esprit philosophique et scientifique — ce que nous avons pris l'habitude d'appeler les « Lumières ». Cette première tentative de vulgarisation de la pensée anglaise en France sera poursuivie et approfondie, lors du séjour chez Mme du Châtelet, à Cirey (1735-1744), par les *Éléments de la philosophie de Newton,* 1738, et la *Métaphysique de Newton,* 1740. La critique voltairienne de la métaphysique, entendue comme réponse chimérique à des questions insolubles, ne signifie nullement l'absence d'interrogation sur les questions essentielles, ni le renoncement à distinguer soigneusement le vrai, le faux, le probable, l'utile et l'absurde. Voltaire a toujours cru dur comme fer à certaines vérités métaphysiques, à ses yeux démontrées, et qui sont l'assise de son assurance polémique. Et d'abord l'existence de Dieu, créateur d'un monde fixe, ordonné par des lois physiques (et morales) invariables. Dieu bon géomètre, et géomètre bon, qu'il est proprement insensé d'imaginer à l'image de l'homme, et encore moins incarné, tué et ressuscité. Ce Dieu juste, sans qui le monde n'est que chaos absurde et impensable, a donné à l'homme des passions fortes et une raison imparfaite. Suffisante pour comprendre les lois morales universelles et quelques mécanismes de la nature, mais incapable de percer les causes premières, l'essence des choses et les desseins derniers de l'intelligence suprême. L'homme est-il libre ? Voltaire s'efforce d'y croire jusque vers le milieu du siècle, puis penche décidément vers le fatalisme. Candide croit à la liberté : preuve de candeur évidente. Comment s'expliquer le mal physique et le mal moral dans un univers créé par un Dieu raisonnable et juste ? Énigme insoluble, qui ne peut cependant remettre en cause l'existence d'un Être suprême et parfait — mais lointain, car responsable de l'univers. Dieu a bien du mal à distinguer, sur notre petit tas de boue, une fourmi humaine d'une autre, et il ne change pas les lois de l'univers pour sauver celle qui se noie (la raison renvoie donc le miracle à sa source impure : supercherie ou sottise).

La pensée voltairienne, dans le sillage de Newton, ne cesse d'exalter la toute-puissance divine, et donc, du même geste, de ridiculiser la prétention humaine. Le dogmatisme, passion fanatique ou infatuation philosophique, empiète sur Dieu. Le premier devoir de l'homme, l'hygiène mentale primordiale consistent à avouer son ignorance (*le Philosophe ignorant,* 1766), à reconnaître sa faiblesse, à regarder, jusqu'à la nausée, le spectacle effarant, monstrueux, des sottises et des crimes consignés dans l'Histoire (*Essai sur les mœurs,* 1756). Epistémologie et morale sont inséparables.

Dieu a fait l'univers ; Dieu a fait l'homme. La bouffonnerie suprême (faut-il en rire ? faut-il s'étrangler de rage ? c'est selon les jours, les années, les instants) consiste à croire qu'Il a fait l'univers pour l'homme.

Sept lettres (XVIII-XXIV) concernent la littérature : le théâtre (dont Shakespeare), la poésie, la considération dont jouissent les hommes à talent, les académies (comparées à celles de France). Mesurons bien l'enjeu, sous l'étroitesse apparente des choix et des normes esthétiques : il s'agit bien de promouvoir de nouveaux rapports entre l'État, la société et la culture. L'Angleterre revue et corrigée par Voltaire (un peu idéalisée, qu'importe, l'essentiel n'est évidemment pas là) propose le modèle concret, à portée de regard, d'une civilisation moderne qui appelle, chez les Français, prise de conscience et réformes pratiques.

Prospérité économique, liberté politique, tolérance religieuse, essor culturel (philosophique, scientifique, littéraire) : c'est la chaîne des Lumières, qui doit briser celle du fanatisme et des préjugés. Société ouverte, dynamique, contre société bloquée.

Le schéma, transposé sur le paradigme du temps, organise la vision voltairienne de l'Histoire. Les dates parlent d'elles-mêmes : la mutation (qui n'est nullement un reniement ni un abandon) du poète en philosophe passe par une réflexion sur l'Histoire, une des passions les plus constantes et les plus fécondes de Voltaire. Elle nourrit *la Henriade,* les tragédies historiques, *Candide* et *l'Ingénu,* d'innombrables textes de circonstance... Et elle suscite certains de ses livres les plus connus : *Histoire de Charles XII,* 1731 ; *le Siècle de Louis XIV,* 1752 (préparé dès 1732. Les premiers chapitres, publiés en 1739, sont aussitôt saisis par la police, qui soupçonne une critique de Louis XV. L'œuvre paraîtra à Berlin) ; l'*Essai sur les mœurs et l'esprit des nations,* 1756 (commencé en 1741). Le poste d'historiographe du roi, en 1745, ne fut donc pas donné à un danseur.

Voltaire met fin à la tradition antique et humaniste de l'histoire apprêtée : faux discours, trop beaux portraits... Il tente de pratiquer l'enquête auprès des témoins vivants, la quête de documents authentiques, la critique des sources. La contradiction des témoignages pourrait l'inciter au scepticisme : tradition libertine renforcée par le mépris cartésien pour l'Histoire, lieu de toutes les incertitudes, chaos d'événements douteux et sans logique nécessaire (Bayle, *Dictionnaire historique et critique*). Mais Voltaire entend — c'est là sa modernité — écrire une histoire philosophique. Ni catalogue de dates et de faits, ni récit romancé, mais les progrès et les revers de la Raison au cours du temps, l'essor et la décadence de la civilisation. Non plus l'histoire exclusive des princes et des batailles — celle des arts, de l'économie, des techniques, des mœurs. L'histoire d'un siècle (*le Siècle de Louis XIV*) ; ou l'histoire des nations (*Essai sur les mœurs et l'esprit des nations*), qu'on ne réduira pas ridiculement, comme Bossuet dans son célèbre *Discours sur l'Histoire universelle,* aux peuples appelés par Dieu à recevoir le message biblique et à faire le lit de l'Église catholique (Juifs, Grecs, Romains et Francs). D'où la place provocante des Chinois, des Musulmans, des Indiens (le même effet de décentrement fixe Candide... en Turquie après sa traversée du monde chrétien). Voltaire refusait énergiquement — pour des raisons complexes — l'image du despotisme asiatique développée par Montesquieu dans l'*Esprit des lois,* car elle implique une sorte de césure fondamentale, dans l'Histoire et les destinées de l'humanité, entre peuples libres et peuples esclaves. C'est qu'au moment même où son regard élargit magistralement le champ de l'Histoire (histoire de la civilisation, histoire de l'humanité), Voltaire est aussi confronté à l'incroyable diversité des coutumes et des lois, à la stupéfiante hétérogénéité des conduites humaines. La raison voltairienne est alors tentée, irrésistiblement, ou de rire, ou d'enrager, ou de nier, pour affirmer, sous le bariolage des coutumes, la permanence des lois morales naturelles et universelles, signe d'une raison suprême. L'*Essai sur les mœurs,* 1756, est donc à lire en parallèle avec l'*Esprit des lois,* 1748 : la raison des Philosophes, dans les deux cas, affronte le problème de la différenciation des sociétés humaines, et de la causalité historique. Il faut bien reconnaître que la réponse voltairienne, aussi brillante soit-elle, mais déclassée par les progrès de la science historique auxquels elle a contribué, supporte mal la comparaison. Le concept (Montesquieu) l'a au fond emporté sur le récit (Voltaire), la théorie sur la description empirique qui juxtapose modestement (leçon lockéenne) divers facteurs non hiérarchisés et non explicités : hasard, petites causes, grands hommes, instincts, passions, fatalité, caractère national...

L'imagination intellectuelle

Comment se fait-il que toute description, fût-elle la plus soigneuse, de l'idéologie voltairienne laisse un tel sentiment de frustration ? Immanquablement, on finit par le déclasser en le comparant à de « vrais » penseurs, Montesquieu, Diderot, Rousseau ! Ou bien, plus malencontreusement, on l'affadit, sous prétexte de le mettre au goût du jour : modèle d'esprit critique, apôtre des droits de l'homme et contre-poison du totalitarisme (?), champion de toutes (?) les libertés, etc. Baisers humides, qui ne le feront pas lire davantage, et masquent sa force inimitable : la formidable, l'effrayante puissance de frappe polémique. Une des plus redoutables machines à tuer jamais montée sur deux pieds. L'art aussi, jamais retrouvé, de ce que R. Barthes appelle justement « l'imagination intellectuelle » : « Pourquoi sommes-nous si lourds, si indifférents à mobiliser le récit, l'image ? Ne voyons-nous pas que ce sont tout de même les œuvres de fiction, si médiocres soient-elles artistiquement (Soljenitsyne), qui ébranlent le mieux le sentiment politique ? » (*le Monde,* 7 avril 1978). Tel est bien le fond du problème : l'idéologie voltairienne, dégagée du texte qui la met en scène, du rythme qui la fait danser, des inventions qui la transforment en dramaturgie intellectuelle, perd sa vie et sa force. Un seul exemple, parmi tant d'autres : l'article « Convulsions » du *Dictionnaire philosophique,* 1764 ; un pur chef-d'œuvre, qui répond assez bien à cette proposition de R. Barthes : « Voltaire part du futile, le maintient par la simple poussée de l'anecdote, mais, chemin faisant, prend en écharpe tout le sérieux du monde : l'histoire, les idées, les civilisations, les crimes, les rites, la mauvaise foi, bref, tout ce tumulte dans quoi nous nous débattons encore » (*ibid.*). Est-il si difficile de se convaincre que de tels textes sont seuls, en notre langue, capables de rivaliser avec les fables de La Fontaine ?

Il est vrai qu'il nous a laissé ses Contes, best-sellers de la lecture scolaire. Autres fables, et autre mystère : pourquoi est-il venu si tard au récit fictif, la cinquantaine passée ? Mépris de poète, de philosophe, d'historien ? On devine plutôt de la maladresse (enfin !) : lui qui triomphe d'emblée dans la tragédie, l'épopée, le texte d'idées, l'histoire, cherche en tâtonnant la formule du conte philosophique, qui n'en a pas. Plus de dix ans d'essais (mais *Zadig* dès 1748, il est vrai) avant *Candide,* 1759. Le conte philosophique n'appartient qu'à Voltaire, en ce siècle féru de contes de toutes sortes. On peut risquer quelques vérités générales. Et d'abord le refus viscéral de l'intériorité. Tout ce qui est subjectif, intime, sensible, le convulse. D'où le rejet, on a envie de dire le refoulement, de la première personne. Un narrateur sarcastique s'acharne à repousser tout contact trop direct entre le lecteur et les personnages, qu'on a toujours comparés à des marionnettes. Ils en ont en effet l'étrangeté fascinante : gestes mécaniques, voix de ventriloque. Lorsqu'il va le plus loin en direction du roman tel que son siècle l'entend, dans *l'Ingénu,* 1767, c'est pour composer un amalgame constamment grinçant d'ironie et d'émotion désamorcée. Qu'on mette en regard la mort de Julie et cette parodie superbe qu'est la mort de Mlle de Saint-Yves ! S'il n'y a pas d'âme (mais le refus de l'âme est un style et une philosophie !), il y a le monde et les idées. Le conte voltairien aime voyager, accumuler les aventures (c'est l'origine même, et la définition classique, du roman), exposer les corps (Pangloss perd un œil, comme Zadig, la Vieille une fesse, Cunégonde sa beauté, Candide ses illusions, l'Ingénu sa bien-aimée), et déposer les idées. Le premier grand dialogue philosophique de Voltaire avait commencé dans la XXVe et dernière *lettre philosophique* : Voltaire voulait en découdre avec Pascal. *Candide* s'offre le scalp de Leibniz. L'*Histoire de Jenni,* 1775, met face à face déisme et matérialisme athée, et repose le problème du Mal en termes... panglossiens. *Zadig* traitait de la Providence. *L'Ingénu* confronte Raison et Histoire, Nature et Civilisation : quel prix faut-il payer pour devenir « militaire et philosophe intrépide » ? Pour faire d'un Huron un « honnête homme » ? Lourds problèmes, qu'il revient à l'écriture comique d'aérer, à l'inventivité de renouveler. Dans ses meilleures réussites (*Candide, l'Ingénu*) Voltaire parvient alors à mettre ses propres idées à distance, à tresser plusieurs fils philosophiques dans un même texte. Le conte cumule le bénéfice de la simplicité et de la densité, de la satire explicite et de l'ambiguïté impénétrable. Le conteur et le philosophe sauvent la mise du poète, du dramaturge déchu et de l'historien dépassé.

Cher Voltaire ! Si perdu, si engourdi dans l'habit que lui tisse la communauté internationale : une édition complète et critique en... 150 volumes ! Ce roi du pot-pourri, de la Raison par alphabet (*Dictionnaire philosophique, Questions sur l'Encyclopédie, la Raison par alphabet*) aurait surtout besoin, pour élargir son public, d'anthologies, de mélanges, bref, de ce qu'on appelait au XVIIIe siècle des « esprits ».

ROUSSEAU
(1712-1778)

Chateaubriand, dans *le Génie du christianisme* (1802), fait de Pascal, pour des raisons apologétiques peu obscures, le génie le plus étonnant d'avant 1789. Admiration méritée, bien entendu. Mais que Rousseau mérite encore plus. Car il n'y a guère d'exemple d'un génie aussi fulgurant, d'une influence aussi extraordinaire à la fois sur la philosophie et sur la littérature. « Rousseau est le Newton du monde moral » (Kant). Mais Kant ajoute que, pour discuter ses idées, il lui faut d'abord oublier la magie troublante de son style ! La nouveauté radicale de Rousseau est là : philosophe rigoureux (un des plus grands qui soient) et conscience bouleversante. Ce qu'il écrit engage sa vie, et sa vie finit par nourrir toute son écriture (œuvres autobiographiques). Il exprime la subjectivité la plus brûlante sans cesser de viser l'horizon le plus universel. La quête pathétique de la vérité mobilise la Raison, mais aussi les certitudes jaillies de l'être intime — dialogue passionné qui interpelle le lecteur à un point jusque-là inconnu. Chacun de ses livres fut un coup de tonnerre dans le ciel européen. Peu d'écrivains furent aussi admirés, aussi contestés, aucun n'a été aimé comme Rousseau. Peu d'œuvres suscitent des débats aussi contradictoires et aussi vifs.

C'est que, chez Rousseau, rien n'est mou, rien n'est fade, rien n'est triste et conventionnel. « J'aime mieux être homme à paradoxes qu'homme à préjugés » (*Émile*). Penseur impérieux, percutant, dramatique — poète aussi de la passion, de l'analyse intérieure, du mal de vivre : à la source, incontestablement, de la pensée et de la littérature modernes.

Lecteur, encore un effort !

Lancé sur les routes d'Europe dès l'âge de seize ans, Suisse de cœur, Français d'adoption, autodidacte, passionné par la musique, intéressé par la chimie, séduit par la philosophie, réduit à des travaux de librairie et à des leçons de solfège, Rousseau aurait pu, comme tant d'autres, grossir les rangs de la bohème intellectuelle parisienne, en rêvant de succès mondains et artistiques, de places lucratives, ou d'évasions vers des ciels plus purs. Son destin se noue, un jour d'octobre 1749, sur la route poudreuse du donjon de Vincennes, où Diderot réfléchit sur l'imprudence en matière de philosophie. Il tombe, dans *le Mercure de France,* sur la question proposée en concours par l'académie de Dijon : « ... si le rétablissement des sciences et des arts [en termes actuels : la civilisation] a contribué à corrompre ou à épurer les mœurs » (entendons : la morale). « À l'instant de cette lecture, je vis un autre univers et je devins un autre homme » (*les Confessions*).

Scène inaugurale, emblématique, où se rassemblent quelques signes essentiels de l'univers rousseauiste. Rousseau naît à la philosophie et à la littérature à 38 ans, sous un arbre, le dos tourné à Paris, capitale des sciences et des arts, du luxe et du vice, centre d'un grand État monarchique, sous l'impulsion du hasard secondé par deux institutions majeures de l'Europe des Lumières : le journal et l'académie. Faut-il oublier la prison, qui se dressera aussi sur sa route, après *Émile,* jusqu'à prendre le visage fantastique d'un complot universel, destiné à le perdre, et dirigé par... Diderot ?

Expérience cruciale d'une illumination intérieure, d'une révélation foudroyante, qui dévoilent « toutes les contradictions du système social... » et, du même coup, transforment la personne. La vérité sur l'homme et la société passe par un nouveau rapport à la vérité et à la parole, et suppose l'irréductible singularité de celui qui ose déchirer les voiles et arracher les masques. Entrant — pour son malheur, n'a-t-il cessé de répéter — dans la carrière et la mêlée littéraires, Rousseau s'installe, du premier coup et pour toujours, dans la dialectique de la solitude et de la communauté. L'illumination de Vincennes met en place, d'entrée de jeu, la structure du paradoxe. La parole prophétique vise à régénérer les hommes en dénonçant la société ; la célébrité récompense la provocation, mais risque de piéger l'auteur et de transformer son cri en jeu rhétorique, en adresse carriériste ; la personne est alors appelée à légitimer les idées : c'est la fameuse réforme de 1751, qui tente d'accorder philosophie et mode de vie ; elle n'échappe évidemment pas au même reproche, et relance l'approfondissement du « système », ce qui mène inéluctablement Rousseau à combattre tout autant ses amis encyclopédistes que les Églises et les grands États (1750-1762) ; pour se justifier des accusations qui pleuvent, il lui faut révéler sa nature vraie (*les Confessions, Dialogues*) ; mais cette plongée en lui-même finit par l'absorber et l'apaiser : l'écriture sur soi et pour soi finit par calmer les tourments nés de l'écriture (*les Rêveries du promeneur solitaire*).

Tout, chez Rousseau, peut facilement se réduire en paradoxes : un roman couronne la dénonciation des arts, le pédagogue de l'*Émile* abandonne ses enfants, le philosophe de la liberté propose la peine de mort pour les athées de sa cité idéale, etc. La liste se multiplie sans peine et permet des effets caustiques ou rhétoriques assurés.

Mais s'agit-il de contradictions logiques, d'incohérences conceptuelles flagrantes, ou de tensions dynamiques et déchirantes, de pôles de valeurs impossibles à sacrifier, difficiles à concilier, qui traversent l'œuvre et la vie ? Loin d'amoindrir la stature de Rousseau, ces couples de valeurs vécues et pensées sur un mode dramatique, dans une exigence de sincérité et de lucidité radicales, sont le tissu même du rousseauisme et la raison de sa fécondité théorique et pratique.

Rien ne serait pire que de s'autoriser de ces tensions évidentes pour camoufler les lectures malveillantes (nombreuses !), ou simplement paresseuses, en autant de contradictions ; ou pour rapporter benoîtement les inévitables difficultés théoriques de toute œuvre philosophique aux pulsions existentielles; aux émotions d'une âme rêveuse. L'incroyable effort intellectuel d'un des plus grands penseurs mérite qu'on ne prononce le verdict de « contradiction » qu'en désespoir de cause, et sous bénéfice d'inventaire ! Qu'on retarde le plus possible le recours à la psychologie ridée ou à la psychanalyse débridée. De tels textes attendent d'abord de nous l'effort de tendre, de toutes nos forces, vers ce que Rousseau n'a cessé de proclamer : la cohérence et la rigueur de sa pensée. Ce qui suppose la prise en compte des logiques d'ensemble et de la spécificité des textes. Rien ne sert, par exemple, de plaquer (mécaniquement) sur *les Confessions* la grille du *Discours sur l'origine de l'inégalité*.

Penser le malheur

« Ainsi toute la face de la terre est changée, partout la nature a disparu ; partout l'art humain a pris la place ; [...] le philosophe cherche un homme et n'en trouve plus ».

« Je vois des peuples infortunés gémissant sous un joug de fer, le genre humain écrasé par une poignée d'oppresseurs, une foule affamée, accablée de peine et de faim, dont le riche boit en paix le sang et les larmes, et partout le fort armé contre le faible du redoutable pouvoir des lois ».

« Ce qui fait la misère humaine est la contradiction qui se trouve entre notre état et nos désirs, entre nos devoirs et nos penchants, entre la nature et les institutions sociales, entre l'homme et le citoyen ; rendez l'homme un, vous le rendrez heureux autant qu'il peut l'être. Donnez-le tout entier à l'État ou laissez-le tout entier à lui-même, mais si vous partagez son cœur vous le déchirez ».

Ces quelques phrases permettent d'entendre l'effet Rousseau. Et d'abord l'éloquence et la conviction passionnée, sans équivalent dans le milieu encyclopédiste. Rousseau fut d'abord une voix, dérangeante et prophétique, ardente. Le regard confiant des Lumières (tout ne va pas bien, mais tout ne va pas si mal...) tombe brusquement, avec Rousseau, sur un tableau violent, dramatique : dénaturation, oppression, misère, malheur, iniquité. Protégé par des grands et des riches, sans doute, et comment faire autrement ? Mais, incontestablement, pas de leur monde, et nullement fasciné ou compromis. Il y a, dans cette voix inoubliable, un accent âprement républicain, et même plébéien. La couverture du *Discours sur l'origine de l'inégalité* (1755) l'affiche : *J.-J. Rousseau, citoyen de Genève.* Qui vit en copiant de la musique, sans valet, en ménage avec une lingère illettrée (Thérèse Levasseur).

La dramatisation n'est pas un effet de surface, un drapé rhétorique et déclamatoire. Comme chez Pascal, c'est l'intransigeance et l'audace qui font la force formidable du philosophe et de l'écrivain. La pensée pense le monde selon des oppositions radicales (état de nature/état de société ; nature/histoire ; homme de la nature/homme de l'homme ; homme/citoyen) ; elle débouche sans effroi sur des propositions inouïes, qui laissent le lecteur pantois (*Émile, Du contrat social, la Nouvelle Héloïse, les Confessions*).

D'où vient le malheur de l'homme, partout constatable ? De son entrée en société, qui est aussi entrée dans l'Histoire. La sociabilité n'appartient donc pas à la nature même de l'homme, elle n'est pas naturelle : contre-pied de toute la philosophie des Lumières, paradoxe déroutant. C'est ce que figure la réinterprétation de l'état de nature (hypothèse philosophique, nécessaire pour distinguer ce qui, en l'homme, est originaire de ce qui est acquis) : l'homme de la nature vit seul, sans langage, sans raison, sans moralité, vide de tout projet et de tout souvenir, dans l'immédiateté de ses besoins et de ses plaisirs : bon, libre, heureux, comme peut l'être un animal, dans la dépendance exclusive de la nature. Inaccessible à la division intérieure, à l'inégalité, à l'oppression. Bloc de paix brute, adhésion totale à soi-même, en chaque point et chaque instant. Horizon originaire, dont on peut retrouver la trace, à jamais perdue, dans la transparence de la société idéale (*Du contrat social*), dans la solitude pacifiée (*les Rêveries du promeneur solitaire*).

L'institution de la société devient alors une énigme (pas de société sans langage, pas de langage sans société), dont le *Discours sur l'origine de l'inégalité* tente de rendre compte. Elle débouche d'abord sur une phase de bonheur idyllique, une sorte d'âge d'or (second *Discours, Essai sur l'origine des langues*) : c'est le second état de nature, sorte d'intermédiaire, fragile et miraculeux, entre état de nature et état social, détruit par le développement de l'inégalité sociale, l'invention de la propriété et de l'État. Commence le cycle de la dénaturation : l'homme de l'homme remplace l'homme de la nature — souffrance, injustice, violence. L'état social est un état de guerre permanent, entre États, entre classes, entre individus, entre instances de l'individu.

Un concept postérieur à Rousseau résume exactement le sens de ses admirables analyses, à la fois psychologiques, morales, sociales et politiques : l'aliénation. L'homme s'est disloqué, il a partout substitué le paraître à l'être, le masque à la vérité, l'opacité à la transparence. Corruption morale et oppression sociale sont vécues comme allant de soi, paisiblement acceptées par tous. Mais cet aveuglement, cette inversion des valeurs n'apportent nullement le bonheur, car l'amour-propre, qui s'est substitué au légitime et naturel amour de soi (l'instinct de conservation), oblige chacun à chercher constamment son plaisir dans le regard des autres, dans la surenchère des comparaisons : quête sans fond, épuisante et désespérante, totalement illusoire, mais qui définit le fonctionnement de la machine sociale (c'est par là, et par là seulement, que *les Liaisons dangereuses* relèvent du rousseauisme. Tout se passe comme si Laclos réinventait le libertinage selon les descriptions rousseauistes de l'état de guerre social).

Faut-il revenir en arrière, réapprendre à marcher à quatre pattes, comme le dit plaisamment Voltaire ? Question et reproche absurdes. Parce que c'est impossible. Et parce que la socialisation de l'homme lui a apporté la raison, le langage et la moralité. L'homme est devenu un être perfectible. En perdant à jamais la bonté aveugle de la brute naturelle, il peut accéder à la moralité, à la vertu, à la sagesse, c'est-à-dire à la maîtrise volontaire, douloureuse mais exaltante, de ses désirs, à l'ordre supérieur de la conscience. Il lui faut se saisir des instruments de son malheur pour inventer le bonheur et se réunifier. L'anthropologie débouche sur la politique, la pédagogie et la rêverie, par les chemins croisés du traité politique (*Du contrat social,* 1762), du traité philosophique déguisé en traité d'éducation (*Émile,* 1762), du roman philosophique (*la Nouvelle Héloïse,* 1761), tandis que *les Rêveries du promeneur solitaire* (commencées en 1776, publiées en 1782) racontent, dans le mouvement même de leur écriture, l'unité enfin trouvée de Jean-Jacques et de Rousseau, le bonheur de la coïncidence réalisée en soi et pour soi dans la plénitude de l'instant.

« Tenir exactement fermées les portes... » *(Dialogues)*

Rousseau l'a dit et répété : *Émile* est son livre le plus important, et ce n'est pas « un vrai traité d'éducation » à l'usage de parents angoissés. « Pour accorder ce principe [l'homme est naturellement bon] avec cette autre vérité non moins certaine que les hommes sont méchants, il fallait dans l'histoire du cœur humain montrer l'origine de tous les vices. C'est ce que j'ai fait dans ce livre... » (lettre à Cramer, 1764). Il s'agit donc d'une somme philosophique, d'un traité sur l'homme, d'une Genèse de l'homme. La bonne éducation consiste à empêcher les vices de naître en leur fermant les portes : « La bonne éducation doit être purement négative » (*Dialogues*). D'où la fiction, la robinsonnade philosophique d'un couple isolé de tout — le maître et l'élève — afin d'engendrer un homme homogène : « Rendez les hommes conséquents à eux-mêmes, étant ce qu'ils veulent paraître et paraissant ce qu'ils sont. Vous aurez mis la loi sociale au fond des cœurs, hommes civils par leur nature et citoyens par leurs inclinations, ils seront uns, ils seront bons, ils seront heureux... » (*Fragments politiques*). On mesure le paradoxe renversant, typiquement rousseauiste, et qu'il est évidemment comique de lui retourner : préparer à la vie sociale en dehors de toute vie sociale ; préparer à la liberté sous la conduite d'un précepteur qui sait tout, prévoit tout, agence tout. « Je lui laisse, il est vrai, l'apparence de l'indépendance, mais jamais il ne fut mieux assujetti, car il l'est parce qu'il veut l'être » (*Émile*), dit-il d'Émile devenu adulte. Bien entendu, la chaîne des paradoxes ne s'arrête pas là : fonder l'éducation sur la nature, c'est la fonder sur l'amour de soi, principe antérieur à la Raison, loi naturelle de tous les êtres. Si « l'homme naturel est tout pour lui », comment en faire un « homme civil », « une unité fractionnaire » de la société ? Et comment accorder un homme élevé selon la nature à des sociétés corrompues ?

Cet individu extraordinaire, ni français, ni anglais, etc., mais *homme,* n'accepte aucune norme non validée par la raison. Son bonheur n'est pas fondé sur l'opinion et la comparaison, il ne dépend que de lui et résiste à tous les coups du sort (une suite romanesque devait le rendre esclave des Barbaresques...). L'éducation (négative) d'un homme exclusivement homme est donc gérée par l'idée d'autonomie, dont on retrouve l'équivalence dans l'état de nature.

Mais l'autonomie se décompose elle-même : l'enfant est un être autonome dont il faut respecter la spécificité radicale. La raison n'est pas plus innée dans l'individu que dans l'espèce. La puberté va servir de frontière : avant, âge de la nature et de la sensation, du contact avec les choses hors de tout rapport social et de tout raisonnement. Après, âge de la société et du sentiment. Coupure évidemment dramatisée, abstraite, philosophique, qui souligne avec une force incroyable la succession des stades et des instances : corps, puis intelligence, puis cœur (sensation, raisonnement, sentiment). L'éducation négative consiste à respecter ces stades, à ne pas forcer le temps (on retarde au maximum le contact avec les livres, sauf *Robinson Crusoë,* la religion est ignorée jusqu'à la puberté) pour en gagner, et surtout pour laisser l'enfant, en chacune de ces étapes, jouir d'un bonheur qui ne reviendra plus.

Il restera à Émile à rencontrer la Femme (Sophie, bien entendu choisie par le Précepteur, et élevée selon d'autres principes, car les sexes ne sont pas égaux, mais complémentaires), et, par elle, la perversion de la grande ville où Sophie devait tromper son jeune époux !

Car Rousseau invente du même mouvement la théorie du citoyen (*Du contrat social*) et la théorie de la domestication féminine (*Émile,* livre V). L'un ne va pas sans l'autre, l'espace de la Cité circonscrit l'espace du foyer. L'épouse du citoyen ne peut pas trôner dans les salons. La femme n'est reine (inversant l'ordre naturel des sexes) que dans les sociétés monarchiques, qui féminisent les hommes en les assujettissant.

« Donnez-le tout entier à l'État »

« Donnez-le tout entier à l'État ou laissez-le tout entier à lui-même, mais si vous partagez son cœur vous le déchirez » (*Fragments politiques*). *Émile* raconte ce que veut dire laisser l'homme tout entier à lui-même. Le *Contrat social* raconte le citoyen. Deux chemins de l'unité. Évidemment inséparables : « Ceux qui voudront traiter séparément la politique et la morale n'entendront jamais rien à aucune des deux » (*Émile*) ; mais pas toujours faciles à relier sur tout leur parcours.

Faire de l'homme un citoyen, c'est le dénaturer, puisque la nature l'a voulu indépendant, tourné exclusivement vers lui-même. Cette dénaturation doit être totale : « S'il est bon de savoir employer les hommes tels qu'ils sont, il vaut beaucoup mieux encore les rendre tels qu'on a besoin qu'ils soient ; l'autorité la plus absolue est celle qui pénètre jusqu'à l'intérieur de l'homme, et ne s'exerce pas moins sur la volonté que sur les actions. Il est certain que les peuples sont à la longue ce que le gouvernement les fait être » (*Discours sur l'économie politique*). Et l'on sait assez que le *Contrat social* prévoit expressément une religion d'État imposée, et sanctionnée par la peine de mort ! Primat du politique et exaltation de l'État, dont l'Histoire nous a appris depuis à mesurer le pouvoir de fascination et la puissance mortelle ? Rousseau « totalitaire » ? La question est pendante depuis la Terreur.

Commençons moins dramatiquement, avec R. Derathé, par définir l'originalité de Rousseau au regard de la tradition du droit naturel, horizon de sa pensée. Pour le droit naturel, le pacte social apporte la conservation (des biens, des personnes) en mettant fin à l'état de guerre. Le propre de Rousseau est d'ajouter : la liberté. Les hommes s'unissent, et donc s'assujettissent, pour rester libres. Il y a accord de l'obéissance et de la liberté : c'est le paradoxe inouï de la loi qui, s'appliquant à tous, ne lèse personne. Cet accord se réalise dans la souveraineté, c'est-à-dire la volonté générale, qui n'agit que par la loi, et donc rétablit l'égalité originelle. La souveraineté est donc inaliénable, inattachable à un ou plusieurs individus. Alors que, pour le droit naturel, la souveraineté du peuple est seulement originaire : le pacte social la transfère de chaque particulier (état de nature) au Prince (un ou multiple). La liberté s'aliène (totalement ou en partie). Pour Rousseau, une liberté qui s'aliène rend le contrat illégitime, nul. Le seul État légitime est donc républicain : nouveauté absolue, qui fait de lui le théoricien de la démocratie. La souveraineté du peuple n'est plus seulement originaire, elle doit s'exercer constamment. Mais cette démocratie n'est pas représentative : seul le peuple a droit de légiférer. Il revient au gouvernement d'appliquer les lois. Cette distinction du souverain et du gouvernement est tout à fait nouvelle et autorise un classement inédit des formes de gouvernement.

Autre nouveauté radicale : pour Locke et Pufendorf, l'État remplit sa mission quand il assure la sécurité des biens et des vies. Chez Rousseau, l'État assume une fonction grandiose, le développement intellectuel et moral de l'homme : « Nous ne commençons proprement à devenir hommes, qu'après avoir été citoyens... » (*Manuscrit de Genève*). Il est le premier à souligner si fortement le primat du politique. Mais n'oublions pas, avant de frissonner, que cet hymne ne chante pas l'État, monstre froid : il célèbre le passage de l'état de nature à l'état social, la socialisation de l'homme qui, en l'arrachant à la nature, le fait accéder à l'intelligence et à la moralité.

Théoricien de la liberté, donc, mais nullement du libéralisme (Locke, Montesquieu). Chacun, dans le pacte social, abandonne ses droits particuliers ; l'égalité (relative) est une condition de la liberté, qui serait menacée par l'existence de particuliers trop riches ou trop pauvres. On a le droit, bien entendu, d'opposer démocratie et liberté, égalité et liberté : c'est le propre de la pensée libérale. Mais elle n'a pas forcément le monopole de la liberté. Reste que le dialogue de l'*Esprit des lois* et du *Contrat social* n'a rien perdu de sa force. Car la souveraineté populaire telle que Rousseau la définit — inaliénable, indivisible, infaillible, absolue — peut à juste titre inquiéter. Mais sur quoi fonder, en droit et en théorie, les limites de la souveraineté du peuple ? La grandeur inimitable de Rousseau, comme toujours, est de mettre à nu les paradoxes, les cercles, les incompatibilités. Il force à penser les apories, les contradictions, les difficultés apparemment insolubles de la théorie politique moderne, c'est-à-dire, comme il fut le premier à le voir, de la démocratie. Et notamment ce nœud troublant : le partage de la souveraineté entre tous les citoyens empêche de poser une limite pensable au pouvoir de la volonté générale ! Ou bien cet autre paradoxe : le désir de faire coïncider morale et politique dans l'unanimité des consciences débouche sur la proposition logique de tuer les athées !

Plutôt que de ricaner ou de s'indigner, chacun aurait peut-être intérêt à méditer ces étranges paradoxes du premier théoricien de la liberté démocratique.

Dialogue solitaire

On le voit, Rousseau se bat sur tous les fronts. Aux Philosophes, ses anciens amis, il reproche de jouer avec la vérité, de la vendre aux riches et aux puissants, de défendre une société corrompue et inique, de nier l'existence de Dieu et l'immortalité de l'âme, seules ressources des opprimés et des malheureux. Rhéteurs, qui n'osent pas payer le prix de la vérité comme Jésus, comme Socrate ; menteurs, qui osent faire croire que le malheur de l'homme ne tiendrait qu'à la fourberie des prêtres.

Aura-t-il le soutien des Églises ? Nullement. *La Profession de foi du vicaire savoyard,* dans *Émile,* si elle transporte le déiste Voltaire, attire les foudres des catholiques et des protestants. *Émile* et le *Contrat social* sont brûlés à Genève, Rousseau doit quitter Paris. Le gouvernement de Berne l'expulse. C'est que les Églises sont garantes de l'ordre politique et social. Déiste et républicain : c'est trop. Rousseau découvre, effaré, que les pasteurs genevois lui préfèrent… Voltaire !

Mais il n'est pas hors des Lumières. Il force les Lumières à s'interroger sur la nature, la société, le bonheur, la religion, l'histoire, la raison et le sentiment, le peuple et l'intellectuel, l'individu et la communauté, la littérature et les arts. Prodigieuse fonction critique, sans laquelle les Lumières perdraient beaucoup de leur grandeur. Tensions de Rousseau, tensions des Lumières, dominées par le dialogue des deux frères ennemis, Diderot et Rousseau.

« ... Une espèce de roman »

Oui, le « vertueux citoyen de Genève », le dénonciateur des romans a dû se résoudre à écrire « une espèce de roman », à dénouer, par l'écriture de fiction, une crise intérieure insupportable (1756). Il se console de ses « folies » par un coup d'audace dont il a le secret : fondre en un seul bloc le chant d'amour le plus passionné jamais entendu, la morale et la philosophie ! Faire de *la Nouvelle Héloïse,* parallèlement à *Émile,* une somme du rousseauisme, c'est un paradoxe dont nous avons perdu la mesure ! Le succès fut immense, prodigieux, et *la Nouvelle Héloïse* resta, pendant près d'un siècle, le modèle auquel se mesurer.

La double tradition de la lettre amoureuse (*Lettres portugaises*) et de la lettre d'idées (*Lettres persanes, Lettres philosophiques*) autorise d'admirables débats sur le suicide, l'opéra, l'éducation des enfants, la gestion d'un domaine, la religion, le mariage, etc., en alternance avec le duo amoureux. Ces débats ne sont ni des dissertations ni des digressions. Ils n'encombrent pas le roman, en dépit du culte français pour *la Princesse de Clèves* et « l'ordre classique » : il suffit de songer à Goethe, à Dostoïewski, à Tolstoï, à Musil, à Th. Mann, à Proust... Ils constituent un élément fondamental du plaisir et de l'esthétique romanesques. Les personnages de *la Nouvelle Héloïse* se disent autant par leurs idées que par leurs sentiments. Comme Rousseau, et comme chacun de nous.

Roman moral par la sublimité des propos, qui prennent la place des aventures extraordinaires censées jusque-là caractériser le genre. Mais roman moral aussi par l'incroyable audace du schéma narratif : à la passion brûlante qui jette la jeune Julie d'Étange dans les bras du plébéien et pauvre Saint-Preux (son précepteur) succèdent la description du ménage de Julie, mariée avec un philosophe froid, âgé et athée, M. de Wolmar, dans leur domaine suisse de Clarens, et le retour, qui ne fait rire que les sots, de Saint-Preux à Clarens.

M. de Wolmar, qui sait l'amour passé des deux jeunes gens, et qui connaît la vertu de Julie, entreprend en effet de leur faire découvrir qu'ils s'aiment sans s'aimer : Saint-

Preux aime Julie, qui est devenue en fait Mme de Wolmar, mère et épouse. Le temps, en transformant les êtres, a tué la passion, il reste à tuer la mémoire par la présence. M. de Wolmar, on le voit, est un homme d'ordre et de méthode, chez qui la raison a anéanti tout sentiment. Philosophe parfait, maître de lui et des autres, manipulateur infaillible, l'égal du Précepteur d'Émile ou du Législateur quasi divin du *Contrat social,* chargé d'instituer la société.

Alors éclate le coup de génie de Rousseau, le moment déchirant, inoubliable, du roman. Si Saint-Preux semble en effet sur le point d'oublier sa passion et sa brûlure dans l'ordre apparemment immobile de Clarens, Julie, la vertueuse, la discoureuse Julie ne peut ni ne veut « guérir ». Le temps n'a pas vraiment triomphé des cœurs. Le bonheur de Clarens a épuisé sa plénitude. Julie obtient la mort qui la délivre de ses tentations, et qui éternise l'amour de Saint-Preux. La raison manipulatrice et masculine de M. de Wolmar a oublié l'ordre du désir et du sentiment. M. de Wolmar rencontre enfin la souffrance et la nostalgie, signes et sources d'humanité. Son échec ne peut manquer d'interroger en retour l'ordre de Clarens, première utopie de la vie privée.

Il faut lire *la Nouvelle Héloïse,* un des plus sublimes romans français ! Inépuisable, insondable. Car la prolixité des discours explicites masque des non-dits fascinants, sur le sexe, les divisions sociales, la politique, enfouis sous l'harmonie trompeuse de Clarens.

« Intérieurement et sous la peau »

À l'enquête philosophique, achevée, en un effort prodigieux, entre 1753 et 1762, succède, fondée sur un besoin de justification, une quête autobiographique, qui va occuper le reste de son existence. De la philosophie à l'autobiographie, le chemin semble obligé : « D'où le peintre et l'apologiste de la nature, aujourd'hui si défigurée et si calomniée, peut-il avoir tiré son modèle, si ce n'est de son propre cœur ? Il l'a décrite comme il se sentait lui-même » (*Dialogues*...). De même que la naissance de la société reste un mystère qui suppose, dans le *Contrat social,* l'intervention d'un législateur quasi divin, le dévoilement rousseauiste de vérités cachées à tous les hommes suppose la médiation d'un individu inimitable. Mais c'est la révélation, par Voltaire, de l'abandon de ses enfants qui déclenche la rédaction des *Confessions* (1764-1769), publiées en 1782 pour les six premiers livres, en 1789 pour les autres.

Livre proprement extraordinaire, même si l'on n'en fait pas (question disputée) la première autobiographie moderne. Rousseau entreprend de « tout dire », dans un effort de sincérité sans aucun précédent, et véritablement scandaleux aux yeux du monde et de l'intelligentsia. C'est qu'il s'agit de comprendre et de faire comprendre la genèse d'un individu saisi dans sa spécificité irréductible, son unité mystérieuse : « Je veux montrer à mes semblables un homme dans toute la vérité de la nature » (*les Confessions*). Exhibitionnisme fessier, masturbation, incontinence urinaire, timidité sexuelle, etc., rien n'est considéré comme futile, honteux ou ridicule (même si Rousseau manie ici l'ironie avec beaucoup d'adresse). Tout fait sens. Mais Rousseau ne se contente pas d'accumuler détails et souvenirs. Le livre est soigneusement distribué : six livres pour la jeunesse errante ; six livres pour la carrière publique. Entre les deux, la coupure, symbolique et dramatisée, qui sépare la jeunesse obscure et heureuse de l'entrée en littérature, ou plutôt de la chute dans l'écriture, source de gloire et de malheur.

Là n'est pas cependant le plus intéressant. Ce qu'il y a de radicalement nouveau, dans *les Confessions,* ce sont les six premiers livres, c'est-à-dire la reconstitution, par l'introspection, des structures de la personnalité. Rousseau met alors en lumière, pour la première fois, l'importance décisive de l'enfance, des premières expériences sociales, sexuelles, culturelles... Il inscrit, pour la première fois, dans la genèse de la personne, l'expérience de l'irréversible (ex. : la fessée).

Toute la personne et toute l'œuvre de Rousseau se trouvent ainsi condensées dans le livre I, sans doute le préambule le plus fort que jamais autobiographe ait conçu. Mais il parvient aussi à masquer ce travail de reconstruction dans des scènes et des anecdotes, à évoquer, avec une virtuosité peu commune, les hasards, les errances, les tâtonnements, les tentations d'une enfance et d'une adolescence vagabondes, et pourtant fondamentalement, indiciblement heureuses. Acuité sans précédent de l'auto-analyse portée en sous-main par les grands thèmes rousseauistes, sincérité jusque-là sans exemple, poésie du bonheur et du souvenir : ces six premiers livres sont sans doute le chef-d'œuvre de l'autobiographie. La temporalité, si importante dans la philosophie de Rousseau, jouait un rôle décisif et inédit dans *la Nouvelle Héloïse. Les Confessions* peuvent passer pour le premier roman d'apprentissage. Mutation majeure du roman-mémoires.

Bien que posthumes, *les Confessions* s'adressent au public. *Les Rêveries du promeneur solitaire* (1776-1778, publiées en 1782) ne cherchent plus à plaider. Rousseau s'est apaisé, réconcilié avec lui-même et le monde. Entre le bonheur de l'immédiateté vécue et l'écriture, plus d'écart ni de tension. La rêverie est une promenade, une jouissance, qui se dit par le lyrisme d'une prose musicale, poétique. La solitude n'est plus subie ni revendiquée : elle est devenue bonheur, bonheur d'exister et d'inventer une langue inconnue. Le philosophe de l'aliénation, de la division, est enfin parvenu à éprouver ce qu'il avait toujours conseillé aux hommes : jouir du présent, savourer sensations et sentiments, dissiper les inquiétudes, bref, unifier les instances de la personne (cœur, corps, âme) et retrouver, comme à l'âge d'or, une langue qui fût aussi un chant accordé au monde.

La dialectique de la solitude et de la communauté, de la transparence et de l'obstacle, qui domine l'œuvre et la vie de Rousseau, semble ainsi trouver son point d'achèvement et d'apaisement. Au terme de ce parcours, Rousseau apparaît comme un exceptionnel inventeur de formes et d'idées, don rarement accordé à un seul homme. Sa force tient peut-être à sa position marginale : Genevois et Français, protestant et catholique, autodidacte surcultivé, musicien et écrivain, philosophe et artiste, intellectuel hostile aux intellectuels, plébéien en mal de peuple selon son cœur, religieux sans Église, amoureux sans femmes, etc. Mais la marginalité se renforce d'un travail incessant sur les limites, les tensions, les contradictions, les paradoxes. Ce qui caractérise le style de cet homme si gauche et timide dans la vie, c'est incontestablement une formidable audace. Il imprime à la philosophie des Lumières, qu'il partage et qu'il critique, qu'il intègre et qu'il dépasse, une mutation décisive. Il donne corps à une nouvelle approche de la personne, de son rapport aux autres, au monde, à soi. Cette faille des Lumières, les contemporains ont aussitôt voulu la combler. Ils ont rêvé, éperdument, de réconcilier Rousseau et Voltaire. Dès 1767, dans une suite apocryphe, Candide les rencontre... au Danemark, terme de sa traversée du monde des Lumières !

DIDEROT
(1713-1784)

Diderot et Rousseau dominent le siècle. De la tête et des épaules. Comme penseurs et comme artistes. Michelet, à son habitude, a sans doute dramatisé leur rupture (1758). Mais, comme d'habitude, il touche du doigt la douleur secrète, la fracture des Lumières à jamais béante.

Ils se sont rencontrés en 1742, au café de la Régence, ont échangé amis, relations, idées, et partagent leur vie avec deux lingères, qu'il serait décent de nommer : Antoinette Champion (épousée dès 1743), Thérèse Levasseur (qui devint Mme Rousseau en 1768). Rousseau abandonne ses enfants (pratique courante) ; la Nature, siège d'inépuisables métamorphoses qui brassent la vie et la mort — c'est le noyau de la philosophie de Diderot —, enlève les trois premiers enfants du ménage, avant la naissance d'Angélique, tant aimée, tant célébrée, la première biographe de son père.

Philosophe athée et matérialiste, philosophe de la jouissance, Diderot a charge d'âmes, et le sens du devoir : le donjon de Vincennes (juil.-nov. 1749, pour la *Lettre sur les aveugles*), d'où le tirent les libraires commanditaires de l'*Encyclopédie,* vaut une leçon de physique expérimentale. Il ne l'oubliera pas, et s'avancera masqué. Il se cache et se disperse dans le labyrinthe monstrueux de l'*Encyclopédie,* qui l'absorbe près de vingt ans. Il prodigue les flammes de son éloquence — encore plus anonyme — dans une autre entreprise collective des Lumières : l'*Histoire des deux Indes,* 1772, de l'abbé Raynal (il a fallu attendre le milieu du XXe siècle pour cerner exactement sa participation). Il aide son ami D'Holbach à rédiger *le Système de la nature,* 1770, bréviaire du matérialisme. Il alimente la *Correspondance littéraire* de son ami Grimm, destinée à informer quelques centaines de têtes européennes, peu ou prou couronnées, de l'actualité parisienne (les *Salons* y paraîtront au rythme d'un tous les deux ans, à partir de 1759 ; ainsi que *Jacques le Fataliste* de 1778 à 1780).

Sur les trottoirs de l'Histoire

Il garde sous le manteau, jusqu'à sa mort, soigneusement révisées, ses œuvres les plus originales : *le Rêve de d'Alembert* (1769, publié en 1830) ; *Jacques le Fataliste* (commencé en 1765, publié en éd. posth. en 1796), *la Religieuse* (commencée en 1760, publiée en 1796) ; les *Lettres à Sophie Volland* (amputées des 134 premières lettres, sans doute détruites, publiées en 1830) ; *le Neveu de Rameau* (commencé en 1762, publié en Allemagne, 1805, dans une traduction de Goethe, traduite à son tour en français en 1823), etc.

La première édition « complète » date de 1798, et certains textes viennent tout juste d'être édités (*Commentaires sur Hemsterhuis,* 1964). Une grande édition internationale en 33 volumes est en cours depuis 1975.

Le XVIIIe siècle, qui ignore ses textes essentiels, qui ne dispose d'aucune édition rassemblant toutes les œuvres publiées (mais qui lui attribue en 1773 *le Code de la nature,* utopie communiste, de Morelly) ne peut évidemment placer « frère Platon » (surnom voltairien) au même rang que Voltaire, Rousseau ou Montesquieu. Pour ses contemporains, il n'est que le maître d'œuvre de l'*Encyclopédie,* le théoricien du drame, l'auteur de deux méchantes pièces, d'un gros roman libertin (*les Bijoux indiscrets,* 1748), et de quelques essais philosophiques qui sentent le fagot : lambeaux épars, jamais rassemblés, d'une œuvre introuvable, qu'il faudra deux siècles pour constituer et évaluer.

Le contraste est saisissant, et à vrai dire presque incompréhensible si l'on songe à Voltaire et à Rousseau. On ne peut parler d'indifférence, ou de négligence. Diderot semble s'être délibérément contenté d'une réputation flatteuse, d'une influence anonyme, et de l'espoir d'une gloire posthume, en abandonnant, soigneusement emmaillotés, sur les trottoirs de l'Histoire, les fils naturels du génie.

Il l'avait dit au neveu de Rameau : le génie agit à long terme. Rare courage, et non moins rare confiance, que ces rouleaux légués au temps, comme si son œuvre, à l'image de la Nature et de l'esprit humain, devait se construire, perpétuellement mobile et changeante, dans le mouvement passionné des lectures successives et contradictoires.

Système et chaos

Rousseau, en quelques livres fulgurants, édifie le bloc de son système, totalisé dans ces deux sommes, *Émile* et *la Nouvelle Héloïse*. Diderot a alors la cinquantaine, et presque rien derrière lui, il le sait, et s'en tourmente. Mais il sait aussi que tout artiste est un comédien au visage masqué : ce n'est pas par hasard que la rupture avec Rousseau s'est jouée sur le théâtre. Rousseau, désespérément, s'exhibe et se dévoile. Tout aussi tenacement, et pour des raisons aussi profondes, Diderot se masque et se cache, pour mieux épouser les formes de la matière : chez lui, tout est mouvement, dialogue, question, hypothèse, recherche. Jets d'atomes et d'idées. Tout le mobilise : sciences, techniques, philosophie, esthétique, morale, fictions théâtrales et romanesques, dialogues de toutes sortes, lettres d'amour, projets de réformes pour Catherine II, commentaires sur les livres des autres. Il pratique l'écriture collective, anonyme, signée, publique, confidentielle, sous scellé. L'œuvre se dérobe dans la multiplicité énorme de ses formes et de ses motifs, dans les dispositifs duplices propres à chaque ouvrage, dans le refus obstiné d'attribuer à l'auteur une place stable, cernable, où s'ancreraient la vérité du discours et l'adhésion du lecteur.

Elle se dérobe, mais elle ne s'effondre pas en chaos de pulsions désordonnées, de contradictions insolubles, en ébauches informes, contrairement à ce qu'on a longtemps voulu faire croire. Non, sa tête de Langrois n'est pas une girouette.

Quand d'Alembert rêve

« Tout change, tout passe, il n'y a que le tout qui reste » (*le Rêve de d'Alembert,* 1769) : cette conviction matérialiste fondamentale (affirmée dès 1749 dans la *Lettre sur les aveugles*), Diderot l'explore, mais ne la remet jamais en cause. Dieu et l'âme ne sont donc que des mots « vides de sens ». Si le déterminisme régit le monde, la liberté de l'homme n'est qu'une illusion (*Lettre à Landois,* 1756).

Il s'agit donc, pour Diderot, de penser l'unité de la matière : éternellement en mouvement, elle engendre, à l'aveugle, en tâtonnant, dans une profusion et une dépense énormes, sans plan providentiel, sans aucun dessein d'ensemble, d'innombrables formes (viables ou monstrueuses), toutes transitoires. L'homme lui-même passera, forme parmi des formes, ombre parmi des ombres. Impossible par conséquent d'accepter un dualisme de l'âme et du corps, de l'esprit et de la matière, pas plus qu'une coupure radicale entre le vivant et le non vivant, l'animé et le non animé. Mais comment engendrer l'animé de l'inerte, du marbre la chair ? Diderot se tourne vers la médecine, la physiologie, la chimie, et déclare (imprudemment) épuisées mathématiques et physique. Nul hasard si *le Rêve de d'Alembert* met en scène un célèbre mathématicien qui rêve (il pense en rêvant et éjacule en dormant !) et un médecin non moins fameux, Bordeu, qui écoute et commente le récit de Mlle de Lespinasse. Nul hasard non plus si Diderot rédige, à partir de 1778, des *Éléments de physiologie.* Mais l'état des sciences ne permettait que des hypothèses — à la fois philosophiques, « scientifiques » et poétiques — dont Diderot ne méconnaît nullement la fragilité, en l'absence de preuve expérimentale. Il imagine une sensibilité de la matière, qui permet d'engendrer toutes les formes naturelles, de la pierre à l'homme : fermentation universelle, métamorphoses sans fin des espèces et des mondes. « L'éléphant, cette masse énorme, organisée, le produit subit de la fermentation ? Pourquoi non ? [...] Le prodige, c'est la vie ; c'est la sensibilité ; et ce prodige n'en est plus un [...] ; dans un ordre de choses où il n'y a ni grand ni petit, ni durable, ni passager absolus, garantissez-vous du sophisme de l'éphémère... (Docteur, qu'est-ce que c'est que le sophisme de l'éphémère ?) BORDEU : C'est celui d'un être passager qui croit à l'immortalité des choses. Mlle DE LESPINASSE : La rose de Fontenelle qui disait que, de mémoire de rose, on n'avait vu mourir un jardinier ? » (*le Rêve de d'Alembert*).

Les *Éléments de physiologie* insistent sur une idée empruntée aux écrits de Bordeu : en tout être, en chacun de nous, « il y a certainement deux vies très distinctes, même trois : la vie de l'animal entier, la vie de chacun des organes, la vie de la molécule » (*Éléments de physiologie*). C'est ce que développe le célèbre passage du *Rêve* sur la grappe d'abeilles (« le monde, ou la masse générale de la matière, est la grande ruche... ») qui paraît insensé à Mlle de Lespinasse, mais évidemment pas à Bordeu, dont Diderot transpose, magnifiquement, les idées. (Mlle DE LESPINASSE : « Je puis donc assurer à présent à toute la terre qu'il n'y a aucune différence entre un médecin qui veille et un philosophe qui rêve »).

Si « chaque organe est un animal, [si] chaque animal a son caractère particulier » (*Éléments de physiologie*), l'homme est une grappe d'animaux intégrée dans l'immense, l'infinie grappe de l'univers, animée, travaillée par une sensibilité qui devient conscience, langage, raison dans l'animal humain. Comprendre l'homme, c'est donc d'abord comprendre sa physiologie, son organisation. Le tempérament, le caractère des individus renvoient au corps, s'enracinent dans le rapport des fibres nerveuses et du cerveau. Araignée au centre de sa toile, le cerveau centralise les sensations, les transforme en idées, les mémorise en souvenirs. Il faut rendre compte, dans le même esprit, des émotions et des passions, déterminer les organes névralgiques de la sensibilité (diaphragme), classer les tempéraments, selon que la sensibilité l'emporte sur le cerveau (enthousiastes) ou que le cerveau maîtrise supérieurement les émotions et les passions (grands comédiens, grands artistes, grands politiques, grands scélérats).

L'athée n'est-il qu'un cochon ?

Si la liberté n'est qu'une chimère, si le tempérament et le caractère (soumis à l'influence de la physiologie comme au conditionnement social) déterminent le comportement, si le fantôme du Dieu gendarme s'est évanoui, que devient la morale ?

La haine du matérialisme, dont on n'imagine plus la violence (« Diderot est mort comme un chien, de trop-plein, après avoir dîné », Barbey d'Aurevilly, *Goethe et Diderot,* 1913) s'est vautrée sans vergogne dans ces facilités démagogiques, pour Diderot comme pour d'autres. Et comme Diderot ne cesse d'exalter, en pleurant, la Vertu (des pères, des épouses, des enfants, de Greuze et de Richardson), c'était une nouvelle confirmation de ses contradictions déroutantes, qui opposaient tempérament (sanguin !) et conscience, cœur et tête, matérialisme et humanisme.

Il faut insister sur un point fondamental : le matérialisme de Diderot s'acharne à décrire, à comprendre, du même mouvement, l'unité de la matière et son hétérogénéité. D'où précisément son refus du modèle mécaniste (Descartes, Newton, Voltaire), qui oblige à penser l'homme comme un automate, doué d'âme par une puissance surnaturelle, et son intérêt pour les sciences de la vie, plus attentives à la spécificité des êtres organisés. Ses lectures scientifiques, son expérience de la vie et de l'art, le rendent extrêmement sensible à la singularité des individus, à l'énergie, à l'originalité des fortes personnalités. Il refuse totalement le conformisme pseudo-moral d'origine chrétienne, contraire à la nature, mais aussi l'aplatissement qu'un certain matérialisme fait subir à l'homme, en le réduisant au rôle d'automate soumis à la toute-puissance de l'instinct de plaisir (ce qu'il dénonce à travers La Mettrie) ou de l'éducation (*Réfutation d'Helvétius*, rédigée en 1773-1774). L'homme est un être à part. La science débouche toujours, chez lui, sur la connaissance de l'homme : il y a bien un humanisme de Diderot, mais qui, loin de remettre en cause son matérialisme, s'y inscrit entièrement : « Chaque ordre d'êtres a sa mécanique particulière » (*Éléments de physiologie*) ; « Je suis homme, et il me faut des causes propres à l'homme » (*Réfutation...*).

Qu'est-ce donc que la vertu dans un monde privé de transcendance ? La réponse de Diderot n'a jamais varié. Ce qui distingue le bien du mal, c'est ce qui sépare la bienfaisance de la malfaisance. Il n'y a donc pas de vice privé (d'ordre sexuel par exemple). La constance (en amitié, en amour) signe sans doute la qualité d'un sentiment, mais n'engage nul jugement éthique : l'inconstance est inscrite dans la nature des choses. Tout change, tout passe.

Il est fou, il est criminel de vouloir étouffer les passions, de vouloir effacer le plaisir. L'article « Jouissance » de l'*Encyclopédie* recoupe à sa façon les descriptions cliniques de *la Religieuse.* Le corps brisé par l'ascétisme chrétien dérive violemment dans la pathologie. On ne joue pas impunément avec les fonctions animales, pas plus qu'avec les fonctions sociales : le couvent, parce qu'il isole de la société, et parce qu'il désole la physiologie, déprave l'être humain et le conduit à la folie. Manger, boire, satisfaire les instincts sexuels : besoins nécessaires, actions moralement indifférentes. À la prosopopée de Fabricius écrite par Rousseau sous l'arbre de Vincennes, fait écho, dans l'article « Jouissance », la prosopopée de la Nature à l'adresse d'un homme assez « pervers » pour rougir de l'éloge de la jouissance : « Pourquoi rougis-tu d'entendre prononcer le nom d'une volupté, dont tu ne rougis pas d'éprouver l'attrait dans l'ombre de la nuit ? Ignores-tu quel est son but et ce que tu lui dois ? Crois-tu que ta mère eût exposé sa vie pour te la donner, si je n'avais pas attaché un charme inexprimable aux embrassements de son époux ? Tais-toi, malheureux, et songe que c'est le plaisir qui t'a tiré du néant. »

Poème érotique, a-t-on dit, mais qui légitime le désir par la procréation. Cette démarche ambiguë se retrouve dans le *Supplément au voyage de Bougainville* (publié en 1773 et 1774). Le Tahitien Orou condamne le mariage catholique au nom de la nature : « Rien en effet te paraît-il plus insensé qu'un précepte qui [...] viole la nature et la liberté du mâle et de la femelle en les enchaînant pour jamais l'un à l'autre ; qu'une fidélité, qui borne la plus capricieuse des jouissances à un même individu [...]. Crois-moi, vous avez rendu la condition de l'homme pire que celle de l'animal ». Le médecin Bordeu (*Suite de l'Entretien...*) n'hésite pas à justifier devant Mlle de Lespinasse toutes les pratiques sexuelles (homosexualité, onanisme, bestialité) : « Tout ce qui est ne peut être contre nature, ni hors nature, je n'en excepte pas même la chasteté et la continence volontaires... ».

Mais si la liberté naturelle des Tahitiens fait l'éloge de l'adultère, et même de l'inceste, on n'y trouve pas moins une conscience publique qui condamne les « libertins » (ils cherchent le plaisir dans la stérilité). C'est que l'« hospitalité » sexuelle des Tahitiens vise à la reproduction et à l'amélioration de la race. L'utopie mène de front la critique de l'ascétisme chrétien et la critique du libertinage ; l'affirmation de « l'inconvénient d'attacher des idées morales à certaines actions physiques qui n'en comportent pas » (sous-titre du *Supplément* dans l'édition de 1796), mais l'affirmation aussi d'une règle d'utilité sociale. C'est pourquoi « l'objet principal de l'éducation domestique et le point le plus important des mœurs publiques » consistent à empêcher les rapports sexuels précoces (*Supplément*...).

La morale ne concerne donc que les relations sociales, elle couronne la sociabilité, vertu naturelle. Rien n'interdit à une femme mariée de faire l'amour avec qui elle veut (le pire est la coquetterie, qui séduit sans rien donner), ou de céder à un ministre qui entendrait assurer par là la situation de son mari. Ces actions moralement indifférentes (on comparera avec la fin de *l'Ingénu,* 1767, de Voltaire) cernent la vertu fondamentale — bienfaisance — et le vice majeur — misanthropie. Tout le reste n'est que préjugés et routines, lois mal faites qui mettent en conflit code naturel, code civil et code religieux.

On ne prétendra pas que tout cela va de soi. Entre le biologique et le social, l'individuel et le collectif, le moral et le politique, le partage ne saurait être évident. Est-ce forcément la faute à Diderot ? On aura du mal à nier que cela donne à réfléchir (aujourd'hui encore !), et matière à paradoxes coupants, où s'aiguise l'intelligence. Au fond, l'essentiel est peut-être là : chez Diderot, la morale n'est plus un code qu'on brandit, mais un mode de l'intelligence, qui appelle débats, hypothèses, raisonnements, expériences, innovations et recherches, bref, liberté d'esprit, audace intellectuelle et énergie de caractère. Il n'y a pas de bonne morale avec les bégueules et les cagots. Pas de bonne littérature non plus.

La méthode Diderot

Au même titre que la philosophie ou l'esthétique, la morale subit le choc de la méthode Diderot : interrogation et dialogue ; refus des cages rhétoriques et conceptuelles, des genres tout faits et des idées préfabriquées. Son matérialisme vitaliste et dynamique a horreur du traité dogmatique, de la dissertation méthodique. Il cultive une esthétique de la discontinuité et de la spontanéité (maîtrisée et travaillée !), pleine de cette énergie que la politesse uniforme des sociétés modernes tend à faire disparaître. Chaleur, mouvement, expressivité : voilà ce qui lui plaît, voilà ce qu'il vise. « La poésie veut quelque chose d'énorme, de barbare et de sauvage » (*Discours sur la poésie dramatique,* 1758) : la formule est célèbre, mais dénature ce qu'il fait plus qu'elle ne le définit. Ses œuvres n'ont jamais rien eu d'énorme ni de sauvage, mais il est incontestablement un poète de l'énergie (énergie de la nature, des passions, de l'art).

On l'a dit et répété, et toute lecture de Diderot le confirme aussitôt : c'est dans le dialogue que son génie s'épanouit. Non pas le dialogue théâtral, qui le paralyse étrangement (sauf peut-être, *in extremis,* dans *Est-il bon ? est-il méchant ?,* première version en 1771, remaniée en 1781, publiée en 1834), mais le dialogue philosophique. L'expressivité passe d'abord, bien entendu, par le naturel et la spontanéité des tours et détours de la conversation, le réseau savamment rompu, magistralement renoué, des motifs dominants. L'art de Diderot, nourri par l'expérience et l'observation des salons, par Montaigne aussi, n'a jamais été égalé. On le retrouve dans ce dialogue à une voix que sont les *Lettres à Sophie Volland,* mais aussi dans *Jacques le Fataliste,* conversation entre un maître et son valet. L'écriture mime le travail de la pensée en mouvement, engagée dans le jeu de l'échange social.

Elle passe aussi par la mise en scène des personnages et des situations. Les idées peuvent parfois se distribuer entre des initiales (*Supplément au voyage de Bougainville ou dialogue entre A et B*). Mais Diderot préfère de beaucoup agencer de complexes montages, qui jouent sur l'effet de réel et les structures d'énonciation. *Le Rêve de d'Alembert* élabore à cet égard un scénario tout à fait typique. D'Alembert est bien un mathématicien célèbre, un ami de Diderot, il est bien tombé malade, et il habite bien chez Julie de Lespinasse, où Diderot est allé prendre des nouvelles de sa santé. Bordeu, enfin, est bien un médecin fameux, ami de Diderot.

Que fait Diderot ? Il compose coup sur coup les trois volets d'une trilogie. D'abord un *Entretien entre d'Alembert et Diderot,* suivi et éclairé par *le Rêve de d'Alembert,* où Mlle de Lespinasse rapporte au docteur Bordeu, qui en discute avec elle, un rêve philosophique, qu'elle juge délirant, de d'Alembert. Dans ce rêve, d'Alembert (esprit froid et sceptique) défend avec fougue les hypothèses les plus audacieuses de... Diderot (« Il y a quelque adresse à avoir mis mes idées dans la bouche d'un homme qui rêve : il faut souvent donner à la sagesse l'air de la folie, afin de lui procurer ses entrées... », lettre à Sophie Volland, du 7 sept. 1769). Enfin, une *Suite de l'Entretien,* entre Bordeu et Mlle de Lespinasse (« cinq ou six pages capables de faire dresser les cheveux sur la tête de mon amoureuse ; aussi ne les verra-t-elle jamais », à Sophie Volland, 11 sept. 1769).

Folie et sagesse, mais aussi mystification, masques, jeu de miroirs vertigineux — gai et profond — entre réalité et fiction. Mlle de Lespinasse, alertée par une indiscrétion, se plaint à Diderot qui « devrait s'interdire de faire parler des femmes qu'il ne connaît pas » (mais dans *les Bijoux indiscrets,* ne faisait-il pas parler, à leur insu, les lèvres d'un organe que les femmes ne voudraient pas toujours faire connaître ?).

Quant à d'Alembert, il exigea qu'on brûlât le manuscrit en sa présence, ce que Diderot dit avoir fait. Une copie traînait sans doute ailleurs...

Personnages réels, mais transformés, entraînés dans un jeu qui les dépasse et les grandit (« Si j'avais voulu sacrifier la richesse du fond à la noblesse du ton, Démocrite, Hippocrate et Leucippe auraient été mes personnages... », à Sophie Volland, 7 sept. 1769). *Le Rêve* est en effet un dialogue entre la philosophie et la médecine ; une récusation oblique du monopole stérilisant de la pensée mathématique, une apologie, contre le scepticisme, des pouvoirs de l'imagination ; une mise en scène, poétique et matérialiste, des rapports du corps et de la pensée, de la raison et du désir (je rêve, je pense, j'éjacule, car « il y a un peu de testicule au fond de nos sentiments les plus sublimes... ») ; le spectacle, « profond » et « fou », de la pensée géniale en fermentation, tous interdits levés, à l'image du monde qu'elle tente, sans pouvoir jamais y parvenir, de comprendre. À matière infinie, questions sans fin.

« La diagonale du fou »

Autres personnages, autre situation, autres thèmes dans *le Neveu de Rameau,* mais travail somme toute comparable. Il ne s'agit plus de comprendre le monde, mais la société. Non plus la fermentation de la matière, mais le pourrissement d'un homme, au croisement du déterminisme physiologique et social.

Que peut donc apprendre au Philosophe, bon père, bon citoyen, bon bourgeois de Paris (il a du foin dans ses bottes), un pauvre diable comme le Neveu, parasite famélique et musicien raté, qu'il rencontre parfois au café de la Régence ? Tout apparemment les sépare et les oppose (ce qui n'est évidemment pas le cas de d'Alembert et Diderot). Mais, comme d'Alembert malade rêve et parle Diderot malgré soi, et libère ce qu'à l'état de veille il refoule, le philosophe distant (« regardant beaucoup, parlant peu, et écoutant le moins que je pouvais ») est entraîné à parler plus qu'il ne veut et à écouter le plus qu'il peut. C'est que le Neveu, « un des plus bizarres personnages de ce pays », conteste « sans pudeur », mais « avec une vigueur de poumon peu commune » et « une chaleur d'imagination singulière », les convictions les plus solides du philosophe.

Sur l'échiquier du dialogue, *Moi,* chevalier de la philosophie, devra engager, bon gré mal gré, les pièces blanches d'une sainte trinité : le vrai, le beau, le bien, que *Lui* va tenter de mettre échec et mat. Le dialogue déploie, avec une virtuosité et une intensité extraordinaires, le duel de la conscience juste et de la dérision cynique. Bataille pleine de coups subtils et masqués, de renversements inattendus, où les lignes de front se déplacent et s'enchevêtrent sans cesse.

Quelle que soit la force de ses coups, *Lui* souffre de deux contradictions essentielles, qui se croisent. Il défend l'amoralisme, le culte de l'argent et de l'intérêt personnel, mais il n'est que le parasite maltraité du financier Bertin (ennemi des Philosophes) : contradiction dérisoire et pathétique. Il nie les valeurs, dénigre les génies, mais aime la musique : or, il n'est qu'un musicien stérile, tout juste capable d'imiter, dans ses pantomimes, les compositions signées par d'autres. Le Neveu est donc victime de la physiologie : il lui manque la fibre créatrice de son oncle, l'unité de caractère, l'énergie et la maîtrise nécessaires aux hommes supérieurs, dans le Bien comme dans le Mal (sa dernière pantomime le laisse épuisé, défait). Mais il est aussi victime de la société : comment rester un homme dans la jungle des villes ? « La misère avilit », rappelle Diderot dans *la Religieuse.* Fripon manqué, musicien raté, tari par la vie, déchiré par des nostalgies rageuses et poignantes.

Combat inégal ? Non, car ce que le cynisme agressif, « sans pudeur », du Neveu révèle, c'est le monde tel qu'il est : « Je suis dans ce monde et j'y reste ». Sa « déraison » dit crûment la raison des choses. La belle âme philosophique n'a sans doute pas perdu la partie. Mais elle a perdu sa place. D'où parle-t-elle ? Et pour qui ? Pour la postérité, répond *Moi.* C'est le pari de Diderot, le pari des Lumières. Mais les Neveux rampent et souffrent dans l'ombre, et dans le siècle.

Ce texte inépuisable défie toutes les analyses, parce qu'il porte le principe dialogique, constitutif de l'écriture de Diderot, à son point de perfection.

Jacques et Suzanne

Entre 1760 et 1765, parallèlement aux *Salons* (1759, 1761, 1763, etc.) et à l'*Éloge de Richardson,* 1761, Diderot ébauche successivement *la Religieuse,* 1760, *le Neveu de Rameau,* 1762, *Jacques le Fataliste,* 1765. Tout se passe comme si la théorie et la pratique du drame (1756-1758) le conduisaient irrésistiblement au roman. Si *le Neveu* est une œuvre inclassable (roman par la figure du Neveu, dialogue par l'échange philosophique : Diderot l'appelle une « satire »), *la Religieuse* et *Jacques* explorent les deux formes romanesques fondamentales : le roman-mémoires et le roman à la troisième personne.

La Religieuse a pour origine une mystification : pour faire revenir à Paris le marquis de Croismare, qui était intervenu en faveur d'une religieuse, Diderot et ses amis lui envoient les appels au secours imaginaires d'une jeune cloîtrée. L'imagination de Diderot s'enflamme, et la lettre devient roman. Roman pathétique, qui, en trois « stations » (couvent de Sainte-Marie, de Longchamp et d'Arpajon), de mère supérieure sadique en mère lesbienne, mène Suzanne à la mort. Mais Diderot détruit (partiellement) la fascination romanesque, l'effet de réel, lorsqu'il décide, en 1781, de publier en postface le dossier des lettres mystificatrices (déjà parues dans la *Correspondance littéraire*) : le romancier exhibe, les larmes une fois versées, le travail de la fiction, plus vraie que l'Histoire (*Éloge de Richardson*). Un tel dispositif n'est pas lié exclusivement au roman. *Le Fils naturel* (1757) se donne comme la reconstitution, par le principal protagoniste, Dorval, d'une scène familiale vécue, à laquelle Diderot assiste sans savoir qu'il s'agit d'une représentation commémorative et privée. À la pièce font suite des *Entretiens* entre Diderot et Dorval, qui est donc, à la fois personne supposée réelle (comme Diderot), personnage d'une pièce qui reproduit un moment pathétique de sa vie, acteur, metteur en scène et en mots, théoricien du théâtre, figure du génie, et ami de Diderot !

La Religieuse partage aussi avec le drame (et la peinture) la recherche du pathétique et l'esthétique du tableau : les réflexions sur le théâtre et sur les arts plastiques (*Salons*) croisent leurs effets.

Effets violemment contrastés, mais qui ne relèvent pas d'un anticléricalisme sommaire, pour ne pas dire voltairien. Le cloître fabrique les névroses, parce qu'il nie la dimension sociale et organique de l'être humain. Aussi cruelles, mesquines, exaltées, tourmentées, atrophiées ou perverties qu'elles soient, toutes ces femmes sont d'abord des victimes, les victimes d'un univers carcéral qui travaille leur corps. L'œil exercé de l'encyclopédiste, du critique d'art, de l'amateur d'ouvrages médicaux, du théoricien de la pantomime, nous dessine une hallucinante physiologie des corps cloîtrés. Paradoxe fatal du couvent : consacré à l'« âme », il n'est peuplé que de corps exaspérés, délirants et souffrants. Écriture et philosophie matérialiste sont donc parfaitement indissociables.

Mais qu'en est-il de la narratrice ? Comment la pieuse et « innocente » Suzanne peut-elle épouser le point de vue matérialiste de Diderot ? C'est le deuxième paradoxe du roman, son ressort secret. Pour servir le dessein de Diderot, il faut que le regard de Suzanne glisse sur les choses, sur les formes, sans rien deviner derrière les signes hallucinés qu'elle décrit sans les comprendre. On peut invoquer une stratégie de la séduction : pour remuer le marquis de Croismare, la narratrice se fait, sans le vouloir, « plus aimable » qu'elle n'est : coquetterie naturelle des femmes. Ce sont les derniers mots du roman, en *post-scriptum,* et ils jettent le soupçon sur tout le récit. Diderot signale ici le problème qu'il a dû résoudre, mais faut-il croire ce cliché marivaudien ? N'est-ce pas un leurre ?

On peut en effet lire le roman autrement. Au lieu d'une écriture de la séduction (inconsciente ou pas, peu importe), jouant sur le désir du marquis plus que sur sa pitié, pourquoi ne pas prendre à la lettre l'innocence de Suzanne ? Elle se révèle alors comme le pur et effrayant produit de l'idéologie conventuelle : non plus corps désirant, mais corps absent, regard lisse et myope (voir la fameuse description de l'orgasme de la mère supérieure d'Arpajon). Suzanne serait-elle le monstre le plus inquiétant du roman ? L'écriture matérialiste de Diderot passerait-elle par une voix sans corps pour dire la pathologie des corps exclus du commerce sexuel et social ?

Jacques le Fataliste n'attend pas un *post-scriptum* et une postface pour jeter le soupçon sur la narration. D'entrée de jeu, le narrateur s'interroge sur ses pouvoirs, qu'il s'attribue fort larges, et va jouer gaiement avec les impatiences et les attentes convenues du lecteur. L'histoire des amours de Jacques, leitmotiv narratif parallèle au leitmotiv philosophique du fatalisme (inhérent au matérialisme classique), n'aboutira pas plus que le voyage du maître et de son valet philosophe (même si Jacques finit *in extremis* par se marier, pour engendrer quelques rejetons spinozistes). *La Religieuse* joue sur l'effet de concentration et sur la violence des impressions, *Jacques* sur la dispersion et la bonne humeur. Cette « rhapsodie » (Diderot) difficilement mémorisable mais constamment savoureuse, mêle tous les genres, toutes les formes, toutes les techniques, toutes les couches sociales, tous les problèmes dans un mouvement incessant et capricieux. À l'image d'un monde hétérogène, non maîtrisable, mais où il faut vivre au mieux, en sachant que rien n'arrive par hasard, hors du livre et dans le livre. La longue et superbe histoire de Mme de La Pommeraye donne au thème de l'amour, omniprésent, un prolongement fascinant, qui recoupe les interrogations permanentes de Diderot sur l'inconstance et les inconséquences de la morale. Pour se venger d'un amant qui se lasse d'elle, Mme de La Pommeraye monte une machination machiavélique qui le rend amoureux fou d'une ancienne prostituée. Un paradoxe ironique veut qu'elle réalise ainsi, malgré elle et malgré les préjugés du monde, le bonheur du marquis des Arcis et de sa jeune putain.

Nourri de Rabelais et surtout de Sterne, *Jacques le Fataliste* joue avec les grands thèmes matérialistes et bouscule l'ordre convenu des romans pour mieux apprendre au lecteur l'art de les goûter et le bonheur de penser librement. Il revenait logiquement à Diderot d'écrire le grand roman expérimental du XVIIIe siècle : forme ouverte, dialogique, philosophique et joyeuse.

BEAUMARCHAIS
(1732-1799)

La littérature n'a pas joué un rôle essentiel dans la brillante, dans la trépidante fortune de Beaumarchais, horloger (inventif) devenu spéculateur, marchand d'armes, agent secret, musicien des filles du roi — on cite au hasard, faute de pouvoir tout énumérer. Il fut connu de toute l'Europe avant *le Barbier de Séville* et *le Mariage de Figaro,* par ses démêlés judiciaires, montés en spectacles (*Mémoires contre Goëzman,* 1773-1774, qui inspirèrent... une pièce à Goethe, *Clavigo*). L'écriture de fiction fut le luxe de cette existence frénétique, qui fascine autant que son œuvre (on ne cesse d'écrire sa biographie). Mais il est sans doute le premier dramaturge français à oser faire miroiter aussi ouvertement sa vie, ou du moins les reflets de sa personne, dans ses pièces.

L'œuvre est étonnamment courte : quatre parades conservées, 1757-1763 ; trois drames (*Eugénie,* 1767, précédée d'un remarquable *Essai sur le genre dramatique sérieux* ; *les Deux Amis,* 1770, son seul échec ; *la Mère coupable,*

1792, qui met le point final à sa carrière et au cycle de la famille Almaviva, Figaro-ci et là compris) ; deux comédies (*le Barbier de Séville,* 1775, d'abord conçu comme un opéra-comique pour les Italiens, 1772, à partir peut-être d'une parade ; *le Mariage de Figaro,* reçu à la Comédie-Française en 1781, interdit, représenté en 1784, le plus grand triomphe du siècle et la plus longue pièce du répertoire français classique) ; un opéra (*Tarare,* 1787, musique de Salieri, représenté avec un luxe inouï et coiffé comme *le Barbier, le Mariage,* et *Eugénie*, d'une brillante préface). La gloire de Beaumarchais est fondée sur deux pièces, dont un chef-d'œuvre d'envergure mondiale, la musique de Mozart aidant.

Drames : l'innovation

Eugénie est un drame, par la prose, les costumes, le décor (une maison de Londres avec jardin), les pantomimes (refusées par la Comédie-Française, le texte prévoit un va-et-vient de valets pendant un monologue !), une musique expressive entre les actes...

Le sujet touche une obsession névralgique des Lumières — la séduction d'une jeune fille (de petite noblesse provinciale) par un roué de la cour, le comte Clarendon, qui l'a engrossée par l'artifice d'un faux mariage. Le pathétique de la situation ne se développe véritablement qu'à l'acte III, lorsque Eugénie avoue sa faute à son père, qui pardonne, et que se révèle la rouerie de Clarendon, en passe de réaliser un grand mariage mondain. Les événements se précipitent : le Comte, attiré dans la maison, sauve au passage la vie du frère d'Eugénie, qui risque, dans le noir et l'ignorance de leur venue à Londres, de tuer son père. Le dilemme est cruel : « Ingrat ou déshonoré [...] Ma sœur ! mon libérateur ! Je suis épouvanté de ma situation. » Mais le Comte finit par se repentir et se jeter aux pieds d'Eugénie (décoiffée, en désordre, sans collier ni rouge) qui refuse de l'épouser. Il se jette donc aux pieds du père, qui pardonne : « Je vous la donne ». Eugénie s'abandonne : « Va, tu mérites de vaincre, ta grâce est dans mon sein ». Le libertin séducteur, perverti et cependant encore sensible, est converti : « Le bonheur avec Eugénie, la paix avec moi-même, et l'estime des honnêtes gens :

voilà le seul but auquel j'ose prétendre ». Ce que confirme le Baron : « N'oubliez donc jamais qu'il n'y a de vrai bien que dans l'exercice de la vertu. »

Plutôt que de rire sottement, tentons de dire ce que cherche le genre sérieux.

— Conformément aux propositions de Diderot, il vise l'effet pathétique maximum (souligné par l'opposition symbolique du jour et de la nuit. On rappellera l'importance de la nuit dans les deux comédies).

— Comme Diderot dans ses pièces, Beaumarchais joue avec le tragique mais ne l'accomplit pas. On frôle les catastrophes, avec frisson, pour se donner le bonheur de les éviter. Il est tentants d'y lire un trait d'époque, le goût du compromis et d'un moralisme exaspérant. Mais c'est oublier que la catastrophe est l'issue conventionnelle du genre tragique, dont les normes définissent, par contraste, le travail propre des tenants du drame bourgeois naissant. Ils sont bouleversés par autre chose, qui ne nous émeut plus, et qu'ils ne trouvent ni dans la comédie, ni dans la tragédie (mais dans le roman).

— Il y a du comique soutenu dans *Eugénie,* au moins dans les deux premiers actes. La montée progressive du pathétique est une des grandes idées de la pièce (non explicitée par Beaumarchais). Mais ce comique ne passe pas par les valets, dont l'effacement répond aux recommandations de Diderot. L'affrontement de la tante (Mme Murer) et du père (division de l'instance paternelle) change de registre : comique, puis dramatique. La pièce prouve donc la possibilité (non théorisée par Beaumarchais) de faire coexister drame et comique, dans une structure dynamique, soulignée par la montée de l'ombre et des périls.

— Liberté du dénouement, du ton, liberté vis-à-vis des bienséances (Eugénie, enceinte, avoue qu'elle aime encore son faux époux). Mais on constate la présence obsédante des modèles tragiques (Corneille, Racine...). Le drame est bien une réécriture, libérée des contraintes du vers, des bienséances, de l'éloignement historique et héroïque. Il s'agit d'inscrire le tragique dans la contemporanéité, jusque-là réservée au comique. Beaumarchais pousse la démonstration jusqu'au paroxysme : la tragédie domestique se joue dans une petite maison, tandis que la cour — lieu obligé du genre tragique — et le roi sont mis hors scène.

— Mais *la petite maison* est aussi ce qu'elle est : la dérision de l'amour vertueux, c'est-à-dire de la famille. En se contemporanéisant, la tragédie moderne passe de la sphère publique à la sphère privée. Le paradoxe du drame bourgeois, assumé par Diderot et Beaumarchais, c'est qu'il s'efforce de dissocier tragique et politique, tragique et Histoire. Le drame s'installe dans l'aire de la famille pour y faire couler les larmes et déclasser la tragédie. Ce qui n'exclut pas nécessairement la noblesse, *Eugénie* le prouve, mais oblige à la dédoubler en noblesse vertueuse (provinciale), qui allie vertus dites bourgeoises et honneur, et en noblesse de cour. L'aristocrate libertin met en cause la Famille, la Vertu, l'ordre du Père. Le Père, la Jeune fille, le Séducteur : triangle crucial d'un fantasme européen (Lessing : *Miss Sara Sampson, Emilia Galotti* ; Sade : *Oxtiern,* 1791...).

Diderot l'avait bien dit : le Père ! le Père ! (ses deux drames disent le père absent, puis le père divisé. Beaumarchais exploite cette dernière formule, celle du *Père de famille*). Chez Beaumarchais comme chez Diderot et Lessing, le père oscille entre la tendresse et la terreur, entre deux ordres et deux lois (métaphore du pouvoir politique ?). Pour une part essentielle, le drame bourgeois privatise la tragédie en jouant sur la notion de pouvoir (du roi, du père sur ses enfants), en la faisant glisser de la scène politique à la scène familiale, du trône au foyer. Mais la question reste la même : comment, selon quelles normes, sauvegarder la puissance (paternelle, royale) ? Il est donc inexact d'affirmer, comme on le répète, que le drame a perdu le sens du sacré. En vérité, c'est la sacralité du père et ses enjeux qui nous échappent (voir Greuze).

La jeune fille : aucun siècle n'a autant rêvé sur la femme que le XVIIIe siècle. Sur la femme séduite, égarée, abandonnée, déshonorée. En bon lecteur des Lumières, Clarendon aime la souffrance délectable qu'il inflige amoureusement. Pleurs, évanouissements, égarements, révolte, épuisement, désir, tendresse : quels délices que cette mortelle exténuation de l'âme féminine dans une « petite maison » de la banlieue de Londres, d'un matin à un autre matin ! Le drame, Diderot l'a dit nettement, c'est la vertu malheureuse. Comment rêver plus fascinant réceptacle de la vertu que la femme, puisque sa vertu, c'est son âme, son cœur et son corps ! Perdue dans un monde trompeur, à qui, à quoi doit-elle obéir, elle chez qui la nature parle plus fort ? À la loi du père, à la loi du cœur ? Au centre du drame bourgeois, il y a la femme, terriblement fautive, foncièrement innocente. La femme, qui est tout désir, et qui ne pourrait être toute pureté sans ruiner la conservation de l'espèce, mais dont la « faute » met aussi en péril, à travers le père, l'ordre social (Eugénie manque faire mourir son frère et son père). Problématique évidemment absente de la tragédie : tout ici vient du roman.

À travers le séducteur se joue un double enjeu :

— la mise à l'épreuve, à la torture, du cœur féminin (Diderot réussit magnifiquement dans *la Religieuse,* sans libertin mais grâce au couvent, ce qu'il vient de manquer dans *le Père de famille* !) ;

— la régénération du libertin, plaisir et bénéfice non négligeables.

Eugénie est donc une pièce plus révélatrice de certains enjeux du drame bourgeois que les deux œuvres de Diderot. Elle permet de le définir comme la tentative d'inscrire sur la scène, au profit d'un pathétique renouvelé et intensifié, dans l'espace jusque-là réservé à la comédie, quelques-uns des apports essentiels de l'imaginaire du roman.

Eugénie met en scène des conditions (père, tante, fille, frère, séducteur), *les Deux Amis* des états : après la noblesse, la haute bourgeoisie lyonnaise. Apparemment plus proche de l'idée convenue qu'on se fait du drame (vertus bourgeoises, conditions modernes...), la pièce ne parvient pas à articuler pathétique et négoce, c'est-à-dire à transcrire une structure cornélienne (l'inflation des héroïsmes) dans une comptabilité bancaire en panne de numéraire.

La mode est actuellement à un essai de réévaluation des parades : pourquoi pas ? Mieux vaut ici souligner l'importance des drames qui encadrent la carrière théâtrale. Beaumarchais aurait peut-être pu écrire *le Barbier* sans la théorie ni la pratique du drame — certainement pas *le Mariage.*

Comédies : rénovation et innervation

L'échec des *Deux Amis,* pièce dédiée au tiers état, détermine un retour à la comédie, par le détour d'un opéra-comique refusé. *Le Barbier de Séville* remet donc à l'honneur le valet et invente Figaro, ex-valet, ex-auteur, ex-chirurgien des armées, homme bon à tout, mais à qui tout manque, sauf les idées et les répliques. Il ne faudra pas moins de trois pièces et d'un mariage pour user cette énergie roturière en quête de sa valeur marchande, ce talent sans emploi, ce mérite en jachère. Chassé du drame pour cause d'artifice et d'invraisemblance (Diderot), le valet, emploi obligé de la comédie, installe sur scène les thèmes bourgeois du mérite déboîté de la naissance et de la désorganisation sociale : paradoxale et brillante innervation de la comédie classique par le tenant du drame bourgeois. Saluons ce moment : un des grands personnages du théâtre, le premier au fond depuis Molière, vient prendre place dans la mythologie française.

Rien n'interdit de transposer dans le registre comique la figure de l'aristocrate libertin que l'amour et la lassitude des conquêtes trop faciles mènent au mariage (terme obligé du genre comique). Le comte Almaviva épousera donc la charmante et provinciale Rosine, au lieu de la séduire et de l'enlever. Double bonne action, car il la délivre aussi, nouvelle Agnès, de la prison où l'enferme Bartholo, ennemi des femmes, du plaisir et des Lumières (sa défaite se consommera donc par une nuit d'orage !), ennemi coriace en effet de la circulation et de l'échange (des objets, des mots, des idées). On le voit, Beaumarchais travaille, comme dans *Eugénie,* sur la signification symbolique de l'espace scénique. Ici, par exemple, l'opposition entre la maison barricadée de Bartholo (couvent ? conscience prisonnière des préjugés, des traditions ? etc.) et l'espace ouvert de la place publique où se rencontrent le Comte et Figaro.

Mais l'essentiel n'est pas là. Dans le passage du drame à la comédie se joue le paradoxe central du théâtre de Beaumarchais, unique peut-être en son genre : la métamorphose radicale de son style et de sa dramaturgie. Beaumarchais échoue quand il se lance de plain-pied dans l'innovation (drame), il se réalise dans la rénovation de la comédie classique. Ce que confirme pleinement *la Mère coupable,* 1792.

« L'ancienne et franche gaieté »

La grande audace — affichée dans la préface du *Barbier* — consiste à identifier rire et comique, contre tout le mouvement du siècle, qui se méfie des enjeux esthétiques et sociaux du rire, et le réserve à la farce, aux petites pièces, aux esprits un peu bas (Marmontel, *Éléments de littérature,* art. « Farce »). La Comédie-Française, aux XIXe et XXe siècles, a constamment ramené Marivaux à cette tradition d'un comique élégant et réservé, incarné en fait par Destouches, et non par Marivaux.

Le *Barbier* n'est donc pas simplement un passage du drame à la comédie (un repentir de Beaumarchais !) ; c'est la substitution du comique accentué, pur (dont Diderot avait réservé la place), au comique élégant des comédies du XVIIIe siècle, et au comique noble, sérieux, du drame bourgeois. Se tournant vers la comédie, fort de son expérience (dans la première version d'*Eugénie,* l'affrontement du père et de la tante était nettement plus comique), Beaumarchais joue à fond la carte du comique, dans un retour spectaculaire et provocant à « l'ancienne et franche gaieté ». Car il rappelle, comme Diderot, que le genre ne dépend pas du sujet. Théoricien du drame pas mort !

L'invention d'un style

La franche gaieté, c'est aussi l'invention d'une écriture spécifique, intransportable dans le drame, parce qu'elle est fondée sur la recherche systématique des effets. Le style comique de Beaumarchais se caractérise par la mise en valeur des mots d'esprit, par la concision des répliques, la recherche de l'économie, de la rapidité, de la surprise, la mise au point de structures rythmiques efficaces et précises.

Dialogue débordant de virtuosité, où chacun des protagonistes, ayant oublié d'être bête, saisit aussitôt les sous-entendus, les enchaînements possibles, surenchérit dans l'esprit et l'agilité verbale pour aboutir à une réplique inattendue (rien de tel chez Molière et Marivaux, qui ne cultivent pas cette sorte d'esprit). Sur ce tissu verbal se détachent des morceaux de bravoure extraordinairement brillants — tirades, monologues — tout à fait comparables aux grands airs d'opéra.

Or, sauf exception, non seulement le drame ne propose pas d'effets brillants identiques, mais ses théoriciens (Diderot, Beaumarchais) les excluent formellement. La stratégie des larmes passe à leurs yeux par une épuration du langage tragique, et le refus des effets, typiques de la tragédie : applaudir des maximes, des vers éclatants, c'est en effet rompre l'illusion, admirer l'auteur aux dépens des personnages et de la situation, toutes choses que Diderot récuse énergiquement. Le style de la comédie est donc, aux yeux de Beaumarchais, plus brillant, moins « naturel », moins « simple » que celui du drame. Il avance même dans l'*Essai...* que la comédie supporte le vers ! Plus éloignée du monde réel, affichant sans dommage sa dimension fictive et ludique, la comédie se donne pour ce qu'elle est : un jeu, une joute. Par définition, le drame prive Beaumarchais d'un des fondements essentiels de sa virtuosité dramaturgique : l'exploitation étincelante de situations de parole constamment changeantes.

Entre style comique et style dramatique, donc, l'écart se creuse et s'explique. Beaumarchais, dans ses comédies, cherche à briller, fût-ce aux dépens des personnages, des situations, en exhibant ouvertement l'artifice théâtral et ses conventions. En contradiction formelle (l'a-t-on assez dit !) avec la théorie du drame selon Diderot, mais pas du tout, on l'oublie trop souvent, avec la théorie du comique pur du même Diderot ! L'écriture comique ne recule pas devant la surenchère, la démonstration de virtuosité, frôle le risque de la gratuité, du mot pour le mot, de l'exploit technique et verbal ; elle accumule les péripéties, sans nécessité intérieure, pour susciter et exploiter des situations de paroles inattendues. Il y aurait donc dissociation du langage et de la situation. Esthétique de l'ornement. Thèmes classiques de la critique (Jouvet, Schérer, Conesa), et vrais, mais d'une vérité partielle ; à qui échappe ce qui sépare *le Barbier* du *Mariage,* le talent du génie. Espace ludique ? Sans doute. À condition de ne pas oublier que personne, avant Beaumarchais, n'a à ce point rendu vraisemblable l'espace scénique, ne l'a, autrement dit, aussi fortement identifié à l'espace naturel. D'où précisément la possibilité d'y inscrire une dramaturgie de la péripétie-éclair sans précédent, des problèmes dramaturgiques neufs : comment se cacher dans une pièce meublée d'un seul fauteuil ? Comment s'échapper d'une pièce fermée à clef ? Comment communiquer un billet ? etc. (Labiche, Feydeau, le théâtre de Boulevard et le film comique se délecteront de cette dramaturgie du gag). Il est vrai que le langage n'a pas chez lui de fonction psychologique : on se masque, on feinte, on cherche à deviner, sans se trahir, en vue d'objectifs précis, circonstanciels, qui se transforment avec une incroyable mobilité. Faut-il en conclure que les jeux et joutes éclipsent les enjeux, que les affrontements et les caractères s'évanouissent au profit du seul plaisir verbal ? Ce serait ne pas comprendre, par exemple, la stratégie et la philosophie des personnages du *Mariage.* Il n'y a guère entre eux d'affrontements violents parce qu'ils sont les complices du grand jeu de la vie, et aussi parce qu'ils veulent tout avoir sans rien perdre : philosophie du plaisir par accumulation de l'avoir. Et de fait, ils nagent dans le bonheur, sans trop le savoir, parce qu'ils n'ont pas encore connu la perte, le manque, le poids des souvenirs et de la faute. Mais le temps les attend (la Comtesse, épouse délaissée, le sait déjà...), comme nous tous, et les rattrapera, vingt ans après, dans *la Mère coupable,* magnifique ratage d'un thème magnifique (on ne saurait mieux dire que Péguy, dans *Clio*).

Toute approche purement technique (stylistique, par exemple) de Beaumarchais le mutile gravement, oublie qu'il a écrit *le Mariage,* c'est-à-dire une des plus complexes structures dramatiques du théâtre français. Beaumarchais est bien autre chose qu'un virtuose du dialogue. Il suffit, pour s'en persuader, d'énumérer (faute de pouvoir ici les analyser) quelques traits de cette pièce sans équivalent dans le théâtre classique : le temps qui passe (entre *le Barbier* et le *Mariage*), l'ombre du vieillissement et de la mort ; la femme mariée, le mari volage et jaloux, l'adolescent en crise de puberté ; le noble libertin qui joue au tyran nonchalant, le valet qui est aussi un homme, et qui tendrait à devenir un citoyen, parce qu'il a un passé et du talent ; la complicité et la rivalité des sexes, le jeu toujours recommencé des hommes et des femmes ; la représentation de la société tout entière dans le miroir du château ; le travail étourdissant sur les objets et l'espace, la mobilisation de la danse, de la poésie, de la musique surtout...

Le Mariage est en vérité une tentative (masquée) de dépassement de la comédie, comme *Tarare* un essai (explicite) de rénovation de l'opéra. Dépassement par l'importance inégalée de la musique ; par la complexité de l'intrigue et la sinuosité des péripéties ; par la richesse et le sérieux des thèmes entrecroisés ; par le projet inouï d'écrire le roman d'une famille, la courbe totale de l'existence à travers une trilogie.

Il s'agit donc d'une pièce totale et expérimentale, où fusionnent le comique, le sérieux, la musique, la danse, la poésie, l'individuel, le social, le satirique et le symbolique. Pièce donc que seul un innovateur pouvait concevoir, mais parfois contre certaines propositions explicites de Diderot. Celui-ci n'admet par exemple que le monologue court dans la comédie, et c'est par un valet que le spectateur plonge dans la plus longue méditation sur l'existence du théâtre français classique ! Le valet n'est plus seulement un faire, mais un être. (Une des formes canoniques de la tragédie se voit spectaculairement subvertie.) L'influence du drame sérieux ne se limite nullement aux tirades féministes de Marceline. En relèvent le couple du Comte et de la Comtesse, mais aussi le château. Le château se situe entre le palais (tragédie) et la maison (drame), entre l'État et la famille, car il abrite un conflit à la fois privé et seigneurial, privé et collectif. Qu'on relise la première scène : de quoi s'agit-il ? De la possibilité d'installer le lieu de l'intimité privée dans un château. Figaro mesure son futur espace domestique, où le Comte entend s'immiscer par l'argent et le chantage. On est dans une intrigue politique, transposée dans le registre comique. À cette perturbation de l'espace privé domestique va répondre celle de l'espace privé seigneurial (l'appartement de la Comtesse)...

Le Mariage réussit à croiser la représentation d'une société saisie dans ses conflits (désir, argent, pouvoir) et la représentation emblématique de la destinée humaine (âges, sexes).

Le Mariage serait-il le chef-d'œuvre introuvable du drame bourgeois ? À vrai dire, ni drame ni comédie classique, mais pièce inclassable qui couronne la tradition et tente de la dépasser, comme *la Nouvelle Héloïse* et *les Liaisons dangereuses.*

CHODERLOS DE LACLOS
(1741-1803)

On peut conquérir la gloire du fond d'une morne garnison. De l'ennui naquit un jour, l'uniforme ôté, un livre parfait. Là réside sans doute l'énigme des *Liaisons dangereuses* (1782). Non pas tant dans la difficulté irritante de leur attribuer pour père un officier d'artillerie méritant, époux vertueux, rousseauiste... défenseur des femmes, arriviste expert en intrigue (orléaniste, jacobine, bonapartiste) : tous les grands livres sont enfants de la nuit, et bâtards. Moins encore peut-être dans la tentation trop séduisante de les rattacher à une crise terminale des Lumières, voire à une crise de la représentation classique — miroir de l'idéologie et de l'écriture tendu vers quelque catastrophe à venir, ou quelque aurore blêmissante, que nous croyons discerner à l'horizon. C'est la suprême maîtrise, l'impeccable clôture qui surprennent et fascinent : nul pli, nulle défaillance, nul abandon rêveur dans cette épure géométrique, point d'orgue de la tradition « classique » française, quand le roman, de Marivaux et Prévost à Diderot, Rétif et Sade, se vouait à la démesure, à l'inachèvement, à la dissymétrie sinueuse, mère des digressions...

Passion de l'intrigue et nostalgie sentimentale, tour de force technique, virtuosité langagière et formelle, surenchère inouïe sur les genres de la part d'écrivains amateurs en quête de consécration, désir de provocation, espoir comblé du scandale, mise en scène ambiguë (critique et complice) d'une société aristocratique où la fête côtoie la défaite et la mort. On résiste mal, dans l'après-coup, à la tentation (facile) d'un parallèle entre les deux chefs-d'œuvre d'avant 1789, *les Liaisons* et *le Mariage de Figaro* ! Il faut alors souligner la logique paradoxale (imposée) de ce double et magistral travail sur les genres et la tradition : Laclos s'applique à dégraisser le roman (récit d'une crise et d'une catastrophe), Beaumarchais à saturer la comédie en « roman de la famille Almaviva » gros d'un drame latent, d'une temporalité étalée et d'une stratigraphie sociale. Laclos porte à son comble et met en porte-à-faux une double tradition, celle du libertinage et celle du roman épistolaire.

La lettre et la langue

À la virtuosité libertine répond la virtuosité tout aussi diabolique du travail sur la forme épistolaire, léguée par le siècle, consacrée par Rousseau et Richardson. Comme *la Nouvelle Héloïse, les Liaisons* construisent une savante structure polyphonique, la plus raffinée jamais connue : 175 lettres, sept correspondants principaux, cinq épistoliers épisodiques. Valmont en rédige 51, Mme de Merteuil 28, Mme de Tourvel et Cécile de Volanges 24 chacune. Le couple des roués compose donc près de la moitié des lettres, de loin les plus célèbres, signe de sa prééminence ; tandis que Valmont, entre ses trois femmes, apparaît le plus bavard : faiblesse et contradiction du libertin, et peut-être du libertinage, déchiré entre la dépense et l'économie, le secret et la publicité, l'alcôve et le monde. La logique du libertinage, entendu comme pratique de l'ombre, maîtrise et manipulation des cœurs, devrait raréfier l'écrit, privilégier l'écoute et le recel. Deux personnages monopolisent cette fonction stratégique ; Mme de Rosemonde, qui écrit neuf lettres (elle entre plus tard dans le roman) et en reçoit 22, et, on ne s'en étonnera pas, Mme de Merteuil, qui envoie 28 lettres et en ouvre 41. Partage inégal, mais symbolique, entre deux femmes que tout oppose, l'âge et la morale. Gardiennes d'orthodoxies rivales, qu'on soupçonne complémentaires et emboîtées : la morale du plaisir et l'exaspération de la volonté, chez Mme de Merteuil, ne vont pas sans une sorte de fanatisme hétérodoxe, d'intransigeance terroriste appelant, dans l'après-coup historique, d'étranges échos, bien entendu non prémédités et sans doute arbitraires.

La lettre n'a pas pour seule fonction de séduire ou d'informer. Elle est l'objet de toutes sortes de manipulations dont Laclos distille avec jubilation l'inventaire à peu près complet : lettres dérobées, falsifiées (Valmont déguise son écriture pour accéder à Mme de Tourvel), dictées (Valmont dicte à Danceny une lettre à Cécile, à Cécile une lettre pour Danceny qui vise indirectement la marquise de Merteuil, qui dicte à Valmont la fameuse lettre de rupture avec Mme de Tourvel : « ce n'est pas ma faute », etc.), refusées (Mme de Tourvel renvoie des lettres de Valmont), dédoublées (versions différentes d'un même événement selon le destinataire), recopiées, divulguées. Une lettre de protestation amoureuse peut s'écrire sur le corps nu d'une autre femme ; toute lettre peut devenir instrument de chantage et, en circulant, de ruine. L'autodestruction finale des libertins rivaux passe logiquement par la divulgation des lettres — par où s'efface la frontière, constitutive du libertinage, entre espace clos de l'infraction libertine et espace public régi par le conformisme.

Maître des mots qui trompent, le libertin soumet le langage à un soupçon méthodique, incessant. Entre Valmont et la marquise de Merteuil, c'est une surenchère exacerbée dans la lecture critique, une guerre de mots qui se font écho (d'où l'emploi caractéristique de l'italique : 4 lettres sur 10 en font usage dans le roman, deux tiers ou trois cinquièmes pour le couple Valmont-Merteuil, selon M. Delon). À la limite, cette omniprésence du masque, ce mimétisme trompeur et ironique rendent tout langage codé, soumis au soupçon de l'artifice, d'une origine externe à l'individu qui le signe et semble l'assumer. Tout s'imite, tout se reproduit à s'y méprendre dans l'univers libertin, c'est-à-dire l'univers des *Liaisons* : langue de la conscience religieuse, jargon mondain des roués (reproduit et distancié par Valmont et Merteuil) et peut-être même la langue brûlante de la passion qui expire sur les lèvres de Mme de Tourvel. Car le libertin a le dégoût de la spontanéité, du mouvement naturel, de l'élan instinctif (corporel, sentimental, langagier), où s'oblitère le recul de la conscience, où s'embue le plaisir de l'artifice. Beaumarchais, dans ses *Notes et réflexions*, lâche cet aveu étonnant : « J'ai le style un tant soit peu spermatique ». C'est toucher la double horreur (et donc la tentation refoulée) du libertin : il ne lâche ni sa plume ni son sperme — sauf à déchoir, ou à se convertir.

La marquise triomphe incontestablement dans cette traque humiliante, terroriste, des non-dits, des masques inaperçus ou mal dissimulés, des mots incontrôlés, des tournures convenues, où se joue l'épreuve de la maîtrise et par où se relance, jusqu'à la catastrophe finale, la compétition des consciences rivales.

Car tel est le principe dynamique qui anime ce ballet de 175 lettres croisées, recopiées, exhibées, commentées — soigneusement distribuées en quatre parties (50, 37, 37, 51) pour mieux souligner la volonté d'organisation, de maîtrise formelle, la recherche des symétries et des contrastes, des échos et des surenchères, que le lecteur est convié à savourer et à reconstruire.

Mais cette rigueur affichée de l'agencement, riche en effets de miroir (ironiques et tragiques), n'assure aucune fixité du sens, n'autorise aucune stabilité à l'interprétation. La polyphonie disperse et isole les points de vue ; le masque dissimule les consciences, perpétuellement en représentation, ou manipulées. Peut-on pour autant parler d'une crise du langage, d'une crise de la représentation, où se lirait le désarroi des Lumières finissantes, d'une société en mue, de l'écriture classique vouée à la vérité et à la sincérité ? On se contentera de constater que Laclos exacerbe soigneusement les ambiguïtés orchestrées tout au long du siècle par le roman des Lumières, notamment chez Marivaux, Prévost et Crébillon, virtuoses de la suspension énigmatique et des compromis indécidables. Comment, autrement, expliquer le succès séculaire de la première personne, du roman par lettres au roman-mémoires ? Pour sortir de ces pièges où Laclos se complaît, Rousseau engage précisément l'effort inouï et désespéré de ses œuvres autobiographiques, qu'il veut croire uniques et inimitables.

Lit défait, délit surfait, livre parfait

Laclos porte à son point de perfection la tradition du libertinage romanesque (personnages, thèmes, vocabulaire, décomptés par L. Versini), et en révèle (seul et pour toujours) la logique interne, tournée en tragédie. On peut distinguer quelques types, qui structurent le roman en autant de sphères conflictuelles :

— les conformistes (Mme de Volanges, Mme de Rosemonde) en accord avec l'ordre mondain et religieux ;
— les sentimentaux (Danceny, Mme de Tourvel) ;
— les libertins mondains, amateurs (Prévan) ;
— les roués (Valmont, Mme de Merteuil), théoriciens du libertinage dénués de tout scrupule moral, qui cultivent dans la recherche du plaisir (désir, vengeance, vanité) la virtuosité technique, la beauté dans le mal, l'élégance du coup. Car leur qualité se mesure à la difficulté de l'obstacle, sujette à discussion et propre à la surenchère. L'inaccessible vertu de la dévote Présidente la prédestine au désir du séducteur. Mais le libertin ne dédaigne pas de dévêtir et de pervertir les jeunes gens, ni même de les convertir à la pratique et à la philosophie du libertinage (Cécile, Danceny) comme l'avait fait Versac pour Meilcour dans *les Égarements du cœur et de l'esprit* de Crébillon. Tout philosophe, on le sait, est d'abord un éducateur, avide de chasser superstitions et préjugés — entendons ici la morale convenue. Mais Rousseau l'avait clairement montré dans *Émile* : *un* enfant, *un* maître (évanouis, les parents !). Les choses se gâtent dans *les Liaisons,* car chacun des deux maîtres libertins entend faire la leçon à l'autre, autrement dit le puériliser. La dialectique des défis, d'aigreur en humiliation, d'humiliation en échec, débouche sur la guerre et le risque assumé de la destruction réciproque. La séduction se révèle à double détente : tournée d'abord, dans une connivence complice, vers le monde, elle s'accompagne, sourdement, puis de plus en plus ouvertement, d'un désir exaspéré de réduction de la conscience rivale. Mme de Tourvel cristallise cet affrontement, mais ne l'explique pas, sauf à affaiblir la force du dispositif fatal monté par Laclos. La vérité est que Valmont, en cédant à l'attrait de la passion — faute majeure dans le libertinage ainsi reconstruit en système — risque de se soumettre à la volonté de la Marquise, de quitter le cercle des maîtres. Il se peut que la Marquise se mente sur les raisons de sa rage à l'encontre de la Présidente (jalousie ?) ; l'essentiel demeure le dilemme auquel elle soumet Valmont : se défaire de Mme de Tourvel dans les formes qu'elle lui impose, ou avouer sa défaite. On aura compris qu'il n'a le choix qu'entre deux formes (inégalement humiliantes) d'échec. Le féminisme vertueux

et généreux de Laclos se réalise ici dans une version satanique et tragique : la femme, victime désignée, ou résignée (Crébillon), du libertinage masculin, l'emporte dans ce conflit des volontés de puissance, de lutte pour la reconnaissance, et réduit Valmont au statut de conscience servile, que ne rachète pas une parodie de mort chevaleresque (Danceny et Valmont mourant s'embrassent à l'issue de leur duel !). La solidarité mâle ne fait qu'accuser la solitaire grandeur de la libertine, féministe à sa façon.

C'est par là que le jeu libertin traditionnel acquiert une portée sans précédent. Conformisme social vide et désespérant chez Crébillon (telle est la loi du monde, contraire à la nature, à la raison et au désir, sanctionnée par le ridicule, expliquait Versac au jeune Meilcour dans la scène capitale des *Égarements,* peut-être la première scène d'initiation du roman français) ; amoralisme complaisant et hédoniste chez des épigones moins aigus, il devient ici une quête tragique de la primauté qui engage tout l'être, un conflit des consciences avides de reconnaissance, qui enveloppe, obliquement, un conflit des sexes.

Sur quoi se fonde cette lutte à mort inéluctable, inventée par Laclos, à jamais inséparable pour nous du libertinage ? On le voit : sur la surenchère des volontés fascinées par leur moi. Le mécanisme essentiel de leur servitude réciproque leur échappe jusqu'au bout, tant il est bête et simple — enfantin, diraient-ils. Non pas, comme on le répète complaisamment, l'amour ancien qui les lierait sans qu'ils le sachent (pourquoi pas !). Si ces deux virtuoses de l'ironie, du soupçon et du démasquage n'échappent pas à la machine infernale du libertinage, c'est surtout qu'ils ont oublié de ne pas s'aimer eux-mêmes. L'amour de soi piège ces maîtres du faux amour et du plaisir de tête. Qu'on relise leurs lettres : leur ironie est toujours tournée vers l'autre. Comme Mme de Tourvel, ils meurent d'un excès de sérieux : de la passion du libertinage, qui les consume autant qu'ils le consomment ! Là est peut-être l'ironie indispensable au fonctionnement de toute bonne tragédie. Ces philosophes scélérats, moins bavards mais infiniment plus brillants que ceux de Sade, partagent avec eux quelque chose de cet incurable sérieux post-rousseauiste dont Rétif nous dévoile sans le vouloir la forte densité comique. Quelle gravité, quel emportement dans le décompte et l'algèbre des draps froissés !

Valmont et la Marquise jouent donc leur vie sur un lit défait de trop. Belle ardeur ! Une même énergie traverse la Marquise, Valmont et Mme de Tourvel, les tourmenteurs et la « victime ». Un même échec les enveloppe. Faut-il alors passer de la passion à la vertu ? Laclos répondrait peut-être oui. Son roman s'en garde bien. Il laisse dans un face à face sans issue la passion du libertinage et la passion amoureuse, sublimes et vouées toutes deux à l'échec. Mais qui dégradent le triomphe apparent du conformisme.

Aigres délires, maigres délits, dira-t-on, si l'on songe à ce que Sade a rêvé, à ce que notre siècle a subi. C'est que le libertinage des *Liaisons* cultive avant tout la beauté impeccable des formes.

Quatre parties, trois instances principales (monde, libertinage, sentiment), deux couples impossibles (Merteuil-Valmont, Valmont-Tourvel), un personnage hors du commun (Merteuil) — ce livre désespérant à force de perfection interdisait toute postérité. Il ne restait à Laclos qu'à gagner de l'argent, devenir général, aimer sa femme et ses enfants, à rêver d'impossibles *Liaisons vertueuses*. Son livre unique dérange moins les conformismes par ce qu'il montre que par ce qu'il empêche : les jugements moraux, rendus dérisoires. Ces choses-là se paient : il resta exclu, jusqu'en... 1985, de l'anthologie scolaire la plus connue. Mais dès 1788 un littérateur adroit, calculateur avisé et bien pensant, jetait sur le marché tout ce que Laclos avait soigneusement banni — la nature, le pittoresque, les bons sentiments, les clichés de la morale et de la philosophie, le goût tiède de l'âme et des larmes. On y apprenait par exemple qu'une jeune fille peut préférer la noyade aux bras nus d'un marin. Ces choses-là n'ont pas de prix : *Paul et Virginie* ont bien mérité la palme et l'auréole du roman français le plus réédité.

SADE
(1740-1814)

Il fallait s'y attendre : colloques, livres et revues pullulent sur le corps terrible de Sade, en passe d'être embaumé dans le papier bible de la Pléiade. Après le temps de l'anathème, et la sacralisation surréaliste, voici le temps des notes et variantes. Consécration nécessaire, bien entendu, d'une œuvre sans équivalent — terrible chimère, monstrueuse obsession — et qui pourtant chagrine, comme la mort de Dieu frustre les philosophes sadiens d'un interlocuteur à leur mesure et de la volupté du sacrilège. Sade parlait peut-être plus fort quand sa voix sortait de l'ombre. « *Sade.* Il a donné son nom à une perversion, le sadisme. Son œuvre n'a eu qu'un succès de scandale et Rétif de La Bretonne répondit par une *Anti-Justine* à *Justine ou les malheurs de la vertu* (1791, 2 vol.). Quelle qu'en soit la vogue momentanée, l'œuvre de Sade relève plutôt d'études pathologiques ou psychanalytiques que de la littérature et ne s'adresse qu'à des spécialistes ou des curieux » (*Dictionnaire des lettres françaises,* sous la direction du cardinal Grente, de l'Académie française, archevêque-évêque du Mans, Fayard, 1960, 7 vol. — A. Chénier a droit à six pages sur deux colonnes). Cette excommunication académique et théologique pour mauvaise conduite littéraire a le mérite de son laconisme. L'anonymat n'est pas ici lâcheté : il renforce l'objectivité sans appel de la sentence. L'expulsion hors du dictionnaire valide les interminables réclusions qui retranchèrent Sade de la vie (1777-1789, 1801-1814).

Sade est fils de la prison, des humiliations, des impuissances, des rages et des désirs qu'elle engendre. La prison fit de lui un philosophe, un écrivain, et elle domine son œuvre. Elle peuple les châteaux sadiens de ses fantasmes exaspérés, et l'on n'oubliera pas que Sade s'y partage tout entier, victime pantelante et bourreau raisonneur. Le supplice de l'enfermement, l'horreur (ou les délices) de l'impuissance se reversent sur les victimes, se renversent chez les libertins.

Le sacrificateur libertin règne, philosophe impie, tyran impitoyable, sur un château bardé de cachots, de chaînes, d'instruments de torture, gardé par des assistants fidèles ou terrorisés. Car le libertinage sadien s'organise selon un rituel rigoureux. Le saccagement de l'éthique suit une étiquette maniaque. L'expérience sadienne de la prison se sublime en cérémonie ritualisée, en spectacle théâtralisé du viol, de l'inceste, de la torture, du meurtre. Règle et dérèglement font couple, comme le bourreau et sa victime, la loi et le mal, le secret et le spectacle, l'hystérie du faire et l'obsession du dire. Pas de cérémonie sadienne sans public (complice ou horrifié) et sans discours. L'orgasme appelle la complicité du sexe, du regard et de la parole dans une fête sacrilège codée comme une messe. N'y manquent ni le pain blanc des corps, ni le sang versé comme un vin rédempteur, ni les sermons de l'officiant, ni la communion des fidèles. Sous le regard d'un Dieu absent, et pourtant toujours à tuer, à travers ses créatures et ses commandements.

On ne s'étonnera pas de trouver, au centre du dispositif sacrificiel et sacrilège ordonné par les héros sadiens, la négation systématique de tous les interdits : « Reconnais à la fois ta sœur, celle que tu as séduite à Nancy, la meurtrière de ton fils, l'épouse de ton père et l'infâme créature qui a traîné ta mère à l'échafaud », s'exclame un personnage des *Crimes de l'amour,* 1799 ! L'inceste occupe en effet une place privilégiée dans l'orgie sadienne, et son orchestration n'obéit le plus souvent (mais pas toujours) qu'à une seule loi, celle de la surenchère sans limite — qui caractérise le texte sadien et finit, parfois, par déboucher sur l'horreur indicible, insoutenable. Telles *les Cent Vingt Journées de Sodome, ou l'École du libertinage,* rédigées à la Bastille en 1785, publiées en 1904 (Sade croyait le manuscrit perdu). « L'Évangile du Mal » (Jean Paulhan) est sans doute le socle volcanique du monde sadien, son cratère le plus brûlant. Quatre libertins (un duc, un grand dignitaire de l'Église, un haut magistrat, un financier) enferment des victimes des deux sexes, soigneusement sélectionnées, dans une citadelle imprenable, pour les soumettre à l'exercice méthodique de toutes les perversions sexuelles, selon une progression implacable, de plus en plus cruelle et sanguinaire, réglée par la succession des jours et des mois, des discours et des exercices d'application.

L'alternance de la théorie et de la pratique, du dialogue et du tableau, organise également *la Philosophie dans le boudoir,* 1795, brillante introduction aux grands motifs sadiens, puisqu'il s'agit d'initier une jeune fille, Eugénie, au libertinage sexuel et philosophique. Étudiante appliquée, Eugénie ne demande qu'à apprendre et comprendre les leçons et démonstrations que lui dispense un pédagogue rigoureux, Dolmancé, assisté de valets vigoureux. Utiles aux ébats pratiques, les valets restent soigneusement exclus des débats d'idées ! Le renversement radical de tous les codes peut donc respecter certaines conventions : tabou social ? logique du récit ? homologie de la structure sociale et de la structure du libertinage (maître-esclave) ? ironie ? En fait, l'univers sadien ne connaît que la loi du plus fort. Mais la force n'est rien sans le travail de la raison, qui fait le philosophe et définit le libertin.

La raison dénonce la puérilité intenable de l'idée de Dieu : l'athéisme de Sade se nourrit des textes matérialistes et antichrétiens, rageusement répétés par ses personnages. Elle prend au pied de la lettre certains postulats fondamentaux des Lumières, pour en tirer des conséquences radicales et ravageuses. Comment donner aux conduites, par exemple, un autre fondement naturel que le plaisir, l'intérêt ? Est donc justifié par la Nature, par la Raison tout ce qui fait plaisir, tout ce qui satisfait les besoins inscrits en moi par la Nature. Or, les libertins ne trouvent le bonheur que dans la souffrance qu'ils infligent, dans les violences qu'ils exercent au nom de leurs désirs.

Sade laisse cependant s'exprimer dans son œuvre des points de vue divergents. Le crime est tantôt légitimé comme le mouvement même d'une Nature qui ne subsiste que par la destruction et la mort, tantôt anéanti au regard d'une Nature indifférente aux individus, sensible seulement à la conservation des espèces. Mais le libertin éprouve alors une sorte de vertige : que pèsent ses dérisoires transgressions, ses déviations infimes, considérées non plus du point de vue de Dieu, de la morale religieuse et sociale, mais par rapport à l'univers, infini, éternel, souverainement indifférent aux faux pas de quelques fourmis hors du droit chemin ?

Comme toute démarche blasphématoire, sacrilège, la négation sadienne suppose ce qu'elle nie. Le lecteur prend la place de Dieu : le libertin s'admire dans sa pupille horrifiée. On voit également qu'elle s'acharne à piéger la philosophie des Lumières dans certaines de ses contradictions essentielles, mais le plus souvent impensées, et notamment la tentative obstinée de fonder la morale sur le plaisir ou l'intérêt, c'est-à-dire la Nature. L'individualisme des Lumières, la croyance en l'harmonie des passions et de la société, débouchent, avec une logique implacable, sur un univers tyrannique, frénétique, d'où giclent le sang et le sperme. Le sang des victimes, le sperme des maîtres — philosophes et bourreaux.

Il peut paraître dérisoire d'évaluer la valeur littéraire d'une vision aussi grandiose, aussi unique, aussi inoubliable, payée au prix fort par celui qui a eu le courage presque incompréhensible de l'assumer et de la rendre publique. À vrai dire, la décence (notion antisadienne par excellence), disons donc le respect (ce n'est pas mieux), alors l'admiration et l'effroi obligent à parler pour soi. J'avoue ne pouvoir lire continûment plus de cent pages de Sade sans une lassitude épuisante, nauséeuse ou crispée. Il s'agit, paraît-il, d'un symptôme révélateur, dont le virus vient d'être diagnostiqué : hypocrisie, vertu maussade, mélancolie grégaire (Ph. Sollers, *le Monde,* 13 février 1987, *Sade, encore*) ! Je pourrais analyser certaines raisons esthétiques et affectives de ce blocage du plaisir. Peut-être vaut-il mieux tourner autrement la question. Sade prouve magnifiquement que la notion d'œuvre ne se confond pas avec celle d'ouvrage. Laclos a écrit un livre parfait. Sade a créé un univers qui hante nos mémoires. Que certains tremblent d'y entrer ou en sortent en courant, révulsés, ne l'empêchera jamais d'exister.

Bloc rouge et glacé, plein de rage durcie et de comique hautain.

BIBLIOGRAPHIE

Saint-Simon

Éditions

Mémoires, éd. Coirault, Gallimard, la Pléiade, 1983- (8 vol. prévus).

Mémoires, Ramsay, 1977-1979, 18 vol.

Études

Coirault Y., *l'Optique de Saint-Simon,* Colin, 1965.

Ferrier-Caverivière N., *le Grand Roi à l'aube des Lumières : 1715-1750,* P.U.F., 1985.

Van der Cruysse D., *le Portrait dans les « Mémoires » du duc de Saint-Simon,* Nizet, 1971.

— *Mort chez Saint-Simon,* Nizet, 1981.

Montesquieu

Éditions

Œuvres, Le Seuil, L'Intégrale, 1964.

Lettres persanes, éd. Vernière, Garnier, 1960.

Lettres persanes, éd. Starobinski, Gallimard, Folio.

Considérations sur les causes de la grandeur des Romains et de leur décadence, Garnier-Flammarion, 1968.

De l'esprit des lois, éd. Derathé, Garnier, 1973.

De l'esprit des lois, Garnier-Flammarion, 1979.

De l'esprit des lois (textes choisis), Éd. sociales, 1970.

Études

Althusser L., *Montesquieu, la Politique et l'Histoire,* P.U.F., 1959.

Benrekassa G., *Montesquieu,* P.U.F., 1968.

— *Montesquieu. La liberté et l'histoire,* Livre de poche, 1987.

Grosrichard A., *Structure du sérail. La fiction du despotisme asiatique dans l'Occident classique,* Le Seuil, 1979.

Shackleton R., *Montesquieu. Biographie critique,* P.U. Grenoble, 1977.

Starobinski J., *Montesquieu par lui-même,* Le Seuil, 1953.

Marivaux

Éditions

Œuvres de jeunesse, éd. Deloffre, Gallimard, la Pléiade, 1972.

Théâtre complet, éd. Deloffre, Garnier, 1968.

La Vie de Marianne, éd. Deloffre, Garnier, 1957.

La Vie de Marianne, Garnier-Flammarion, 1978.

Le Paysan parvenu, éd. Deloffre, Garnier, 1959.

Le Paysan parvenu, éd. Coulet, Gallimard, Folio.

Journaux et œuvres diverses, éd. Deloffre, Gilot, Garnier, 1969.

Études
Coulet H., *Marivaux romancier,* Colin, 1975.
Coulet H., Gilot M., *Marivaux. Un humanisme expérimental,* Larousse, 1973.
Deloffre F., *Une préciosité nouvelle. Marivaux et le marivaudage,* Colin, 1955 et 1971.
Gilot M., *les Journaux de Marivaux,* Champion, 1975.

Prévost
Éditions
Œuvres, P.U. Grenoble, 1978-1986, 8 vol.
Manon Lescaut, éd. Deloffre, Picart, Garnier, 1965.
Manon Lescaut, éd. Bory et Sacy, Gallimard, Folio.
Études
Sgard J., *Prévost romancier,* Corti, 1968.
— *l'Abbé Prévost. Labyrinthes de la mémoire,* P.U.F., 1986.

Voltaire
Éditions
Œuvres complètes, édition internationale en cours, 150 vol. prévus, Voltaire Foundation, Oxford, 1968.
Œuvres historiques, éd. Pomeau, Gallimard, la Pléiade, 1957.
Mélanges, éd. Van der Heuvel, Gallimard, la Pléiade, 1961.
Romans et Contes, éd. Deloffre et Van der Heuvel, Gallimard, la Pléiade, 1979.
Candide, éd. Goldzink, Magnard, 1985.
Romans et Contes, éd. Barthes et Lupin, Gallimard, Folio.
Lettres philosophiques, éd. Deloffre, Gallimard, Folio.
Études
Duchet M., *Anthropologie et Histoire au siècle des Lumières,* Maspéro, 1971, Flammarion, 1977.
Gusdorf G., *l'Avènement des sciences humaines au siècle des Lumières,* Payot, 1973.
Mervaud C., *Voltaire et Frédéric II. Une dramaturgie des Lumières. 1736-1778,* Voltaire Foundation, 1985.
Pomeau R., *la Religion de Voltaire,* Nizet, 1954 et 1969.
— *Voltaire par lui-même,* Le Seuil, 1955.
Van der Heuvel J., *Voltaire dans ses Contes,* Colin, 1967.

Rousseau
Éditions
Œuvres complètes, éd. B. Gagnebin et M. Raymond, Gallimard, la Pléiade, 1959-1969, 4 vol.
Études
Baczko B., *Rousseau, solitude et communauté,* Mouton, 1974.
Burgelin P., *la Philosophie de l'existence de Rousseau,* P.U.F., 1952 et 1973.

Derrida J., *De la grammatologie,* Éd. de Minuit, 1967 (pp. 203-445).
Goldschmidt V., *Anthropologie et Politique. Les principes du système de Rousseau,* Vrin, 1974.
Lecercle J.-L., *Rousseau. Modernité d'un classique,* Larousse, 1968.
— *Rousseau et l'art du roman,* Colin, 1969.
Lejeune Ph., *le Pacte autobiographique,* Le Seuil, 1975.
Starobinski J., *J.-J. Rousseau, la transparence et l'obstacle,* Gallimard, 1971, rééd. « Tel », 1976.

Diderot
Éditions
Œuvres complètes, édition internationale en cours, 33 vol. prévus, Hermann, 1975-
Œuvres complètes, éd. Lewinter, Club Français du Livre, 1969-1973, 15 vol.
Éditions critiques
Le Neveu de Rameau, éd. Fabre, Droz, 1950.
Le Rêve de d'Alembert, éd. Vernière, Didier, 1951.
Supplément au voyage de Bougainville, éd. Dieckmann, Droz, 1955.
Quatre Contes, éd. Proust, Droz, 1964.
Jacques le Fataliste et son maître, éd. Lecointre, Le Galliot, Droz, 1976.
Éditions annotées
Vernière P., chez Garnier : *Œuvres philosophiques,* 1956 ; *Œuvres esthétiques,* 1959 ; *Œuvres politiques,* 1963 ; *Mémoires pour Catherine II,* 1966.
Le Neveu de Rameau et autres dialogues philosophiques, éd. Varloot, Gallimard, Folio.
La Religieuse, éd. Rustin, Gallimard, Folio.
Lettres à Sophie Volland (choix de lettres), éd. Varloot, Gallimard, Folio.
Études
Bonnet J.-Ch., *Diderot, textes et débats,* Hachette, Le Livre de Poche, 1984.
Chouillet J., *Diderot,* S.E.D.E.S., 1977.
Dieckmann H., *Cinq leçons sur Diderot,* Droz, 1959.
Proust J., *Lectures de Diderot,* Colin, 1974.
Seguin J.-P., *Diderot, le discours et les choses* (étude stylistique), Klincksieck, 1978.
Wilson A., *Diderot, sa vie et son œuvre,* Laffont, 1985.

Beaumarchais
Éditions
Théâtre de Beaumarchais, éd. J.-P. de Beaumarchais, Garnier, 1980.

Parades, éd. P. Larthomas, S.E.D.E.S., 1977.
Notes et Réflexions, éd. G. Bauer, Hachette, 1961.
Études
Conesa G., *la Trilogie de Beaumarchais,* P.U.F., 1985.
Le Mariage de Figaro, collectif, Ellipses, 1985.
Pomeau R., *Beaumarchais,* Hatier, 1956.
Revue d'Histoire littéraire de la France, « le Mariage de Figaro », sept.-oct. 1984.
Schérer J., *la Dramaturgie de Beaumarchais,* Nizet, 1954, rééd. 1980.

Laclos
Éditions
Œuvres complètes, éd. L. Versini, Gallimard, la Pléiade, 1979.
Les Liaisons dangereuses, Préface A. Malraux, Gallimard, Folio.
Études
Delon M., *les Liaisons dangereuses,* P.U.F., coll. « Etudes littéraires », 1986.
Laclos et le libertinage, 1782-1982, Actes du colloque de Chantilly, P.U.F., 1983.
Pomeau R., *Laclos,* Hatier, 1975.
Revue d'Histoire littéraire de la France, « Laclos », numéro spécial, juillet-août 1982.
Versini L., *Laclos et la tradition,* Klincksieck, 1968.

Sade
Éditions
Une édition est en cours à la Pléiade.
Œuvres complètes, éd. A. Lebrun, Pauvert, 1986.
Les Crimes de l'amour, éd. M. Delon, Gallimard, folio.
Les Infortunes de la vertu, éd. Paulhan et B. Didier, Gallimard, Folio.
Études
Barthes R., *Sade, Fourier, Loyola,* Le Seuil, 1971.
Hénaff M., *l'Invention du corps libertin,* P.U.F., 1978.
Lebrun A., *les Châteaux de la subversion,* Garnier, 1982.
Lély G., *Sade,* Gallimard, 1967.
Le Marquis de Sade, Actes du colloque d'Aix-en-Provence, Colin, 1968.
Obliques, « Sade », n° 11-12.
Roger Ph., *Sade. La philosophie dans le pressoir,* Grasset, 1976.

ANNEXES

Chronologie

On trouvera regroupés dans la présente chronologie les faits marquants de la période analysée : histoire/vie intellectuelle/œuvres. Une telle chronologie ne prétend — évidemment ! — pas à l'exhaustivité mais permet, par une consultation rapide, de mettre en relation les événements les uns par rapport aux autres soit dans une perspective synchronique (rapport politique/culturel, par exemple), soit selon une lecture diachronique (développement de l'œuvre d'un auteur, évolution d'un genre...).

Signification des symboles :

- la flèche |→| indique soit une date de décès, soit l'achèvement d'une œuvre ou d'un événement.
- pour les œuvres, quatre logotypes sont proposés :
  l'hexagone |⬡| rassemble les œuvres littéraires françaises ;
  le cercle |○|, les œuvres littéraires étrangères ;
  l'ouïe |∫|, les œuvres musicales françaises et étrangères ;
  l'étoile |☆|, les œuvres artistiques — peinture, sculpture, architecture... — françaises et étrangères.

Index des auteurs cités

(Voir page 221)

1700	• Mort de Charles II d'Espagne. Louis XIV accepte la succession pour le duc d'Anjou, son petit-fils.	• Naissance de Gottsched (→ 1766)	⬡ • Courtilz de Sandras (1644-1712), *Mémoires de M. d'Artagnan*.
1707	• Pierre le Grand envahit la Pologne.	• Naissance de Buffon (→ 1788), de Crébillon fils (→ 1777), de Goldoni (→ 1793), de Fielding (→ 1754).	⬡ • Crébillon père, *Atrée et Thyeste*. • Lesage, *le Diable boîteux ; Crispin rival de son maître*.
1708	• Condamnation de Quesnel (janséniste) par le pape.		⬡ • Regnard, *le Légataire universel*.
1709	• Pierre le Grand écrase Charles XII à Poltava.	• Mort de Regnard, né en 1655. • Naissance de Mably (→ 1785).	⬡ • Lesage, *Turcaret*.
1712	• Mort du duc de Bourgogne, petit-fils de Louis XIV, élève de Fénelon. • Victoire française à Denain.	• Mort de R. Simon. • Naissance de J.-J. Rousseau (→ 1778), de Guardi.	⬡ • Marivaux, *les Effets surprenants de la sympathie*.
1713	• Traité d'Utrecht, première affirmation de la puissance anglaise. • Bulle Unigenitus, qui condamne les 101 propositions de Quesnel.	• Naissance de Diderot (→ 1784), de Raynal (→ 1796), de Sterne (→ 1768).	⬡ • Challe, *les Illustres Françaises*. • Hamilton, *Mémoires de la vie du Comte de Gramont*.

1714 • Louis XIV oblige le Parlement de Paris à enregistrer la bulle Unigenitus, que l'archevêque de Paris refusait. • George Ier roi d'Angleterre. • Fahrenheit invente le thermomètre à alcool et à mercure.	• Naissance de Glück (→ 1787), de Vernet (→ 1789), de Soufflot (→ 1781).	⬡ • Mme Dacier, *Des causes de la corruption du goût*. • Fénelon, *Lettre sur les occupations de l'Académie*. • Marivaux, *la Voiture embourbée*. ○ • Leibniz, *Monadologie*.
1715 • Mort de Louis XIV. Régence du duc d'Orléans et système de la polysynodie (Conseils).	• Mort de Fénelon, né en 1647, et de Malebranche, né en 1638. • Naissance de Condillac (→ 1780), de Helvétius (→ 1771), de Vauvenargues (→ 1747).	⬡ • Dufresny, *la Coquette de village*. • Lesage, *Histoire de Gil Blas de Santillane* (→ 1735).
1718 • Mort de Charles XII de Suède. • Fin de la polysynodie en France. • Fondation de La Nouvelle-Orléans.		⬡ • Abbé de Saint-Pierre, *Discours sur la polysynodie*. • Voltaire, *Œdipe*.
1720 • Effondrement du système de Law. • La peste à Marseille.	• Naissance de Piranèse (→ 1778).	⬡ • Marivaux, *Arlequin poli par l'amour*.

1721 • Fondation de la première loge maçonnique en France.	• Mort de Watteau, né en 1684.	⬡ • Montesquieu, *Lettres persanes*.
1723 • Mort du Régent et de Dubois, le duc de Bourbon premier ministre. • Les Russes prennent Bakou.	• Naissance de d'Holbach (→ 1789), d'A. Smith (→ 1790).	⬡ • Houdar de La Motte, *Inès de Castro*. • Marivaux, *La double inconstance*. • J.-B. Rousseau, *Œuvres poétiques*. • Voltaire, *la Ligue*.
1724 • France : déclaration contre les protestants. • Fondation de la Bourse de Paris.	• Naissance de Kant (→ 1804), de Klopstock (→ 1803).	⬡ • Marivaux, *la Fausse suivante ; le Prince travesti*. • Montesquieu, *le Temple de Gnide*.
1727 • Début de l'affaire des convulsions du cimetière Saint-Médard (jansénisme). • Première loge maçonnique à Madrid. • Première imprimerie à Constantinople.	• Naissance de Turgot (→ 1781). • Mort de Newton, né en 1642.	⬡ Destouches, *le Philosophe marié*. • Marivaux, *la Seconde Surprise de l'amour*.
1728 • Mort de George Ier, George II lui succède.	• Naissance de Goldsmith (→ 1777). • *Les Nouvelles ecclésiastiques* (journal janséniste) (→ 1803). • Rousseau s'enfuit de Genève et se convertit au catholicisme.	⬡ • Prévost, *Mémoires d'un homme de qualité* (→ 1731). • Marivaux, *l'Indigent philosophe*. • Voltaire, *la Henriade*.

1730	• Début d'une phase « séculaire » d'expansion économique en France (→ 1770/1780).		⬡ • Marivaux, *le Jeu de l'amour et du hasard.*
1731	• Suppression de la peine de mort pour sorcellerie. • Fondation de l'Académie de chirurgie. • Suppression de Club de l'Entresol (académie politique privée).	• Mort de La Motte, né en 1672, et de Defoe, né en 1660.	⬡ • Marivaux, *la Vie de Marianne* (→ 1741). • Prévost, *Histoire du Chevalier Des Grieux et de Manon Lescaut.* • Voltaire, *Histoire de Charles XII.*
1732	• Fleury fait fermer le cimetière Saint-Médard, théâtre d'hystéries collectives. • Fondation de la colonie anglaise de Georgie.	• Naissance de Beaumarchais (→ 1799), de Fragonard (→ 1806), de Haydn (→ 1809).	⬡ • Marivaux, *le Triomphe de l'amour ; les Serments indiscrets.* • Prévost, *Histoire de M. Cleveland.* • Voltaire, *Zaïre.*
1733	• Guerre de succession de Pologne (→ 1738). • John Kay invente la navette volante.	• Naissance de Hubert Robert (→ 1808), de Wieland (→ 1813). • Mort de Mandeville, né en 1670.	⬡ • Marivaux, *l'Heureux stratagème ; Nivelle de La Chaussée , la Fausse antipathie.*
1734		• Naissance de Rétif de La Bretonne (→ 1806).	⬡ • Montesquieu, *Considérations sur les causes de la grandeur des Romains et de leur décadence.* • Voltaire, *Lettres philosophiques.*

Année	Histoire	Naissances	Œuvres
1735	• Angleterre : première coulée de fer au coke.		⬡ • Marivaux, *la Mère confidente ; le Paysan parvenu*. • Nivelle de La Chaussée, *le Préjugé à la mode*.
1736	• La mesure du méridien terrestre (La Condamine, Maupertuis) confirme les théories de Newton.		⬡ • Crébillon fils, *les Égarements du cœur et de l'esprit*. • Voltaire, *le Mondain*.
1737	• Institution de salons réguliers de peinture et sculpture.	• Naissance de Bernardin de Saint-Pierre (→ 1814).	⬡ • Marivaux, *les Fausses Confidences*.
1738	• Traité de Vienne : fin de la guerre de succession de Pologne. • Linné classe les végétaux.	• Naissance de Delille (→ 1813).	⬡ • Voltaire, *Éléments de la philosophie de Newton ; Discours en vers sur l'Homme*, (→ 1739).
1740	• Début du règne de Frédéric II en Prusse, de Marie-Thérèse en Autriche. • Frédéric II envahit la Silésie. • Début de la guerre de succession d'Autriche.	• Naissance de Sade (→ 1814).	⬡ • Crébillon fils, *le Sopha*. • Marivaux, *l'Épreuve*. • Prévost, *Histoire d'une Grecque moderne*.

1742	• Le pape condamne définitivement les *rites chinois*.	• Traduction de *Paméla*, de Richardson.	⬡ • Voltaire, *Mahomet*.
1743	• Mort du cardinal de Fleury.	• Naissance de Condorcet (→ 1794), Lavoisier (→ 1794).	⬡ • Voltaire, *Mérope*.
1746	• Construction du château *Sans-Souci* à Potsdam (→ 1755) pour Frédéric II.	• Le libraire Le Breton confie à Diderot la direction de *l'Encyclopédie*. • Naissance de Goya (→ 1828).	⬡ • Marquis d'Argens, *Philosophie du bon sens*. • Condillac, *Essai sur l'origine des connaissances humaines*. • Diderot, *Pensées philosophiques*. • Vauvenargues, *Réflexions et Maximes*.
1747	• Disgrâce du marquis d'Argenson, ministre des Affaires Étrangères, et condisciple de Voltaire. • Fondation de l'École des Mines de Paris.	• Mort de Lesage, né en 1668, et de Vauvenargues, né en 1715.	⬡ • Diderot, *la Promenade du sceptique*. • Mme de Graffigny, *Lettres d'une péruvienne*. • Gresset, *le Méchant*. • La Mettrie, *l'Homme-Machine*.
1748	• Le traité d'Aix-la-Chapelle met fin à la guerre de succession d'Autriche au bénéfice de la Prusse. • Découverte des ruines de Pompéi.		⬡ • Diderot, *les Bijoux indiscrets*. • Montesquieu, *De l'esprit des lois*. • Voltaire, *Zadig*.

Année	Histoire	Culture	⬡
1749	• Le roi tente d'imposer l'impôt du *vingtième* à toute la nation et établit le contrôle royal sur les biens du clergé.	• Naissance de Goethe (→ 1832), de Laplace (→ 1827). • Diderot emprisonné à Vincennes. • Salon de Mme Geoffrin (→ 1777).	• Buffon, *Histoire naturelle* (→ 1789). • Condillac, *Traité des systèmes*. • Diderot, *Lettre sur les aveugles*.
1750	• La « guerre de l'impôt » fait rage en France : émeutes à Paris ; dissolution des États du Languedoc.	• Mort de J.-S. Bach, né en 1685. • Prospectus de l'*Encyclopédie*. • Voltaire à Berlin (→ 1753).	• Rousseau, *Discours sur les sciences et les arts*.
1751	• Louis XV suspend l'impôt du *vingtième* sur le clergé.	• Tomes 1 et 2 de l'*Encyclopédie ; Discours préliminaire* de d'Alembert. • Traduction de *Clarissa Harlowe*, de Richardson (1747).	• Diderot, *Lettre sur les sourds et muets*. • Duclos, *Considérations sur les mœurs de ce siècle*.
1752	• Affaire des billets de confession. • Agitation parlementaire.	• Première condamnation de l'*Encyclopédie*.	• Voltaire, *le Siècle de Louis XIV*.
1753	• Exil (mai) et rappel (octobre) du Parlement de Paris.	• Grimm lance la *Correspondance littéraire* (→ 1790).	• Buffon, *Discours sur le style*.
1754	• Wilkinson fonde sa première usine métallurgique à Bradley (Angleterre).	• Mort de Destouches, né en 1680 et de Nivelle de la Chaussée, né en 1692. • Fréron fonde *l'Année littéraire* (→ 1790), bête noire des Philosophes.	• Condillac, *Traité des sensations*. • Diderot, *Pensées sur l'interprétation de la nature*.

1755 • Tremblement de terre à Lisbonne.	• Mort de Montesquieu, né en 1689 et de Saint-Simon, né en 1675. • Voltaire aux *Délices* (→ 1760).	⬡ • Rousseau, *Discours sur l'origine et les fondements de l'inégalité parmi les hommes.*
1756 • Début de la guerre de Sept Ans. • La France s'allie à l'Autriche et à la Russie contre l'Angleterre et la Prusse (→ 1763).	• Naissance de Mozart (→ 1791). • Gueulette édite le *Théâtre des Boulevards.*	⬡ • Voltaire, *Poème sur le désastre de Lisbonne ; Poème sur la religion naturelle ; Essai sur l'histoire générale et sur les mœurs et l'esprit des nations.*
1757 • Attentat de Damiens contre Louis XV. Son supplice marquera les esprits. • Frédéric II écrase l'armée française à Rossbach.	• Mort de Fontenelle, né en 1657. • L'article *Genève* (d'Alembert) dans l'*Encyclopédie* va brouiller Diderot et Rousseau.	⬡ • Diderot, *le Fils naturel ; Entretiens sur le Fils naturel.*
1758 • Ministère Choiseul (→ 1770).	• D'Alembert quitte la direction de l'*Encyclopédie.* • Rupture publique entre Rousseau et Diderot.	⬡ • Diderot, *le Père de famille ; Discours sur la poésie dramatique.* • Helvétius, *De l'esprit.* • Rousseau, *Lettre à d'Alembert sur les spectacles.*
1759 • Expulsion des jésuites du Portugal (et de son empire colonial). • Capitulation du Québec. • Fondation du British Museum.	• Naissance de Schiller (→ 1805). • Révocation du privilège de l'*Encyclopédie.* • Plus de spectateurs sur la scène de la Comédie-Française.	⬡ • Diderot, premier *Salon* pour la *Correspondance littéraire* (→ 1781). • Voltaire, *Candide.*

Année	Événements	Culture	Œuvres
1761	• Capitulation de Pondichéry.		• Rousseau, *la Nouvelle Héloïse*.
1762	• Procès et exécution de Calas. Voltaire intervient en sa faveur.	• Fusion de l'Opéra-Comique et de la Comédie-Italienne.	• Rousseau, *Du contrat social ; Émile*.
1764	• Procès et condamnation de Sirven (protestant). • Dissolution des Jésuites.	• Naissance de Marie-Joseph Chénier (→ 1811), d'Anne Radcliffe (→ 1823). • Voyage de Mozart en Angleterre.	• Rousseau, *Lettres écrites de la montagne*. • Voltaire, *Dictionnaire philosophique*.
1765	• Réhabilitation de Calas. • Avènement de Joseph II d'Autriche.		• Sedaine, *le Philosophe sans le savoir*.
1766	• Procès et condamnation du chevalier de La Barre.	• Naissance de Maine de Biran (→ 1824), de Mme de Staël (→ 1817).	• D'Holbach, *le Christianisme dévoilé*. • Voltaire, *le Philosophe ignorant*.
1767	• Expulsion des Jésuites d'Espagne. • Réhabilitation de Sirven.	• Rousseau commence la rédaction des *Confessions*.	• Beaumarchais, *Eugénie*. • D'Holbach, *le Christianisme dévoilé*. • Voltaire, *l'Ingénu ; les Scythes*.

Année	Histoire	Sciences et arts	Littérature
1768	• Maupeou Chancelier de France. Début de la faveur de Mme du Barry. • Traité de Versailles : la France acquiert la Corse.	• Naissance de Chateaubriand (→ 1848).	⬡ • Carmontelle, *Proverbes dramatiques*. • Voltaire, *l'Homme aux quarante écus ; la Princesse de Babylone*.
1769	• Naissance de Napoléon Bonaparte. • Terray, Contrôleur général des Finances. • Abolition du monopole de la Compagnie des Indes : le commerce colonial devient libre.	• Naissance de Cuvier (→ 1832), de Alexandre de Humboldt (→ 1859). • Le Tourneur traduit *les Nuits,* de Young, et Ducis adapte *Hamlet*.	⬡ • Diderot, *le Rêve de d'Alembert* (non publié). • Rétif de la Bretonne, *le Pornographe*. • Saint-Lambert, *les Saisons*.
1770	• Disgrâce de Choiseul. • Mariage du Dauphin et de Marie-Antoinette d'Autriche. • Début d'une phase de récession économique qui pesa sur la fin de l'Ancien Régime.	• Naissance de Beethoven (→ 1827), de Hegel (→ 1831), d'Hölderlin (→ 1843), de Senancour (→ 1848), de Wordsworth (→ 1850).	⬡ • D'Holbach, *Système de la nature*. • Raynal, *Histoire philosophique et politique des établissements et du commerce des Européens dans les deux Indes*. • Voltaire, *Questions sur l'Encyclopédie*.
1771	• Le Triumvirat (Maupeou, Terray, d'Aiguillon) tente de réformer la monarchie.	• Lavoisier analyse la composition de l'air.	⬡ • L.-S. Mercier, *l'An 2440*.

1772 • Premier partage de la Pologne entre la Prusse, la Russie et l'Autriche.	• Naissance de Coleridge (→ 1834), de P.-L. Courier (→ 1825), de Novalis (→ 1831), de Fr. Schlegel (→ 1829).	⬡ • Cazotte, *le Diable amoureux*. • Diderot, *Ceci n'est pas un conte ; Mme de la Carlière*. • Helvétius, *De l'Homme*.
1773 • Le pape dissout la Compagnie de Jésus. • Construction du premier pont de fer en Angleterre.	• Voyage de Diderot en Russie (→ 1774), où il rédige les *Mémoires pour Catherine II*.	⬡ • Diderot, *Supplément au voyage de Bougainville ; Paradoxe sur le comédien* (publié en 1830).
1774 • Mort de Louis XV et fin du Triumvirat. Turgot Contrôleur général des Finances. Rappel du Parlement.	• Mort de Goldsmith.	⬡ • Collé, *la Partie de chasse de Henri IV*. • Voltaire, *le Taureau blanc*.
1775 • La « Guerre des Farines » (avril-mai) permet d'ébranler la position de Turgot. • Watt vend sa première machine à vapeur. • Les colons d'Amérique du Nord tentent d'envahir le Canada.	• Naissance d'Ampère (→ 1836), de Schelling (→ 1854), de Turner (→ 1851).	⬡ • Beaumarchais, *le Barbier de Séville*. • L.-S. Mercier, *la Brouette du vinaigrier*. • Nerciat, *Félicia*. • Rétif de La Bretonne, *le Paysan perverti*.
1776 • Renvoi de Turgot. • Déclaration d'Indépendance des États-Unis.	• Traduction française de *Werther*, de Goethe. • Le Tourneur traduit le théâtre de Shakespeare (→ 1782).	⬡ • Rousseau rédige *les Rêveries du promeneur solitaire*. • Voltaire, *la Bible enfin expliquée*.

1777	• La Fayette en Amérique. • Necker aux Finances.	• Naissance de Kleist (→ 1811) et Gauss (→ 1855).	⬡ • Denon, *Point de lendemain.* • Marmontel, *les Incas.*
1778	• Début des hostilités franco-anglaises liées à la révolte américaine.	• Mort de Voltaire, né en 1694 et de Rousseau, né en 1712. • Naissance de Foscolo. • Sade incarcéré pour douze ans.	⬡ • Diderot, *Jacques le Fataliste* (dans la *Correspondance littéraire* de Grimm). • Parny, *Poésies érotiques.*
1779	• Suppression de la question préparatoire (torture). • Schröder ouvre dans une loge maçonnique de Sarrebourg une école de Magie.		⬡ • Diderot, *Essai sur les règnes de Claude et de Néron.* • Rétif de La Bretonne, *la Vie de mon père.*
1780	• Règne de Joseph II, type de despote éclairé (1780-1790).	• Naissance de Béranger (→ 1857), de Nodier (→ 1844).	⬡ • Delille, *les Jardins.*
1781	• Washington, aidé par les Français, contraint les troupes anglaises à la capitulation de Yorktown. • Renvoi de Necker, qui publie le budget de l'État. • Fondation de l'usine du Creusot.	• Mort de Lessing. • *Le Mariage de Figaro,* reçu à la Comédie-Française, interdit par la censure, lu dans les salons (1781-1784).	⬡ • Diderot, *Est-il bon ? Est-il méchant ?* • L.-S. Mercier, *le Tableau de Paris* (début). ○ • Kant, *Critique de la Raison pure.*

1782	• Paix séparée anglo-américaine. • Utilisation en Angleterre du marteau-pilon à vapeur.	• Mort de Metastase. • Naissance de Lamennais (→1854).	⬡ • Laclos, *les Liaisons dangereuses*. • Rousseau, *les Confessions* (I-VI).
1784	• Fondation de la Banque de New York. • Necker publie *De l'administration et des finances de la France*. • 1784-1786 : affaire du collier de la reine qui met en cause Marie-Antoinette.	• Mort de Diderot et de Sophie Volland.	⬡ • Beaumarchais, *le Mariage de Figaro*. • Bernardin de Saint-Pierre, *Études de la nature* (→1788). • Rétif de La Bretonne, *la Paysanne pervertie*. • Rivarol, *Discours sur l'universalité de la langue française*.
1788	• Convocation des États-Généraux ; rappel de Necker. • Fondation du *Times*. • Première batteuse mécanique en Angleterre.	• Naissance de Byron (→1824), de Eichendorff (→1857), de Schopenhauer (→1860). • Mort de Buffon, né en 1707. • Sade rédige *Aline et Valcour* en prison.	⬡ • Barthélémy, *Voyage du jeune Anacharsis*. • Bernardin de Saint-Pierre, *Paul et Virginie*. • Rétif de la Bretonne, *les Nuits de Paris*. ○ • Kant, *Critique de la Raison pratique*.

1789	• Réunion des États Généraux et prise de la Bastille. • Le monde paysan saisi par la *Grande Peur.* Abolition des privilèges dans la nuit du 4 août. • Déclaration des Droits de l'Homme (26 août).	• Naissance de F. Cooper (→1851). • La disparition de la censure libère la presse. L'empire journalistique de Panckoucke s'effondre. • Sade retrouve la liberté.	⬡ • Marie-Joseph Chénier, *Charles IX ou la Saint-Barthélémy.* • Sieyès, *Qu'est-ce que le tiers état ?*

1791	• Liberté du travail, du commerce intérieur, abolition du droit d'aînesse, citoyenneté aux non-catholiques, interdiction des associations.	• Naissance de Grillparzer (→1871). • Mort de Mozart, né en 1756. • L'Assemblée établit la propriété littéraire et la liberté des théâtres.	⬡ • Sade, *Justine ou les malheurs de la vertu.* • Volney, les *Ruines.*

1792	• La France déclare la guerre à l'Autriche (avril). La patrie est déclarée en danger (juillet). • Prise des Tuileries et chute de la royauté (10 août). Convocation de la Convention, et suffrage universel. • Massacre dans les prisons (septembre). Victoires de Valmy et Jemmapes. • An I de la République (21 sept.).	• Naissance de V. Cousin (→1867), de Shelley (→1822). • Mort de Cazotte et de Lenz. • Schiller est fait citoyen d'honneur de la République française. • Rivarol émigre. • Ducis traduit *Othello.* • David est élu à la Convention.	⬡ • Beaumarchais, *la Mère coupable.* • Florian, *Fables.* • Saint-Martin, *Ecce Homo.* ∫ • Rouget de Lisle compose *la Marseillaise.*

1794	• Exécution des hébertistes (mars), des dantonistes (avril). Robespierre élu président de la Convention (juin). Début de la Grande Terreur (juin). • Chute des robespierristes (27 juillet, 9 thermidor). Fermeture du cub des Jacobins (nov.).	• Mort de Chamfort, d'A. Chénier, de Condorcet, de Florian, de Roucher. • Création de l'École Normale.	⬡ • Xavier de Maistre, *Voyage autour de ma chambre*. • Maréchal, *le Jugement dernier des Rois*. • Rétif de La Bretonne, dernier volume des *Nuits de Paris*.
1795	• Liberté des cultes ; première séparation de l'Église et de l'État. • La Terreur blanche : massacre de jacobins à Lyon, Marseille... (mai-juin). Débarquement d'émigrés à Quiberon. • Adoption de la Constitution de l'an III ; régime du Directoire. • Amnistie pour les émigrés.		⬡ • Chamfort, *Maximes, pensées...* • Condorcet, *Esquisse d'un tableau historique des progrès de l'esprit humain* (posthume). • Sade, *la Philosophie dans le boudoir ; Aline et Valcour*. • Mme de Staël, *De l'influence des passions sur le bonheur des individus et des nations*.
1797	• Victoire de Rivoli. Paix de Campo-Formio. • Exécution de Babeuf. • Coup d'État anti-royaliste (4 sept.).	• Naissance de Heine (→ 1856), de Vigny (→ 1863).	⬡ • Chateaubriand, *Essai sur les Révolutions*. • Sade, *la Nouvelle Justine*. • Rétif de la Bretonne, *Monsieur Nicolas*.
1799	• Coup d'État du 18 Brumaire (9 nov.).	• Mort de Beaumarchais et de Marmontel.	⬡ • Cottin, *Claire d'Albe*.

Index

Cet index regroupe les écrivains et auteurs, à l'exception des critiques contemporains et des références de la *Chronologie*. Les autres noms (artistes, savants, hommes politiques, etc.) n'y figurent que dans la mesure où ils ont produit des textes.

ALEMBERT (D') (1717-1783) : 25, 28, 29, 37, 40, 41, 46, 47, 49, 50, 65, 99, 102, 114, 138, 169, 173, 174, 175.
ARGENS (D') (1704-1771) : 24, 94.
BACULARD D'ARNAUD (1718-1805) : 86.
BAYLE (1647-1706) : 34, 35, 41, 48, 51, 147.
BEAUMARCHAIS (1732-1799) : 8, 73, 78, 80, 96, 125, 126, 130, 141, 179-189, 190, 191.
BERNARDIN DE SAINT-PIERRE (1737-1814) : 37, 38, 85, 92, 195.
BONALD (1754-1840) : 62, 63.
BOSSUET (1627-1704) : 10, 54, 63.
BUFFON (1707-1788) : 9, 38.
CAZOTTE (1719-1792) : 86.
CHALLE (1659-1721) : 78, 83.
CHAMFORT (1740-1794) : 63.
CHATEAUBRIAND (1768-1848) : 9, 13, 62, 64, 97, 103, 141, 150.
CHÉNIER A. (1762-1794) : 97, 98, 102, 196.
CHÉNIER M.-J. (1764-1811) : 102, 103.
CONDILLAC (1714-1780) : 10, 40.
CONDORCET (1743-1794) : 9, 34.
CONSTANT B. (1767-1830) : 65, 75.
CRÉBILLON FILS (1707-1777) : 82, 83, 84, 88, 89, 118, 132, 192, 193, 194.
DELILLE (1738-1813) : 96, 98.
DIDEROT (1713-1784) : 8, 20, 22, 25, 28, 30, 31, 35, 37, 38, 39, 40, 41, 42, 45, 48, 49, 50, 53, 54, 57, 58, 65, 66, 67, 71, 73, 76, 77, 78, 79, 81, 84, 85, 86, 91, 92, 94, 96, 99, 102, 103, 118, 119, 125, 138, 139, 140, 141, 148, 151, 160, 165-179, 181, 182, 183, 183, 184, 185, 186, 188, 189, 190.
FÉNELON (1651-1715) : 9, 10, 55, 56, 82, 95, 97.
FONTENELLE (1657-1757) : 35, 41, 51, 118.
GOETHE (1749-1832) : 139, 161, 166, 179.
GRAFFIGNY Mme (DE) (1695-1758) : 77, 84.
GRIMM (1723-1807) : 53.
HAMILTON (1646 ?-1720) : 83, 87.
HELVÉTIUS (1715-1771) : 14, 17, 44, 47, 53, 54, 170.
HOBBES (1588-1679) : 60, 61.
HOLBACH (D') (1723-1789) : 38, 39, 44, 50, 53, 102, 166.
KANT (1724-1804) : 33, 34, 150.
LACLOS (1741-1803) : 9, 85, 86, 89, 155, 189-195, 199.
LA METTRIE (1709-1751) : 38, 43, 44, 53, 54, 170.
LA MOTTE (1672-1731) : 96, 118.
LE FRANC DE POMPIGNAN (1709-1784) : 96, 98.
LESAGE (1648-1747) : 8, 82, 83, 84, 92, 142.

LESPINASSE Mlle (DE) (1732-1776) : 25, 171, 173, 174.
LOCKE (1632-1704) : 10, 39, 40, 41, 55, 58, 60, 67, 143, 144, 147, 159.
MABLY (1709-1785) : 57.
MAISTRE J. (DE) (1753-1821) : 62, 63.
MARIVAUX (1688-1763) : 8, 13, 24, 41, 67, 80, 82, 83, 84, 90, 91, 100, 118-131, 132, 141, 185, 189, 192.
MARMONTEL (1723-1799) : 28, 49, 64, 85, 96.
MERCIER L.-S. (1740-1814) : 73, 77, 85, 94, 95.
MONTESQUIEU (1689-1755) : 5, 9, 34, 35, 37, 44, 54, 55, 56, 57, 67, 72, 89, 94, 95, 97, 110-118, 125, 142, 143, 147, 148, 159, 166.
MORELLY (?) : 94, 166.
NEWTON (1642-1727) : 36, 37, 38, 39, 40, 41, 51, 110, 113, 114, 144, 145, 150, 170.
PRÉVOST (1697-1763) : 10, 24, 25, 44, 45, 52, 67, 78, 82, 84, 86, 90, 93, 95, 119, 123, 131-137, 142, 189, 192.
RAYNAL (1713-1796) : 34, 64, 165.
RÉTIF DE LA BRETONNE (1734-1806) : 85, 86, 87, 92, 94, 95, 103, 189, 194, 196.
RICHARDSON (1689-1761) : 78, 170, 176, 177, 190.
RIVAROL (1753-1801) : 63.
ROUSSEAU J.-J. (1712-1778) : 5, 8, 9, 11, 14, 20, 23, 25, 26, 29, 31, 38, 40, 43, 44, 45, 47, 58, 61, 63, 64, 66, 67, 71, 72, 73, 78, 79, 81, 84, 85, 86, 87, 95, 99, 102, 103, 123, 138, 140, 148, 150-165, 167, 171, 192, 193.
SADE (1740-1814) : 9, 31, 35, 43, 44, 45, 53, 85, 86, 87, 92, 95, 103, 182, 189, 194, 195, 196-199.
SAINT-LAMBERT (1716-1803) : 96, 98.
SAINT-SIMON (1675-1755) : 9, 12, 55, 106-110.
SEDAINE (1719-1797) : 30, 31.
SÉNAC DE MEILHAN (1736-1803) : 87, 103.
SÉNANCOUR (1770-1846) : 103.
STAËL Mme (DE) (1766-1817) : 65, 89, 103.
VOLNEY (1757-1820) : 35, 65.
VOLTAIRE (1694-1778) : 5, 10, 11, 12, 13, 15, 18, 20, 22, 24, 26, 28, 29, 30, 34, 35, 37, 39, 40, 41, 42, 44, 45, 46, 48, 49, 53, 54, 57, 62, 63, 67, 72, 74, 81, 83, 84, 85, 92, 94, 95, 96, 97, 98, 100, 102, 118, 119, 125, 131, 138-150, 160, 165, 166, 170, 172.

Berger-Levrault, Nancy. — 775856
Dépôt légal : Juin 1988.
Imprimé en France